TOME 9

Mirages

DANS LA MÊME COLLECTION

Déjà parus :

À paraître bientôt :

✳ ✳ ✳

À ce jour, Anne Robillard a publié plus d'une trentaine de romans, dont la saga à succès des *Chevaliers d'Émeraude*, sa suite, *Les héritiers d'Enkidiev*, la série culte *A.N.G.E.*, *Qui est Terra Wilder ?*, *Capitaine Wilder*, la saga des *Ailes d'Alexanne* et la toute nouvelle série des *Cordes de cristal* ainsi que plusieurs livres compagnons et BD.

Ses œuvres ont maintenant franchi les frontières du Québec et font la joie de lecteurs partout dans le monde.

Pour obtenir plus de détails sur ces autres parutions, n'hésitez pas à consulter son site officiel et sa boutique en ligne :

www.anne-robillard.com / www.parandar.com

ANNE ROBILLARD

LES HÉRITIERS d'Enkidiev

TOME 9

Mirages

Catalogage avant publication de Bibliothèque et Archives
nationales du Québec et Bibliothèque et Archives Canada

Robillard, Anne

    Les héritiers d'Enkidiev
    Sommaire: t. 9. Mirages.

    ISBN 978-2-923925-62-2 (v. 9)

    I. Titre. II. Titre: Mirages.

PS8585.O325H47 2009   C843'.6   C2009-942695-1
PS9585.O325H47 2009

WELLAN INC.
C.P. 57067 – Centre Maxi
Longueuil, QC J4L 4T6
Courriel: info@anne-robillard.com

Couverture et illustration: Jean-Pierre Lapointe
Mise en pages: Claudia Robillard
Révision: Annie Pronovost

Distribution: Prologue
1650, boul. Lionel-Bertrand
Boisbriand, QC J7H 1N7
Téléphone: 450 434-0306 / 1 800 363-2864
Télécopieur: 450 434-2627 / 1 800 361-8088

Dépôt légal - Bibliothèque et Archives nationales du Québec, 2014
Dépôt légal - Bibliothèque et Archives Canada, 2014

« Plus les télescopes seront perfectionnés et plus il y aura d'étoiles. »

— Gustave Flaubert

ENKIDIEV

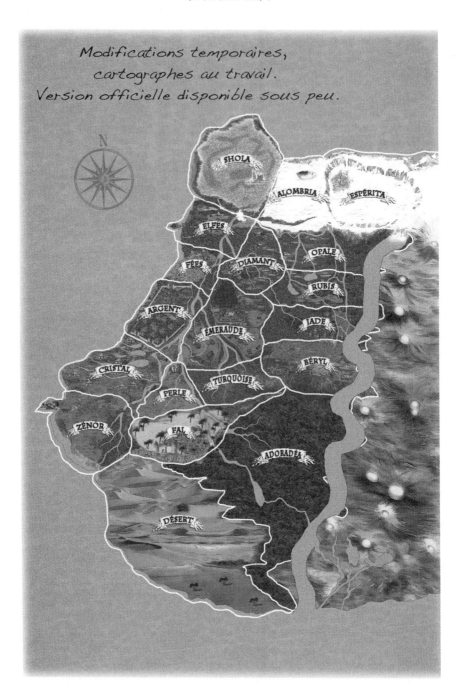

Modifications temporaires,
cartographes au travail.
Version officielle disponible sous peu.

ENLILKISAR

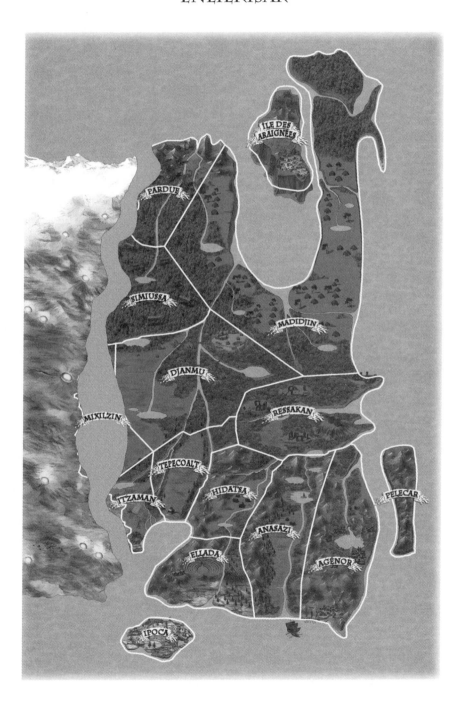

LES DIEUX FONDATEURS

LESSIEN IDRIL,
déesse-louve blanche ailée

ABUSSOS
dieu-hippocampe

LES DIEUX CATALYSTES

NASHOBA
dieu-loup noir

NAHÉLÉ
dieu-dauphin ailé

NAPASHNI
déesse-griffon

NAALNISH
déesse-licorne

ATLANCE
dieu-renard blanc ailé

MAÉLYS ET KYLIAN
déesse-pliosaure
et dieu-pliosaure

AYARCOUTEC
déesse-serpent ailé

NAYATI
dieu-dragon bleu

LES DIEUX CRÉATEURS

AUFANIAE
déesse-dragon doré

AIAPAEC
dieu-dragon doré

LAZULI
dieu-phénix

WELLAN
dieu-ptérodactyle

PANTHÉON AVIAIRE

LYCAON
dieu-condor

AQUILÉE
déesse-aigle royal

ANGARO
déesse-chevêche

AZCATCHI
dieu-crave

AURÉLYS
déesse-aigle noir

PANTHÉON FÉLIN

ÉTANNA
déesse-jaguar

ANYAGUARA
déesse-panthère noire

AHURATAR
dieu-lion

CORINDON
dieu-caracal

CORNÉLIANE
déesse-guépard

PANTHÉON REPTILIEN

PARANDAR
dieu-gavial

CAPÉRÉ
dieu-gavial

CLODISSIA
déesse-gavial

ASSÉQUIR
déesse-gavial

CINN
déesse-gavial

PANTHÉON REPTILIEN
(SUITE)

DRESSAD
dieu-gavial

FAN
déesse-gavial

IALONUS
dieu-gavial

KIRA
déesse-théropode

LAGENTIA
déesse-gavial

NADIAN
dieu-gavial

ROGATIA
déesse-gavial

SHUSHE
déesse-gavial

VALIOCE
déesse-gavial

VINBIETH
dieu-gavial

ESTOLA
déesse-gavial

HUNHAN
dieu-gavial

IVANA
déesse-gavial

KUNADO
dieu-gavial

LIAM
dieu-gavial

NATELIA
déesse-gavial

SAUSKA
déesse-gavial

THEANDRAS
déesse-gavial

VATACOALT
dieu-gavial

VINDÉMIA
déesse-gavial

PANTHÉON AVIAIRE
(SUITE)

CYNDELLE
déesse-effraie

IBALBA
dieu-serpentaire

LAZULI
dieu-gerfaut

MATSA
déesse-vautour

NAHUAT
dieu-émerillon

NOCHTO
dieu-crécerelle

RISHA
dieu-hibou

SILA
déesse-buse

SPARWARI
demi-dieu épervier

FABIAN/ALBALYS
dieu-milan royal

IZANA
déesse-chouette

LEPROCA
dieu-autour

MÉTARASSOU
déesse-faucon

NINOUSHI
déesse-épervier

ORLARE
déesse-harfang

SÉLÉNA
déesse-harpie

SHVARA
dieu-busard

PANTHÉON FÉLIN
(SUITE)

ENDERAH
déesse-lynx

KALÉVI
dieu-ocelot

LARISSA
déesse-eyra

LÉIA
déesse-eyra

LÉONILLA
déesse-eyra

MAHITO
dieu-tigre

MYRIALUNA
déesse-eyra

OUÉDO
dieu-serval

SKAALDA
déesse-léopard

SOMAVA
déesse-marguay

INNICK
déesse-oncille

KIRSAN
dieu-chat du Désert

LAVRA
déesse-eyra

LIDIA
déesse-eyra

LUDMILA
déesse-eyra

MAREK
dieu-léopard des neiges

NAPISHTI
dieu-tigre

ROGVA
déesse-puma

SOLIS
dieu-jaguar

WARA
déesse-chat des sables

1

TRAÎTRES MÉCONTENTS

Profondément déçu par l'issue de l'affrontement entre les panthéons aviaire et félin sur une plaine d'Enlilkisar, le dieu Corindon s'était réfugié dans la plus dense forêt des Elfes. Il ne savait pas comment annoncer à sa maîtresse, l'enchanteresse Moérie, que plusieurs des dieux avaient survécu. Sous sa forme de caracal, il marchait autour d'un étang magique en grondant son mécontentement. Son plan avait pourtant été d'une simplicité enfantine : le jour de la célébration du dieu-lion Ahuratar par les Hidatsas, Aquilée et ses rapaces tomberaient du ciel pour s'attaquer aux fauves réunis au même endroit. Corindon savait pertinemment qu'Étanna et ses enfants ne prenaient jamais la fuite devant un défi. De force égale, les ennemis à plumes et à poil auraient dû s'entretuer, mais rien n'avait fonctionné comme prévu...

– Es-tu blessé ? demanda une voix en provenance de la forêt.

Pour seule réponse, Corindon poussa un miaulement rauque. Incapable d'en déterminer la signification, Moérie arqua un sourcil et se planta sur sa route afin de l'obliger à s'arrêter. Il reprit aussitôt son apparence humaine. Ses joues rouge feu firent comprendre à l'Elfe qu'il était surtout furieux.

– Ils ont tous survécu ? s'irrita l'enchanteresse.

– Non, pas tous... mais ceux qui n'ont pas été éliminés ont fui.

– Fui devant qui ?

– Nashoba. Il s'en est pris à Aquilée, puis il a mis les félidés en déroute.

– J'aurais dû empoisonner ce casse-pied au lieu de lui sauver la vie, grommela Moérie.

– À l'époque, nous ne savions pas qu'il était un dieu.

L'Elfe agrippa Corindon par la ceinture qu'il portait sur sa tunique sable, l'attira contre sa poitrine et l'embrassa amoureusement.

– Je t'informe que nous avons échoué et tu me fais des avances ? s'étonna le dieu-caracal.

– Tout n'est pas perdu, mon joli.

Elle lui tourna le dos et s'éloigna dans la pénombre, entre les arbres. Intrigué, Corindon la suivit.

– Aucun des panthéons ne me fera confiance, maintenant, déplora-t-il.

– Mais ils ont désormais un ennemi commun et cela pourrait nous être fort utile.

Moérie arriva à sa hutte, devant laquelle brûlait un feu magique. Elle s'assit sur le pouf doré que lui avait offert son amant. Inquiet, Corindon demeura debout, de l'autre côté des flammes.

— Nous avons deux choix, poursuivit-elle. Nous pouvons dresser les oiseaux et les félidés contre le dieu-loup en espérant qu'ils nous en débarrassent une fois pour toutes, ou nous pouvons tuer Nashoba nous-mêmes.

— Nous ? répéta Corindon avec incrédulité. Seul un dieu peut en détruire un autre, Moérie.

L'espace d'un instant, les yeux pâles de l'enchanteresse brillèrent de rage, car elle ne savait que trop bien qu'elle n'était pas divine. Elle conserva cependant son sourire cruel.

— Je parlais de toi, mon adoré, se reprit-elle.

— Il est impossible de traquer Onyx sans qu'il s'en rende compte. Même Tayaress n'y arrive pas.

— Je croyais que le Roi d'Émeraude te faisait confiance. Ne lui as-tu pas permis de revoir ses premières familles grâce au kulindros ?

— Onyx est beaucoup plus intelligent que tu sembles le croire, Moérie. Il le sent tout de suite lorsqu'on lui veut du mal. C'est sans doute un des pouvoirs que les dieux fondateurs ont donnés à leurs enfants.

— Est-ce que tu aurais peur de lui, par hasard ?

– Je m'en méfie en effet depuis que je l'ai vu se jeter sur Aquilée.

Tandis qu'elle réfléchissait à cet épineux problème, l'enchanteresse s'amusa à changer la couleur des flammes, les faisant passer du jaune au violet, puis au rouge et au vert.

– Il y a une autre façon d'attraper un loup, soit à l'aide d'un piège.

Corindon pinça les lèvres, ce qui indiqua à Moérie que sa suggestion le plongeait dans la perplexité.

– Je peux suivre les moindres gestes d'une personne sur mon étang magique, expliqua-t-elle. Il ne me sera pas difficile d'épier cet homme et d'apprendre ce qu'il a l'intention de faire. Ainsi, nous pourrions toujours être un pas devant lui. Il finira par tomber.

Le caracal demeura muet.

– Mais ne courons aucun risque, ajouta Moérie. Jouons sur plusieurs tableaux à la fois.

– Je t'écoute.

– Continue d'utiliser la furie d'Aquilée et d'Étanna contre Onyx.

– La déesse-aigle n'aura peut-être plus envie d'écouter les conseils d'un représentant du panthéon félin.

– La façon dont tu t'y prendras ne m'importe guère, Corindon. Assure-toi que le carnage entre les rapaces et les chats se poursuive pendant que je préparerai la chute de Nashoba et celle de Napashni, par le fait même.

«Puis je réglerai le cas de Naalnish», se promit secrètement l'enchanteresse.

– Je ferai de mon mieux, marmonna le caracal, soumis.

– Non, mon bel amour, le corrigea Moérie. Tu réussiras.

Corindon fit un pas pour se rapprocher de la femme avec qui il désirait passer sa vie ou, du moins, les prochaines années, car il savait bien qu'elle finirait par mourir avant lui, même si les Elfes vivaient plus longtemps que les humains. Il n'eut pas le temps de se rendre jusqu'à elle avant que la voix d'Étanna ne résonne dans son esprit.

– Je dois partir, soupira-t-il.

– Les autres petits chats t'appellent? se moqua Moérie.

– Il est préférable que je n'éveille pas leurs soupçons.

– En effet... Disparais.

Corindon se dématérialisa aussitôt, laissant l'enchanteresse à ses pensées de vengeance et de domination. Elle devait trouver la façon d'éliminer tous les enfants d'Abussos, jusqu'au dernier, afin que le règne des Elfes sur Enkidiev puisse enfin commencer.

– Les enchanteresses sont au service du peuple, Moérie, fit alors la voix de Sélène, la doyenne des magiciennes de la forêt.

– Je n'ai jamais dit le contraire, répliqua la plus jeune en revenant de sa rêverie.

Sélène se tenait devant elle, l'air sévère.

– Elles ne complotent pas contre les humains et encore moins contre les dieux.

– Apparemment, certaines d'entre nous sont aveugles. Heureusement, d'autres se rendent compte que les représentants de ces deux races ne se préoccupent guère du bonheur des Elfes.

– C'est faux, tu le sais. Toutes les créatures de Parandar ont leur rôle à jouer dans l'évolution d'Enkidiev. Ce n'est pas parce qu'un Chevalier d'Émeraude a jadis maltraité un roi Elfe que tous ses semblables en ont fait autant. Plusieurs de nos meilleurs alliés ont été des humains.

– Ils ont aussi été la cause de tous nos malheurs.

– Qui t'a mis ces préjugés dans la tête, mon enfant?

– L'histoire de notre peuple. Nous n'aurions jamais dû quitter Osantalt.

– On dirait que tu n'as entendu que la moitié des récits de nos conteurs. Nos ancêtres ont dû partir de la mère patrie parce qu'ils refusaient de vivre selon les règles des Anciens. Ils ont eu beaucoup de chance de trouver un monde aussi hospitalier que celui-ci.

– Ils nous ont relégués à cette parcelle de terre qui appartenait aux Fées !

– Les habitants d'Enkidiev nous ont accueillis à bras ouverts et ils nous ont même permis de continuer à vivre selon nos coutumes.

– Je t'en prie, ouvre les yeux ! Ils nous ont installés à cet endroit parce que c'était la cible préférée de leurs ennemis insectes ainsi que le lieu le plus touché par les catastrophes naturelles et divines.

– Entends-tu ce que tu dis là, Moérie ? s'horrifia Sélène.

– Je n'étais qu'une enfant lorsque l'étoile de feu a traversé le ciel, mais j'ai vite compris que ce n'était pas seulement Shola qu'elle visait. Depuis son apparition, les désastres n'ont pas cessé de nous tomber sur la tête. La seule façon de nous libérer de cette malédiction, c'est de nous affranchir du joug des humains.

– C'est donc cet événement qui t'a traumatisée au point de déformer ta perception de la réalité ?

– Même à cet âge, je savais que nous allions souffrir pendant des centaines d'années.

Sélène était choquée par les propos incohérents de son ancienne apprentie.

– Depuis combien de temps t'emploies-tu à punir les humains ? demanda-t-elle, même si elle avait peur de la réponse.

– J'ai espéré de tout mon cœur que le Roi Hamil continuerait de diriger les Elfes jusqu'à sa mort, mais il a été contaminé par les autres souverains d'Enkidiev. Au lieu de choisir son propre fils pour lui succéder lorsqu'il a décidé de nous abandonner, il a préféré un bâtard qui ne connaît même pas notre façon de vivre. J'ai presque réussi à l'empêcher de naître, mais ces insolents Chevaliers ont sauvé son père.

– C'est toi qui as jeté un sort au bijou offert par la Princesse Amayelle au Chevalier Nogait ?

– J'ai aussi tenté d'empoisonner ce bon à rien de Cameron lorsqu'il était enfant et de le faire périr dans un accident quand il s'est mis à vagabonder sur le continent.

– Mais tu n'étais qu'une apprentie, à cette époque...

– La plus douée des jeunes filles sous votre tutelle, même si vous ne l'avez jamais remarqué.

– En magie, sans doute, mais ta capacité à raisonner est visiblement dérangée.

– Ou peut-être suis-je la seule qui possède encore la faculté de voir les choses clairement ?

Sélène n'avait plus le choix : il lui fallait purger le cerveau de la jeune femme qui avait perdu de vue la raison d'être des enchanteresses.

– Demain, avant le lever du soleil, viens me retrouver dans le cercle de pierres, lui dit-elle en conservant son sang-froid. Nous allons réorienter ton esprit.

– Si tu crois que c'est nécessaire...

– C'est plus que nécessaire, ma petite.

Moérie baissa la tête pour signifier sa soumission. Déconcertée, la doyenne s'enfonça dans la forêt afin d'aller méditer sur cette troublante situation. Elle suivit le sentier que ses prédécesseures avaient foulé avant elle. Il était maintenant entouré de nouveaux étangs, créés par la récente inondation. Sélène marchait près de l'un d'eux lorsqu'une terrible rafale la poussa dans la mare.

Les enchanteresses ne craignaient pas l'eau. Elles y puisaient plutôt une grande partie de leur puissance. Par conséquent, au lieu de paniquer, l'aînée nagea jusqu'au bord du bassin, où elle aperçut le bas de la tunique de Moérie. Son regard remonta jusqu'à son visage.

– Aide-moi à sortir de là, la pria-t-elle.

– Oui, bien sûr, vénérable Sélène.

Moérie leva la jambe, posa le pied sur le crâne de celle qui lui avait tout enseigné et l'enfonça dans l'eau. Privée d'air, Sélène se débattit furieusement. Pour qu'elle ne se mette pas à crier, son assaillante la plongea d'un seul coup au fond de l'étang et l'y maintint jusqu'à ce qu'elle sente la vie s'échapper de son corps. Puis, satisfaite, Moérie retourna à sa hutte pour se reposer jusqu'à ce que ses compagnes viennent lui annoncer la triste nouvelle...

Au même moment, Corindon était réapparu devant le terrier de son chef. Habituellement, Étanna ne se souciait pas de lui et se préoccupait davantage du bien-être de ses préférés. Il rassembla son courage et pénétra dans le palais souterrain. Lorsqu'il aboutit enfin à la vaste caverne, il s'étonna de trouver la déesse-jaguar seule sur sa couche recouverte de fourrure. Elle léchait méthodiquement ses pattes, sans doute pour nettoyer son pelage du sang de ses ennemis.

— Vénérable Étanna, la salua le caracal en s'approchant prudemment, sous sa forme d'homme.

— Te voilà enfin, gronda la divinité en se tournant vers lui. Où étais-tu pendant les combats ?

— Je ne saurais le dire précisément.

— Personne ne t'a vu te battre et tu n'es pas rentré avec nous.

— J'étais aux prises avec un faucon et j'ai dû prendre la fuite en direction de la forêt, car je me trouvais trop loin de vous.

— Pourquoi n'es-tu pas revenu ici ?

— J'ai d'abord pansé mes blessures.

Étanna adopta son apparence humaine et descendit de son grand lit.

Elle s'approcha du caracal en le transperçant de son regard.

– Me dis-tu la vérité, Corindon ?

– Pourquoi vous mentirais-je ?

– Tu passes de moins en moins de temps dans le monde des félins.

– En voyageant de par le monde, j'ai découvert des endroits où je me sens bien. Est-il défendu de quitter votre univers ?

– Je n'aime pas quand tu prends ce petit air supérieur avec moi.

– C'est purement involontaire... Je tiens cette vilaine habitude de vous.

Un sourire amusé se dessina sur le visage de la déesse-jaguar.

– Tu es aussi flatteur qu'un homme que j'ai connu, jadis... tu aurais dû naître jaguar.

– J'ai souvent souhaité la même chose, mais je me suis habitué à ma vie de caracal.

– Je ne suis toujours pas convaincue que tu étais parmi nous chez les Hidatsas. Montre-moi tes blessures.

Corindon retira sa tunique sans hésitation, dévoilant de longues lacérations sur sa poitrine. Il omit, toutefois, de révéler à Étanna qu'il s'était blessé lui-même.

– Qui a survécu ? demanda-t-il pour empêcher la déesse de scruter ses pensées.

– Ahuratar, Skaalda, Rogva, Enderah et Napishti. Évidemment, les traîtres Anyaguara et Solis brillaient par leur absence. Nous allons rebâtir notre panthéon.

– Sans assouvir votre vengeance ? s'étonna Corindon.

– Nous ne sommes plus que sept et j'ignore combien il reste d'oiseaux.

– Voulez-vous que je m'en informe ?

Étanna reprit sa forme féline et remonta sur sa couche en émettant un grondement rauque.

– J'égorgerais volontiers Aquilée, avoua-t-elle.

– Alors, laissez-moi vous procurer ce plaisir.

– Très bien, mais ne me déçois pas, Corindon.

Il se courba et quitta le terrier royal en se disant que c'était la dernière fois qu'il y mettait les pieds. Au lieu de rentrer chez lui, le caracal fila vers le monde des humains, qu'il aimait de plus en plus. Puisqu'il avait déjà rencontré Orlare sur l'île des Araignées et qu'il était persuadé que les rapaces chercheraient aussi à éliminer les félidés, il se dit que c'était le premier endroit où la déesse-harfang se rendrait. Cette fois, personne n'échapperait au carnage...

2

RANCŒUR

Couchée sur le ventre dans ce qui restait de son nid, Aquilée maudissait tous les habitants du ciel, y compris le panthéon reptilien, qui n'avait pourtant pas pris part aux hostilités dans le monde des humains. Séléna, sa mère, était la seule qui avait le courage d'approcher la déesse-aigle lorsqu'elle était en colère. Depuis un petit moment, elle faisait de son mieux pour soigner sur le dos d'Aquilée les blessures que lui avaient infligées les crocs d'Onyx. Régulièrement, sa patiente redressait brusquement le torse pour invectiver quelqu'un et s'agitait en se plaignant de la perfidie des félins.

– Je déchiquetterai le prochain qui osera faire échouer mes plans ! hurla-t-elle en faisait sursauter Séléna. Je me moque que ce soit un chat, un alligator, un loup ou un hippocampe !

– Ce ne serait pas très intelligent de t'attaquer à un dieu fondateur, l'avertit la déesse-harpie.

– Sache, ma sœur, qu'il y a une raison derrière tout échec, lança Orlare sur un ton moralisateur en entrant dans le palais.

– C'est exact ! s'écria Aquilée. Et cette raison s'appelle Nashoba !

– Tu pourrais obtenir tout ce que tu désires si tu acceptais de t'y prendre autrement avec les gens, continua bravement la déesse-harfang. La violence n'engendre que la violence, tandis que la douceur...

– Je veux tous les voir mourir !

Orlare savait bien qu'Aquilée se fermait comme une huître chaque fois qu'on l'offensait. C'était cependant son rôle de la raisonner quand elle allait trop loin.

– Tu ne pourras pas mener à bien tes représailles, car il ne reste plus que Métarassou, Izana, Ninoushi, mère, toi et moi dans le monde des rapaces.

– Quoi ?

– Si tu avais pris le temps de t'informer du sort de ton entourage, tu serais déjà au courant.

– Tous les autres sont morts ?

– Égorgés par les félins.

– Ils vont me le payer !

– Calme-toi et essaie de comprendre mes paroles, Aquilée.

– Il y a certainement d'autres survivants.

– En effet. Shvara et Albalys vivent désormais parmi les humains et Sparwari a quitté nos rangs avant l'assaut.

– Je veux leurs têtes !

– Et qui te les apportera ? Sûrement pas mère, ni moi.

– Où est Azcatchi quand on a enfin besoin de lui ?

– J'ai bien peur qu'il ait lui aussi quitté cette vie, puisque je ne capte ni sa présence ni ses pensées où que ce soit. Nous ne sommes plus que six.

– C'est suffisant pour exterminer ces satanés chats, parce qu'ils ont aussi subi des pertes.

– J'espère que tu te rends compte qu'une pareille initiative nous affaiblirait au point où à lui seul, Parandar pourrait nous écraser sous son talon ?

Aquilée poussa un hurlement de fureur en s'assoyant sur le bord de son nid, repoussant brutalement sa mère.

– Nous lui réglerons son compte dès que les félins auront disparu ! Trouve-moi Corindon tout de suite ! J'ai besoin de savoir ce que prépare Étanna.

Voyant qu'elle n'arriverait pas à faire entendre raison au chef de son panthéon, Orlare recula jusqu'à la sortie du nid.

– Si tu ne t'apaises pas bientôt, fit Séléna à sa fille aigle, ton petit cœur de poussin pourrait bien exploser.

Aquilée se tourna vivement vers la déesse-harpie, persuadée qu'elle se moquait d'elle, mais ne vit que de la tendresse dans ses yeux noirs. Elle se rappela alors que chaque fois qu'elle s'était fait mal depuis sa naissance, Séléna avait nettoyé ses plaies avec patience en faisant la sourde oreille à ses cris d'impatience. Contrairement au reste de la couvée, Aquilée avait toujours été pressée de voler, de chasser, de se battre. Son empressement lui avait par contre valu bien des blessures.

– Laisse-moi, ordonna-t-elle à sa mère.

– Je n'ai pas terminé, ma petite plume.

– Je ne souffre plus et j'ai besoin d'être seule.

– C'est comme tu veux. Je serai juste à côté.

«Orlare a raison: notre mère ne ferait pas de mal à une mouche», se découragea Aquilée. Pourquoi Lycaon l'avait-elle choisie? Maintenant que celui-ci errait dans le grand hall des disparus, elle n'en saurait jamais rien. Elle posa ses pattes sur le sol et serra le bec pour supporter la douleur que lui causait ce simple geste. Avec lenteur, elle quitta le palais. Une fois sur une branche, elle se laissa tomber dans le vide. Ses ailes n'avaient heureusement pas été abimées. Elle plana jusqu'à une petite cascade dont l'eau se répartissait entre une multitude de bassins creusés dans la pierre par l'érosion.

Aquilée descendit prudemment dans son trou préféré. Par le passé, elle y avait pris son bain des centaines de fois, loin des longs gémissements d'Orlare et des incessantes menaces d'Azcatchi, que ses parents lui défendaient d'étouffer. Ainsi isolée de ses semblables, elle parvint enfin à se concentrer pendant que l'eau claire coulait sur son plumage.

– Je n'ai jamais voulu devenir méchante, grommela-t-elle. Si j'avais eu un frère plus compétent, dont père aurait été fier, je n'en serais pas là.

Orlare aurait pu devenir une formidable chasseresse nocturne, mais elle s'était mise à entendre des voix. Pire encore, Lycaon et Séléna avaient eu tout un choc lorsqu'un oisillon tout noir était sorti d'un œuf. Ce n'était pas un oiseau de proie, mais un vulgaire charognard. Ils n'avaient jamais compris ce qui avait bien pu se passer. Constatant qu'il ne pourrait jamais être comme ses autres enfants, Séléna l'avait tout naturellement pris sous son aile. Elle n'avait même pas voulu croire que c'était son crave adoré qui avait balancé le reste de ses œufs à l'extérieur du nid. Elle n'avait réussi à sauver que Nahuat, le deuxième chétif petit frère d'Aquilée.

– En fin de compte, je n'avais pas le choix, conclut la déesse-aigle.

Tous les chefs de panthéon avaient choisi un héritier suffisamment fort pour les remplacer s'il leur arrivait malheur. Étanna s'en remettait aveuglément à son fils Ahuratar, le dieu-lion. Quant à Parandar, on disait qu'il affectionnait un de ses enfants plus que tous les autres, mais les reptiliens étant très discrets, Aquilée ignorait de qui il s'agissait. Lycaon, lui, avait vu en sa fille aigle toutes les qualités d'un leader.

– Il n'était pas aux prises avec les déloyaux félins, ragea-t-elle.

Elle fit un effort pour se calmer, sinon elle n'arriverait jamais à concevoir son prochain plan contre ses ennemis jurés.

Ceux-ci n'avaient pas leur place dans la hiérarchie céleste et ils devaient tous disparaître, jusqu'au dernier. Après avoir tué Étanna et son entourage, elle traquerait leurs descendants qui habitaient dans le monde des humains afin que leur lignée s'éteigne à jamais.

– C'est un bon plan...

Elle entendit des battements d'ailes et regarda vers le ciel. Un faucon approchait. Aquilée ne s'en inquiéta pas puisqu'elle avait reconnu sa nièce, Métarassou. Cette dernière se posa en douceur sur le roc, entre les petits étangs.

– Salutations, Aquilée.

– Comment as-tu su que j'étais ici ?

– Je l'ignorais, en fait. Je viens souvent ici quand j'ai des soucis. Cette eau semble avoir le don d'adoucir nos peines.

– C'est notre défaite qui te tourmente ?

Métarassou plongea dans le bassin attenant à celui où se prélassait la déesse-aigle.

– Je ne considère pas notre retraite hâtive comme un échec, répondit-elle fièrement. Si le loup n'était pas intervenu, la bataille se serait terminée à notre avantage.

– Tu dis vrai.

– Je m'inquiète plutôt de mon mari.

– Qui nous a abandonnés sans permission au moment où nous avions le plus besoin de lui ?

– Il se serait férocement battu s'il était resté, mais son amour pour son fils l'a emporté. Il croyait avoir le temps de le mettre en lieu sûr avant l'affrontement. Le fait qu'il ne soit pas encore revenu me laisse croire que les félins l'ont peut-être intercepté.

– Les chats ne savaient pas que nous les attaquerions.

– Ils retombent rapidement sur leurs pattes, Aquilée.

– Autrement dit, nous ferions mieux d'organiser notre riposte plutôt que de discuter ici.

– C'est aussi mon avis, mais nous avons d'abord besoin de reprendre nos forces.

– Si nous étions plus nombreux, je te laisserais partir à la recherche de ton mari, mais cela devra attendre.

– Je comprends.

« Au moins, Orlare a conçu des enfants qui ont une tête sur les épaules », se dit Aquilée en se secouant dans l'eau.

Pendant ce temps, n'ayant pas vraiment le choix, la déesse-harfang s'était mise à la recherche de Corindon avec son esprit. Elle ne fut pas surprise de le trouver à l'endroit même où elle l'avait rencontré pour la première fois. En fonçant vers l'île des Araignée, Orlare remit ses idées en ordre. Elle n'avait pas envie de cette guerre qui risquait de détruire l'équilibre de l'univers, mais si elle ne se pliait pas aux caprices de sa sœur, celle-ci la tuerait sans le moindre remords.

Le dieu-caracal était nonchalamment assis sur une grosse branche lorsque le harfang se posa non loin de lui. Il observait quelque chose sur la plaine à l'horizon. Orlare regarda donc du même côté. Les immenses tégénaires semblaient rassembler de curieux petits insectes noirs dans un corral.

– Des pucerons ? fit-elle, curieuse.

– Des Scorpenas, plutôt, rectifia Corindon. Ce sont des créatures carnivores qui terrorisent les habitants d'Enlilkisar depuis des centaines d'années.

– J'ignorais que certains insectes pouvaient atteindre la taille d'un homme.

– Dans ce monde, cela arrive rarement. Mais les Scorpenas, tout comme les Araignées et les Tanieths, ont été transportés jusqu'ici par un dieu d'un autre univers.

– J'écoute ce qui se passe dans l'Éther depuis ma naissance, mais jamais je n'ai entendu parler d'autres panthéons mis à part ceux qu'ont créés mes grands-parents dragons.

– Contrairement à ce qu'on nous a enseigné, Abussos n'est pas le seul dieu fondateur. Il y en a d'autres, dispersés dans le cosmos. Amecareth était le fils du dieu Achéron, qui règne sur une hiérarchie différente de la nôtre. Lorsqu'il a laissé partir le dieu-scarabée, qui ne s'entendait plus du tout avec ses frères, c'était pour lui permettre de créer son propre royaume loin de sa famille. Le premier Amecareth a franchi le portail entre les galaxies avec ses serviteurs. Parmi eux se trouvaient des rebelles qu'il a prestement exilés loin d'Irianeth.

– Les Scorpenas...

– C'est exact. L'empereur que les humains ont combattu était le fils de celui qui était venu s'établir sur cette planète.

– Si c'était un dieu, il doit être encore quelque part dans notre monde, supposa Orlare.

– Hélas, il a été tué par son propre fils, qui lui a d'ailleurs ravi son nom.

– Et qui a lui-même été éliminé par les Chevaliers d'Émeraude en même temps que tous ses sujets.

– Ce que je ne comprends pas, c'est comment les Scorpenas se sont retrouvés chez les Araignées.

– Ne venez-vous pas de dire qu'ils avaient été exilés ici ?

– À Enlilkisar, mais pas sur ce plateau qui frôle les nuages. Personne ne peut escalader la formidable falaise sur laquelle il se situe.

– Je peux m'en informer pour satisfaire votre curiosité.

Un sourire triste se dessina sur le visage de Corindon.

— Voyez-vous ça : un félin et un rapace bavardant comme de vieux amis ?

— En réalité, nous sommes cousins.

— Vous n'êtes pas comme Aquilée...

— Ça, non. Je dirais même que je suis son parfait contraire.

— C'est pareil pour moi. Je ne ressemble en rien à mes congénères. Tout ce que je veux, c'est vivre en paix, tandis qu'ils ne pensent qu'à exercer leur suprématie.

— Comme ma sœur.

— C'est elle qui vous envoie ?

— J'aimerais dire que j'avais envie tout simplement de bavarder, mais hélas, je suis là en son nom.

— J'imagine que cela concerne sa déconfiture chez les Hidatsas ?

— Elle aimerait en discuter avec vous.

— Ou me faire payer pour ses déboires ?

— Pas du tout. Elle cherche un autre moyen de frapper les félins avant qu'ils puissent se relever.

Corindon conserva un silence inquiet.

– Alors, soit, se résigna-t-il enfin. Qu'on en finisse une fois pour toutes.

– C'est ce que j'espère aussi.

Orlare se tourna vers les repoussants insectes qui s'entassaient dans leur pacage en couinant leur mécontentement.

– Ils ont été transportés par magie jusqu'ici alors qu'ils chassaient des humains, déclara-t-elle, en transe.

– Comme c'est intéressant...

– L'énergie qui se dégage encore faiblement d'eux ne m'est pas inconnue.

Orlare fixa Corindon droit dans les yeux.

– C'est celle de Nashoba, connu sous le nom d'Onyx parmi les humains.

– Encore lui...

– S'il agit au nom de son père, nous n'arriverons jamais à le vaincre.

– Les félins ne sont pas de cet avis, mais cela n'a plus d'importance, puisque leur fin est proche. Faites-moi signe lorsque la déesse-aigle sera prête à me rencontrer.

Orlare le salua de la tête et s'élança dans le ciel. Mais avant de rentrer dans le monde des rapaces, elle piqua vers le sol, le long de la falaise, pour vérifier les dires du dieu-caracal.

La descente dura de longues minutes, malgré sa fantastique vélocité. « Il a raison : aucune créature ne peut grimper jusque là-haut », conclut-elle en planant ensuite au-dessus de la baie des Araignées en direction du sud. Elle survola les terres des Ressakans et arriva finalement au-dessus de celles des Hidatsas. Ayant choisi d'adopter la taille normale d'une chouette, elle passa inaperçue lorsqu'elle se posa sur une branche de sapin à la limite de la grande clairière où toute la nation Hidatsa était réunie.

Orlare capta facilement la présence d'Onyx. Il était assis au milieu des chefs et écoutait ce qu'ils lui disaient.

La déesse-harfang hésita. Elle possédait le pouvoir de scruter l'esprit et les intentions des dieux, mais Nashoba était beaucoup plus puissant que tous les autres. S'en apercevrait-il si elle tentait de deviner ses intentions ? De la femme assise près de lui émanait une énergie farouche. Orlare ne douta pas une seconde qu'elle réagirait très mal à une pareille intrusion de sa part. Toutefois, l'homme blond de l'autre côté d'Onyx lui sembla une meilleure proie. Il portait attention aux paroles des anciens, mais il ne protégeait pas son esprit. « Si je procède rapidement, il ne saura pas ce qui lui est arrivé », s'encouragea la déesse.

Orlare ferma les yeux et s'infiltra vivement dans les pensées de Wellan. En l'espace de quelques secondes, elle revit tout ce qu'il venait de vivre et ressentit une grande frayeur en tombant sur l'image d'un formidable reptile ailé au long bec armé de dents. « Serait-il un dieu lui aussi ? » s'étonna-t-elle en réintégrant son corps. Aucune des divinités ne répondait à cette description ! « À moins qu'il fasse partie de cet autre panthéon dont Corindon vient de me parler... »

Déroutée, la déesse-harfang demeura un long moment à observer le trio de loin avant de se décider à rentrer dans son propre univers. Au lieu d'aller informer Aquilée de la collaboration de Corindon, elle se rendit plutôt chez sa mère. Séléna s'était assoupie dans son nid.

— Mère, j'ai une importante question à vous poser.

La déesse-harpie sursauta.

— Es-tu souffrante, ma petite poulette ?

— Je suis plutôt troublée...

— Dis-moi ce qui te bouleverse.

— Pourquoi ne m'avez-vous jamais parlé d'un dieu ressemblant à un énorme reptile couvert de plumes rouges ?

— Tu as encore fait un cauchemar ?

— Ce n'était pas un rêve, mère. J'ai vu ce dieu dans l'énergie d'un homme à Enlilkisar.

— Tu n'es pas retournée seule dans le monde des humains ? s'alarma Séléna.

— Sous ma forme de chouette. Je vous en prie, répondez-moi.

— Je ne connais aucune divinité qui réponde à cette description et je te défends de quitter notre territoire sans ta sœur.

Orlare comprit qu'elle ne tirerait rien de la pauvre harpie et personne dans son panthéon ne possédait des connaissances assez vastes pour l'éclairer. Elle promit donc à sa mère de rester à proximité et alla annoncer à Aquilée que Corindon était prêt à collaborer une fois de plus avec les rapaces.

3

UNE ÉTRANGE ÉNERGIE...

Au pied d'un haut volcan, Kira et Lassa avaient vu disparaître leur fils en compagnie d'un étranger, mais ils n'avaient aucune façon de savoir s'il s'agissait d'un allié ou d'un ennemi. Tout ce que la Sholienne avait réussi à découvrir, c'était que l'énergie de cet homme lui était étrangère.

— Pour le traquer, il nous faudrait plus d'informations, grommela-t-elle.

— Tu n'as donc pas l'intention d'attendre que nous recevions une demande de rançon, comprit son mari.

— Je préfère l'action au désœuvrement.

— On dirait que tu viens de te réveiller d'un long sommeil.

— De quoi parles-tu ?

— Après la guerre, tes grossesses ont ramolli ton courage.

— Ce n'est pas vrai !

— Je ne te critique pas, Kira. J'essaie seulement de te dire que je retrouve la femme qui m'a inspiré de nombreux poèmes.

La guerrière arqua un sourcil en se demandant si c'était un compliment ou un reproche.

— Nous en reparlerons plus tard, décida-t-elle en enlevant ses bottes. Commençons par découvrir ce qui est arrivé à Marek.

— Qu'est-ce que tu fais ?

— Je vais aller voir là-haut si je peux trouver une piste.

— Comment suis-je censé t'y suivre ?

— À moins que tu transformes en dauphin ailé, tu devras m'attendre ici.

— Je ne suis pas encore capable de déclencher cette métamorphose moi-même.

— Restons en communication.

Kira se mit à escalader la paroi de lave refroidie en s'aidant de ses griffes. Il y avait longtemps qu'elle n'avait pas fait d'exercice et elle se mit à haleter avant même d'être rendue à la moitié de la montagne. «Lassa a peut-être raison au sujet du ramollissement», songea-t-elle. Elle se concentra davantage sur sa respiration afin de se rendre jusqu'en haut, mais des pensées négatives la harcelaient. Nemeroff avait condamné son fils turbulent à la prison. Était-il venu le cueillir tandis qu'il fuyait vers le nouveau monde ? « Et si c'était Onyx ? » se demanda-t-elle. Personne ne savait comment il traitait les intrus... Elle refusa de croire qu'il puisse s'agir de Wellan. Jamais il n'aurait aidé Marek à échapper à ses parents. Personne ne vivait pourtant dans ces volcans. « Ce doit être un dieu », conclut-elle. *Marek !* l'appela-t-elle par télépathie. Aucune réponse.

La Sholienne arriva finalement à l'endroit où elle avait vu disparaître son fils et reprit d'abord son souffle. *Kira, est-ce que ça va ?* fit la voix de Lassa dans son esprit. *Donne-moi un peu de temps,* répondit-elle. Pour ne pas subir le même choc que lors de son premier contact avec l'étrange énergie, la femme Chevalier procéda plus prudemment et sonda le terrain de loin. *C'est bien la même personne qui a formé le vortex à la base du volcan,* affirma-t-elle. *Il ne s'agit pas de la magie de nos compagnons d'armes, ni même de celle d'un de nos Immortels.*

Un dieu, alors ? se risqua Lassa. Kira s'accroupit et discerna dans la poussière la trace des bottes de son petit. Juste à côté, elle remarqua l'empreinte d'un pied beaucoup plus grand. *En tout cas, sous sa forme humaine, c'est un géant,* laissa-t-elle tomber. Elle scruta chaque parcelle de la corniche, espérant trouver d'autres indices, mais le ravisseur avait fait bien attention de ne pas en laisser.

Comment vas-tu redescendre ? s'enquit Lassa. Kira n'y avait pas pensé. *Puisque je n'ai pas d'ailes, je peux utiliser mes griffes ou tenter de me déplacer magiquement.* Son mari serra les lèvres pour ne pas la mettre en garde encore une fois contre son manque d'expérience en la matière. *Je sais à quoi tu penses,* grommela la Sholienne. Puisque ses muscles étaient fatigués et qu'elle n'avait pas envie de tomber dans le vide et de mourir une deuxième fois, comme à Zénor, elle choisit l'avenue magique. «Advienne que pourra», se dit-elle. Elle forma un maelström en visualisant son mari tout en bas et y entra. Le vent glacé la fit tourner comme une feuille dans un tourbillon, puis ce fut l'impact.

Ne s'attendant pas à recevoir sa femme aussi brutalement dans les bras, Lassa fut renversé par le choc. Il s'agrippa à elle, mais fut incapable de stopper son allure. Ils roulèrent tous les deux jusqu'à la berge de la rivière. Kira s'arrêta sur le ventre et Lassa sur le dos.

— Tu n'aurais pas pu viser un tout petit peu plus à gauche ? gémit le pauvre homme en tentant de se redresser.

— Au lieu de me faire des reproches, tu devrais me féliciter de ne pas m'être matérialisée au Royaume de Rubis ! répliqua-t-elle en parvenant à s'asseoir.

— Es-tu blessée ?

— Non et même si je l'étais, je ne te le dirais pas.

Lassa décida de ne pas poursuivre la conversation en ce sens.

— Pendant que tu cherchais là-haut, j'en faisais autant ici.

— Qu'as-tu trouvé ? voulut savoir Kira en s'époussetant.

— Je perçois un filet d'énergie à peine saisissable vers le nord, qui semble s'arrêter au centre de la chaîne volcanique.

– Allons enquêter par là.

– Il me faudrait des crochets de fer pour pouvoir te suivre dans ces rochers.

– Je pourrais aussi y aller seule et revenir te chercher quand j'aurai trouvé quelque chose.

– Une fois suffit.

– Si je ne m'exerce pas, je ne maîtriserai jamais les déplacements magiques.

– Quelles sont les autres solutions qui s'offrent à nous ?

Kira examina la question.

– Le dragon de Nartrach ! s'écria-t-elle.

– Ou le cheval ailé de Hawke ! s'exclama-t-il à son tour.

– Il serait peut-être plus prudent que ce soit toi qui nous ramène sur la côte... se résigna-t-elle, contrariée.

Lassa lui tendit la main et l'aida à se relever.

– Commençons par nous adresser à Hawke, suggéra-t-il.

Elle accepta d'un vif mouvement de la tête et resta fermement accrochée à son mari pendant qu'ils étaient happés par la vigueur du vortex. Ils réapparurent à quelques pas à l'extérieur des remparts de la forteresse de Fal, loin de la route qui menait à la cour afin de ne pas effrayer inutilement les Falois. «Il pense toujours aux autres, comme Kaliska», songea Kira.

Les grandes portes étant ouvertes à cette heure du jour, le couple courut jusqu'au palais. Comme les sentinelles avaient reconnu la guerrière mauve, elles ne s'inquiétèrent pas de leur arrivée précipitée. Elles se tournèrent plutôt vers les grandes étendues de sable pour voir s'ils n'étaient pas poursuivis par un prédateur ou un ennemi.

Kira et Lassa retrouvèrent facilement le petit salon où l'Elfe et le moine Sholien étaient en train de procéder à l'évaluation de la petite Kyomi, sagement assise dans les bras de sa mère. Malgré l'urgence qu'ils ressentaient de retrouver leur enfant, les nouveaux arrivés firent attention de ne pas distraire la petite en entrant dans la pièce.

Hawke lança une balle en direction du bébé. Elle leva aussitôt la main et l'objet s'arrêta en plein vol. Puis, elle éclata de rire et le laissa tomber sur le sol.

— Je vous ai dit qu'elle était spéciale, répéta Mali pour la dixième fois depuis le début de l'entrevue.

— Elle n'a pas un an et elle prononce déjà clairement plusieurs mots, fit Briag à l'intention de Kira et Lassa.

— Qui font malheureusement partie de plusieurs incantations, grommela Liam, assis dans un coin éloigné.

— C'est tout à fait normal quand on a un père magique, lui rappela Lassa.

— Sauf que je n'en ai jamais dit un seul devant elle.

— Mali, alors ?

— Elle ne veut rien savoir de tous ces enchantements, affirma Liam. Elle passe plutôt son temps à essayer d'interpréter ses rêves étranges.

— Nous ne savons pas comment évaluer son degré de compassion, se découragea Briag.

— Ce n'est pourtant pas sorcier, laissa tomber Liam.

Il se leva et marcha jusqu'au bébé en sortant son poignard de sa gaine.

— Révèle-nous ce que tu as l'intention de faire ou remets ta dague à sa place, l'avertit Kira.

Sans prévenir, le jeune forgeron saisit la main de Hawke et lui entailla la paume.

— Mais... protesta Briag en pâlissant.

Les yeux noirs de l'enfant furent aussitôt attirés par le sang qui s'écoulait de la plaie. Elle se mit à couiner en sautillant sur les genoux de Mali.

– Je pense qu'elle veut voir la blessure de plus près, interpréta la mère.

Lassa et Kira résistèrent à la tentation d'aller soigner l'Elfe. Comme il avait compris ce que Liam tentait de prouver, Hawke approcha sa main de la petite. Celle-ci appuya le bout de ses doigts minuscules sur les siens : la coupure se referma sous les yeux de son auditoire inquiet.

– Parti ! lança-t-elle joyeusement.

Les adultes en restèrent bouche bée. Liam rengaina son arme et retourna s'asseoir.

– Je suis contente qu'on ne se soit pas mutilé devant les jumeaux, murmura Kira, en état de choc.

– Tout ce que ça prouve, c'est qu'elle a des dons de guérison, intervint Lassa pour éviter que ses amis ne sautent aux conclusions.

– Mais elle a compris que Hawke souffrait, leur fit remarquer Mali.

– Elle a les cheveux foncés comme l'enfant dans la vision de Marek, ajouta Kira.

– Il a aussi dit qu'elle était haute comme trois pommes, leur rappela Lassa.

– Alors, si c'est bien elle que vous cherchez, la guerre n'aura pas lieu avant l'année prochaine, calcula Liam.

– Marek vous a-t-il dit autre chose ? demanda Mali.

– Il a dit qu'elle était habillée en rouge, répondit Lassa.

– C'est une des couleurs favorites du pays de Fal.

– Et de Jade, et de Rubis, et même des Fées ! lança Liam.

– Pourquoi es-tu si négatif ? l'apostropha Lassa.

– Parce qu'à mon avis, vous ne vous y prenez pas de la bonne manière.

– Malheureusement, personne n'a écrit de manuel sur la façon de reconnaître les libératrices de cet âge, indiqua innocemment Briag.

– Je ne parle pas des bébés que vous soumettez à ces tests inutiles, répliqua Liam.

– Alors, dis-nous quoi faire, si tu crois le savoir mieux que nous, se hérissa Lassa.

Kira ne les avait encore jamais vus se mesurer ainsi l'un à l'autre. Pour ne pas commettre avec Lassa la même erreur qu'avec son premier mari, elle décida de ne pas le surprotéger et de le laisser régler cette affaire avec Liam. De surcroît, ce n'était pas à elle qu'Abussos avait confié cette mission. Plus vite ils videraient la question, plus vite elle pourrait sauver son fils.

– Au lieu de parcourir le continent à la recherche de celle qui empêchera les hostilités, vous devriez plutôt utiliser ce précieux temps à tenter vous-mêmes de tuer le poussin dans l'œuf, lança Liam.

– Nous ne savons pas qui seront nos adversaires, intervint Hawke.

– Je ne me targue pas d'être un expert en divination, mais il me semble assez évident que l'arrivée soudaine au pouvoir de Nemeroff et le départ d'Onyx laissent présager que cette guerre opposera le père et le fils, Enlilkisar à Enkidiev.

– Ah bon ? s'étonna Lassa.

– J'ai des yeux pour voir et des oreilles pour entendre.

– Alors, selon toi, tout ce que nous avons à faire, c'est de réunir Onyx et Nemeroff pour sauver le monde ?

– Oui, c'est ce que je crois.

Kira remarqua alors l'intérêt que portait Kyomi à la discussion entre les deux hommes. La petite mâchonnait son poing en tournant la tête de l'un à l'autre quand ils parlaient.

« Les bébés aussi jeunes peuvent-ils vraiment comprendre ce que racontent les grands, ou est-ce qu'ils captent uniquement leurs émotions ? » se demanda la Sholienne. Elle avait eu six enfants, mais seule Kaliska avait présenté une telle sensibilité. « Mais elle avait au moins deux ans... » se rappela la mère. Elle était si absorbée par les réactions du bébé qu'elle ne vit pas le regard interrogateur de son mari.

– C'est tout ce que j'avais à dire, termina Liam avant de quitter le salon.

– Soyez indulgents avec lui, supplia Mali. Il ne dort plus beaucoup depuis la naissance de Kyomi.

Lassa s'élança à la poursuite de son ami d'enfance et le rattrapa dans le long couloir menant dehors.

– Liam, attends !

Le forgeron se retourna avec un air combatif.

– Je te connais beaucoup mieux que tu penses et je sais que ce n'est pas uniquement notre quête qui te trouble, fit Lassa, inquiet.

– Au début, je ne m'intéressais pas aux cauchemars de Mali, soupira Liam, mais dernièrement, puisque je souffre d'insomnie, j'ai eu l'occasion d'écouter plus attentivement ce qu'elle dit dans son sommeil. Elle parle de l'incompréhension qui opposera deux grands hommes partageant un château, deux personnages de même rang dont l'affrontement pourrait causer notre perte. Il est évident qu'elle parle de l'ancien et du nouveau Roi d'Émeraude. Tant mieux si j'ai une fillette qui nous viendra un jour en aide, mais je pense qu'on pourrait écarter ce conflit maintenant pour éviter de la mêler aux querelles des adultes.

– Personne ne sait où se cache Onyx.

– Tu es un dieu, non ? Ça ne devrait pas être trop difficile pour toi d'en flairer un autre.

– Crois-le ou non, j'ignore comment enclencher ces nouveaux pouvoirs que je suis censé posséder, soupira Lassa.

– Il y a certainement quelqu'un sur ce continent qui puisse le faire.

– Il faudrait que cette personne soit aussi puissante qu'Onyx.

– Ça limite en effet le nombre de candidats. Que ce soit votre nouvelle quête, alors !

Pendant que les deux amis s'entretenaient dans le couloir, Kira en profitait pour sonder l'esprit de Kyomi. Les moines avaient raison : elle était vraiment exceptionnelle. Si ses organes de la parole n'étaient pas encore suffisamment formés pour qu'elle s'exprime librement, ses pensées, par contre, étaient déjà organisées.

– Est-il vrai que Lassa et Liam sont des âmes sœurs ? demanda alors Mali.

– C'est ce qu'il semble, répondit Kira.

– Alors, pourquoi sont-ils si différents ?

– Les âmes sœurs ne sont pas forcément pareilles. Habituellement, elles sont complémentaires.

– Pourquoi n'ont-ils pas décidé de vivre ensemble ?

– Parce qu'ils ne sont pas amoureux l'un de l'autre.

— Est-ce que tout le monde a une âme sœur ? s'enquit Briag. Même les Sholiens ?

— On m'a enseigné, lorsque j'étais petite, que pour chaque créature vivante, il en existe une autre auréolée de lumière qui peut la rendre heureuse, affirma Kira.

— Comment la rencontre-t-on ?

— Un jour ou l'autre, elle croise notre route. La mienne, c'est mon frère Dylan.

— Ce peut donc être un homme ou une femme, un étranger ou un proche ?

— C'est exact.

Briag se tourna vers son ami Elfe.

— Connais-tu la tienne, Hawke ?

— Je l'ai épousée, l'informa-t-il.

Lassa choisit ce moment précis pour revenir parmi eux.

— Liam a raison, déclara-t-il. Nous pouvons prévenir cette guerre en persuadant les antagonistes de se parler au lieu de se battre.

— Tu veux abandonner la mission que t'a confiée Abussos ? s'inquiéta Kira.

– Pas tout à fait. Nous allons former deux équipes. La première s'efforcera de découvrir la fillette, alors que l'autre tentera de persuader Onyx de rentrer au bercail.

– Et de retrouver Marek en même temps, ajouta la femme mauve.

– Kira et moi désirons retourner dans le nouveau monde. En fait, nous sommes revenus à Fal pour emprunter le cheval volant de Hawke.

– Hardjan ? s'étonna l'Elfe. Je lui ai rendu sa liberté quand je me suis installé au sanctuaire. Il a sûrement rejoint les troupeaux de chevaux-dragons qui paissent à l'est de la montagne de Cristal.

– Je ne pense pas, non, répliqua Kira en réfléchissant. Je l'y aurais vu, puisque avant de quitter Émeraude, je m'y rendais de temps à autre avec mes enfants pour les familiariser avec ces animaux.

– Pourquoi n'utilisez-vous pas un vortex pour vous déplacer ? demanda Jenifael en entrant au salon au bras de son compagnon félin.

Elle portait une robe faloise vert clair. Mahito, pour sa part, avait adopté le large pantalon et la tunique en soie des habitants du château, et le rouge feu lui seyait bien.

– Nous ne pouvons nous rendre qu'aux endroits où nous sommes déjà allés, lui rappela Lassa. Or nous avons de bonnes raisons de croire que Marek se trouve quelque part dans les volcans et que notre ancien roi est avec lui.

— Il nous faut un moyen de ratisser la région rapidement, ajouta Kira.

— Les Fées ne possèdent-elles pas un dragon ? intervint Briag.

— Nous avons justement l'intention de nous rendre chez elles pour l'emprunter.

— Je vous offre également mon aide, proposa Mahito. Sous ma forme de tigre, je peux escalader les versants des montagnes sans m'épuiser pendant de longues heures. Mieux encore, je suis suffisamment fort pour vous porter sur mon dos et je possède des sens aiguisés qui me permettent de localiser même des dieux.

Lassa ne cacha pas sa surprise.

— Il dit vrai, attesta Jenifael.

— Si nous ne pouvons pas obtenir les services de Nartrach, alors nous accepterons ta proposition, décida Kira.

Elle prit la main de son mari et l'entraîna vers la sortie.

— Sur le dos d'un tigre ? lâcha-t-il, une fois à l'extérieur du salon.

– Ou sur celui d'un dragon, fit Kira en haussant les épaules. Je suis prête à tout pour retrouver Marek. Allez, emmène-nous au Royaume des Fées.

– Non, c'est à ton tour, cette fois.

– Tout à coup, tu veux courir le risque que je nous expédie à des lieues de ce royaume ?

– Après mûre réflexion, si je t'avais forcée à utiliser ton pouvoir de téléportation plus souvent, tu aurais eu l'occasion de l'améliorer.

– Notre fils est peut-être en danger de mort et tu veux m'aider à perfectionner mes facultés magiques ?

– N'est-ce pas là la plus puissante de toutes les motivations ?

– Quand nous aurons secouru Marek, nous en reparlerons, maugréa Kira.

Elle ferma les yeux et entraîna Lassa dans son vortex. « Si elle nous laisse tomber dans l'océan, je n'aurai qu'à nous tirer de là moi-même », se dit ce dernier. À sa grande surprise, lorsqu'il sortit du maelström, il se tenait sur la terre ferme, au milieu d'une grande pelouse entourée de fleurs géantes.

– C'est bon signe, constata-t-il.

– À moins que les Fées aient leur propre Osantalt quelque part ailleurs dans le monde.

— Pourquoi as-tu toujours si peur de réussir, Kira ?

— Je n'ai pas peur de réussir, j'ai peur d'échouer ! Ce n'est pas la même chose.

Lassa scruta les environs avec ses sens invisibles et décela l'endroit où Nartrach entreposait ses tuiles.

— C'est par là, annonça-t-il en tirant Kira par la main.

Le couple arriva enfin devant les impressionnantes colonnes d'ardoise de toutes les couleurs.

— Vous n'aimez plus la couleur du toit de votre château ? lança l'homme-Fée en riant.

— Ce n'est pas notre château, mais celui de ma sœur, rectifia Kira, et elle adore toujours le rose. Nous sommes venus te demander un service très différent.

— Je vous écoute.

— Marek a été enlevé et nous sommes convaincus qu'il est détenu quelque part dans les volcans, expliqua Lassa. Nous cherchons une façon de les survoler pour le localiser.

— Si c'est à Nacarat que vous songez, j'ai bien peur de vous décevoir. J'ai déjà essayé par tous les moyens de lui faire franchir ces montagnes.

— Mais n'as-tu pas secouru Liam sur ton dragon ? se rappela Kira.

– Sur le dos de Stellan, son prédécesseur, qui, lui, n'avait pas peur de son ombre.

Les épaules de la Sholienne s'affaissèrent.

– Je suis vraiment désolé, mais aucune menace ne fonctionne avec ce gros peureux.

– Ce n'est pas ta faute, se résigna Lassa.

– J'espère que vous retrouverez votre petit garnement.

Kira ouvrit la bouche pour prendre la défense de son fils, mais son mari l'enveloppa dans son vortex.

4

LES ARBRES DE CRISTAL

Au Royaume de Shola, l'atmosphère était de plus en plus tendue. Pour la première fois depuis leur mariage, Myrialuna et Abnar s'étaient querellés. Tout le château de verre avait été secoué par leurs cris. Terrorisés, les jumeaux s'étaient réfugiés dans les bras de leurs cousines, aussi troublées qu'eux. Celles-ci les avaient tout de suite emmenés au dernier étage de la tour, où elles avaient l'habitude de jouer. De plus, pour qu'ils n'entendent pas les gros mots de leur oncle et de leur tante, les jeunes eyras leur chantaient des chansons qu'ils aimaient, composées par Lassa. Rassurés, les petits fredonnaient la mélodie en tapant dans leurs mains.

Lorsque Larissa n'entendit plus ses parents se disputer, elle jeta un regard soulagé à ses sœurs.

— Que pourrions-nous faire aujourd'hui ? demanda Lavra.

— Je veux voir maman... gémit Kylian.

— Elle reviendra bientôt.

— Si nous allions créer quelque chose qu'elle aimera à son retour ? suggéra Ludmila.

– Mais elle aime tout plein de choses ! les informa Maélys.

– Je veux faire des petites pierres qui brillent, réclama son frère.

– Nous en avons déjà des milliers, lui rappela Léonilla.

– J'ai une idée ! lança Lidia. Ce qui manque le plus ici, ce sont des arbres !

– Marek dit que les arbres ne poussent pas dans le froid, s'attrista la petite fille.

– Ils n'ont pas besoin d'être vivants.

– Quoi ? s'étonna Larissa.

– Nous pourrions en faire en bois, en fer, en pierre...

– En diamant ! les implora Kylian.

– Est-ce seulement possible ? s'enquit Ludmila.

– Nous avons bâti un château en verre, creusé une rivière et transformé du roc en zircon, leur fit remarquer Lidia. Nous pouvons sûrement découvrir la façon de faire de beaux arbres qui brillent de mille feux.

– Oui ! l'encouragea Kylian.

– Je ne saurais même pas par où commencer, avoua Larissa.

— Demandons à père s'il connaît une formule magique permettant de façonner des objets à partir de rien du tout.

— À mon avis, ce n'est pas un très bon moment pour l'importuner, leur fit remarquer Lavra.

— Je me porte volontaire, annonça Léonilla.

— Moi aussi ! renchérit Maélys.

— Non, toi, tu restes ici avec nous, l'avertit Larissa. Nous devons dessiner nos arbres avant de pouvoir les matérialiser. Allons chercher nos ardoises.

Pendant que ses sœurs emmenaient les jumeaux dans leur chambre pour faire ces croquis, Léonilla descendit le grand escalier en tendant l'oreille. Le silence qui régnait soudain au rez-de-chaussée était inquiétant. Elle jeta un œil dans le hall et dans la bibliothèque, puis dans la cuisine, où elle trouva sa mère assise dans un coin, les jambes repliées, les bras croisés sur ses genoux et la tête cachée dans ses manches.

— Maman ? s'affligea Léonilla en se précipitant près d'elle.

Myrialuna releva la tête. Un fleuve de larmes coulait sur ses joues.

— Tu souffres... constata l'adolescente.

— Je pense que toutes ces émotions ont bouleversé mon corps, hoqueta la mère.

– Nous allons te soigner. Es-tu capable de marcher ? Tu ne peux pas rester là, sur le plancher.

Léonilla passa le bras autour des épaules de Myrialuna et l'aida à se remettre sur pied. C'est alors qu'elle remarqua la mare de sang sur les carreaux.

– Est-ce que papa t'a frappée ? s'alarma-t-elle.

– Non...

La jeune eyra utilisa aussitôt sa magie et fit léviter sa mère jusqu'au grand fauteuil de la bibliothèque, devinant qu'elle ne pourrait pas aller plus loin. *Nous avons besoin d'aide à Shola !* implora-t-elle avec son esprit. N'étant pas reliée aux Chevaliers d'Émeraude, elle ne pouvait pas communiquer directement avec eux, mais quelqu'un l'entendit. Dans un tintement de clochettes, Fan de Shola se matérialisa près de sa petite-fille.

– Que se passe-t-il ? demanda-t-elle en se penchant sur Myrialuna.

– Je n'en sais rien... Elle saigne...

Fan passa la main au-dessus de la jeune femme, qui tremblait maintenant de tous ses membres.

– Elle se prépare à accoucher, même si sa grossesse n'est pas à terme.

– Que doit-on faire ?

— Je m'occupe d'elle.

— Que puis-je faire pour vous aider ?

— Rassure-la.

Léonilla glissa aussitôt ses doigts entre ceux de Myrialuna et l'embrassa sur le front.

— Surtout n'aie pas peur, murmura-t-elle. Mamie est là.

Fan arqua un sourcil en entendant sa petite-fille l'appeler ainsi.

— Mamie ? répéta Myrialuna en ouvrant les yeux.

La lumière qui s'échappait de la longue robe de la déesse des bienfaits l'aveugla.

— Mère ?

— Reste calme et vous survivrez, tous les quatre.

Fan commença par soulager sa fille de la douleur qui la terrassait et persuada magiquement les trois minuscules garçons de sortir d'elle un à un. Elle dégagea leurs poumons, les nettoya et les fit flotter jusqu'à l'intérieur de trois sphères transparentes dont le fond était couvert de duveteuses couvertures. La divinité arrêta ensuite l'hémorragie de la maman et répara les vaisseaux sanguins qui avaient éclaté. Myrialuna était si épuisée qu'elle s'endormit quelques secondes plus tard.

Léonilla s'approcha des berceaux en suspension dans les airs et examina ses petits frères. Elle était si émerveillée qu'elle n'arrivait pas à se rappeler les noms que sa mère avait choisis pour eux.

— Comment les nourrirons-nous jusqu'à ce que ma mère puisse les allaiter ? demanda l'adolescente.

— Je m'en occuperai, assura Fan.

Des biberons apparurent simultanément dans les trois bulles. Ils se positionnèrent devant la bouche des nouveau-nés, qui se mirent aussitôt à téter.

— Mais ils ne reçoivent aucun amour pendant qu'ils s'alimentent ainsi, déplora Léonilla. Ne serait-il pas préférable de les bercer en leur chantant des chansons ?

— En ce moment, ce dont ils ont besoin, c'est de sentir qu'ils sont toujours au chaud dans le ventre de leur mère. Ces coquilles leur permettront de terminer leur développement de façon normale. Vous aurez amplement le temps de les cajoler par la suite.

— Combien de temps y resteront-ils ?

— Quelques semaines.

— Nous ne pouvons donc rien faire ?

— Prenez soin de Myrialuna. Les sphères la suivront partout où elle ira, mais elle ferait mieux de garder le lit tant qu'elle n'aura pas repris ses forces.

En un clin d'œil, la petite famille se retrouva dans la chambre de la maman.

– Je reviendrai régulièrement voir comment ils se portent, promit Fan.

Elle caressa doucement la joue de sa petite-fille.

– Il se produira bientôt de grands bouleversements dans votre monde. Restez soudées et ne vous dirigez pas vers l'est.

La belle déesse aux longs cheveux transparents disparut sous le regard émerveillé de Léonilla. Après s'être assurée que Myrialuna dormait paisiblement, l'adolescente retourna auprès de ses sœurs.

– Père t'a-t-il suggéré quelque chose ? espéra Lavra.

– En fait, je n'ai même pas eu le temps de me rendre jusqu'à lui. J'ai plutôt assisté à un événement miraculeux.

– Qu'est-ce que c'était ? s'enthousiasmèrent les jumeaux.

– Nos petits frères sont nés.

– Allons les voir ! s'exclama joyeusement Lidia.

Léonilla leur barra aussitôt la route.

– Je dois d'abord vous mettre en garde.

Elle leur raconta ce qui venait de se passer.

— Vous ne devez surtout pas réveiller maman. Elle a besoin de recouvrer ses forces, conclut-elle.

Lorsque tous eurent promis de laisser Myrialuna tranquille, Léonilla les emmena dans la chambre en tenant les jumeaux par la main. Quelle ne fut pas leur surprise d'apercevoir les trois sphères qui planaient près du lit. Maélys se défit de sa cousine et s'approcha d'un des curieux berceaux. Elle contempla le visage de la personne miniature qu'il contenait.

— Il est vivant ?

— Bien sûr, affirma Léonilla.

— Il ne bouge pas.

— C'est parce qu'il vient de boire et qu'il dort.

— Est-ce qu'on pourrait le sortir de là ?

— Pas avant qu'il ait grandi un peu.

La petite posa la main sur la surface transparente. Comme si elle se sentait menacée, la sphère s'éloigna.

— Je suggère que nous nous relayions toutes les heures auprès de mère, afin de lui procurer tout ce dont elle aura besoin, fit Lavra.

— Je suis d'accord, acquiesça Larissa. Je serai d'ailleurs la première à veiller sur elle.

Ses sœurs poussèrent les jumeaux jusqu'à leur chambre et prirent place avec eux sur le grand tapis de fourrure.

– Je vais aller annoncer à père que nos frères sont nés, décida Léonilla. Puis nous nous diviserons les tâches de mère.

L'adolescente reprit ses recherches dans le château et trouva finalement Abnar dans le grand salon souterrain où la famille avait vécu de nombreuses années. Immobile devant l'âtre, il fixait les flammes du feu magique qui y brûlait.

– Père?

L'ancien Immortel tourna lentement la tête vers sa fille.

– Pardonnez-moi, mais il est important que vous sachiez que mère a donné naissance à trois magnifiques bébés il y a quelques minutes.

– Pourquoi n'êtes-vous pas venues me chercher?

– Maman avait besoin de soins immédiats.

– Qui les lui a prodigués? demanda Abnar en se levant. Vous?

– Non. C'est mamie.

L'Immortel se précipita vers l'escalier et Léonilla dut courir derrière lui pour suivre son allure. Il fonça dans la chambre qu'il ne partageait pas avec son épouse et s'arrêta net en voyant les trois objets volants.

– Mais qu'est-ce que c'est que ça ? murmura-t-il, à la fois étonné et agacé.

– C'est la seule façon de maintenir les bébés en vie, lui expliqua Larissa, assise près de sa mère.

Abnar passa une main lumineuse au-dessus de Myrialuna. Sa force vitale était basse, mais elle n'était pas en danger de mort. Il jeta ensuite un coup d'œil dans chacun des œufs volants sans exprimer la moindre émotion. « Il me semble qu'il pourrait au moins sourire », songea Larissa, mécontente.

– Il est étrange que je n'aie pas ressenti le drame qui s'est joué ici, laissa tomber Abnar.

– C'est peut-être parce que c'était un événement joyeux, hasarda Léonilla, qui était restée sur le seuil.

– Je vais retourner en bas. Si vous avez besoin de moi, venez me chercher.

« Il risque d'y rester cent ans », grommela intérieurement l'adolescente.

– Pourriez-vous d'abord répondre à une question ?

Il se planta devant Léonilla, l'air impatient.

– Existe-t-il une incantation pour créer des arbres en zircon ?

– À quoi cela te servirait-il ?

– À rendre ce royaume plus attrayant pour les étrangers.

– Ce serait une pure perte de temps. Personne ne viendra jamais ici.

– Je ne suis pas d'accord.

Abnar ravala un commentaire désobligeant.

– Les seules incantations que contenaient les coffres de la crypte concernaient la construction d'éléments élémentaires en verre comme les blocs, les fenêtres, les planchers.

Il contourna sa fille et se dirigea vers l'escalier couvert de tapis rouge. Découragée, Léonilla retourna auprès des jumeaux, qui dessinaient sur leurs ardoises.

– Père ne connaît pas de formule qui nous permettrait de façonner des arbres, déclara-t-elle.

– Il n'en tient donc qu'à nous d'en inventer une.

– Si Marek était ici, il saurait comment, lâcha Kylian en levant la tête.

– Peut-être faut-il se procurer de véritables arbres pour pouvoir les transformer, raisonna Lidia.

– Il faudrait aller en chercher chez les Elfes, fit Léia.

– Les Fées en ont déjà, les informa Maélys en retournant son ardoise pour leur montrer l'arbre qu'elle avait dessiné.

— En es-tu certaine ? s'étonna Ludmila.

— C'est maman qui me l'a raconté.

Les cinq sœurs échangèrent un regard intéressé.

— En raison de l'état de notre mère, il est hors de question que nous partions toutes, les avertit Léonilla. Quelqu'un doit s'occuper d'elle et des jumeaux.

— C'est presque l'heure de manger, leur rappela Kylian.

— Allons en parler en préparant le repas, suggéra Lavra.

Elles descendirent à la cuisine, installèrent les plus jeunes sur des tabourets et préparèrent un potage avec tous les légumes qu'elles trouvèrent dans les armoires.

— Qui va remplacer Larissa ? lança Léonilla.

— Moi ! décida Léia.

Elle versa un peu de soupe dans son écuelle et la transporta à l'étage. Quelques secondes plus tard, Larissa venait prendre sa place à la table.

— Qu'est-ce que j'ai manqué ? demanda-t-elle pendant que Léonilla lui servait sa portion.

— Les Fées possèdent apparemment le type d'arbre que nous cherchons, expliqua Lavra. Nous étions en train de décider ce que nous allions faire.

– Est-ce que ce sont des végétaux vivants ? demanda Larissa.

– Je n'en sais rien, avoua Lavra.

– La seule façon de se renseigner, c'est de se rendre sur place, avança Ludmila.

– Une seule d'entre nous devrait y aller, fit observer Larissa, et je pense que ce devrait être moi.

– Pourquoi ? demandèrent en chœur ses sœurs.

– Parce que je suis née la première, bien sûr. Je suis l'aînée.

– C'est dangereux de se promener seule, lui rappela Ludmila.

– Pas chez les Elfes. Ils ne chassent pas les animaux. Et leur territoire est le seul que je devrai traverser afin de me rendre chez les Fées.

Les eyras prirent le temps de réfléchir à cette quête pendant le repas.

Ludmila coupa le pain et distribua des tranches à tout le monde.

– Seras-tu très prudente ? voulut s'assurer Lidia.

– Je suis un chat, répondit Larissa avec un sourire espiègle.

– Quand partiras-tu ?

– Il fait encore jour, alors j'ai de bonnes chances d'atteindre la falaise avant la tombée de la nuit.

– Veux-tu que nous te préparions des vivres ? proposa Lavra.

– Non. Je me rappelle comment me nourrir dans la forêt.

– Nous étions petites, à cette époque !

– J'ai une bonne mémoire. Prenez bien soin de maman et des jumeaux.

– En fait, on aimerait y aller aussi, les informa Maélys tandis qu'à côté d'elle, son frère secouait la tête pour dire qu'il n'était pas d'accord.

– Je ne peux pas vous emmener, parce que vous n'êtes pas capables de vous changer en chats, expliqua Larissa. Soyez sages.

Elle serra ses sœurs dans ses bras, ébouriffa les cheveux de ses petits cousins et monta voir sa mère une dernière fois avant de quitter le château. Myrialuna avait les yeux entrouverts et Léia la tenait par la main. En voyant l'inquiétude sur son visage, Larissa décida de ne pas lui parler de son projet.

– Je voulais juste voir comment tu vas, fit-elle en s'approchant.

– Votre naissance m'a donné moins de soucis et vous étiez six, répliqua la mère en s'efforçant de sourire.

– Nous avons oublié les noms que tu avais choisis pour les garçons.

– Sasha, Stanislav et Serguéï.

– Oui, c'est vrai !

– J'irai mieux dans quelques heures.

– Il vaudrait mieux que tu restes alitée plus longtemps que ça.

– Et qui prendra soin de vous ?

– Nous sommes grandes, maman. Nous nous occuperons des repas et des jumeaux. Lorsque les trois « S » sortiront de leur couveuse, tu n'auras plus une seule minute de repos. Profites-en maintenant.

Elle embrassa sa mère sur le front. Sans prendre aucune de ses affaires, elle sortit du palais et se transforma en fauve, car elle pourrait ainsi parcourir beaucoup plus de distance avant de s'épuiser. Elle fonça vers le sud. Comme elle l'avait prévu, le soleil se couchait lorsqu'elle atteignit enfin le sentier creusé dans la falaise. La nuit allait bientôt envahir Enkidiev. Il pressait que la jeune fille trouve un endroit sécuritaire pour la nuit. Elle descendit au pays des Elfes, mais ne voulant pour rien au monde les inquiéter, elle grimpa dans un arbre en bordure de la rivière Mardall et s'installa sur une grosse branche.

Larissa fut réveillée au matin par le chant des oiseaux, un peu avant le lever du soleil. Elle descendit de son perchoir, se désaltéra dans le cours d'eau et attrapa du poisson pour se sustenter. Ragaillardie, elle reprit sa route dans les roseaux jusqu'à ce que les muscles de ses pattes la fassent souffrir.

Au bout de quelques jours, elle atteignit enfin sa destination. Il était difficile de rater la frontière entre le Royaume des Elfes et celui des Fées : le paysage changeait du tout au tout. Les denses forêts de conifères et de feuillus étaient remplacées par de grands champs de fleurs et de champignons géants. Même les brins d'herbe avaient la taille d'un homme ! Fascinée par tout ce qui l'entourait, Larissa avançait lentement. Soudain, elle aperçut ce qu'elle cherchait : une colline couverte d'arbres en cristal ! Elle s'en approcha prudemment, les flaira, puis reprit sa forme humaine et toucha leur écorce transparente. Elle pouvait même voir couler la sève à l'intérieur.

— Ils sont magnifiques, n'est-ce pas ? fit une voix derrière la jeune fille.

Elle fit volte-face, prête à s'enfuir. Un adolescent aux longs cheveux noirs et aux yeux azurés l'observait avec intérêt. Il portait une tunique cousue d'une vingtaine de voiles bleutés.

— Je t'ai vue te métamorphoser, avoua-t-il. Es-tu une déesse ?

— Moi ? Oh non, mais ma grand-mère est la déesse des bienfaits.

— Tu es la petite-fille de la déesse Fan ?

– C'est la mère de ma mère. Je suis Larissa de Shola. Et toi, qui es-tu ?

– Je m'appelle Daghild. Je suis le fils du Chevalier Ariane d'Émeraude et du Capitaine Kardey d'Opale.

– Tu ressembles pourtant à une Fée...

– Parce que j'en suis une. Puis-je te demander pourquoi une aussi jolie jeune fille flâne dans mon royaume ?

– Je cherche une essence d'arbre qui pourrait pousser chez moi, à Shola, répondit-elle en rougissant.

– Aucun végétal ne survit à un climat aussi dur que celui du nord.

– Alors, la solution de rechange serait de créer un arbre qui ressemble à celui-ci sans être vivant.

– C'est un projet intéressant.

– Tu le crois vraiment réalisable ?

– Rien n'est impossible pour une Fée.

– Accepterais-tu de m'aider ?

– Sans doute, mais il y aura un prix à payer.

– Un prix ? s'inquiéta-t-elle. Que demandes-tu ?

– De me laisser te montrer mon magnifique pays.

Prise au dépourvu par l'invitation de l'adolescent Fée, Larissa ne sut que répondre.

– Tu te méfies de moi ? s'étonna Daghild.

– Je ne te connais pas.

Il lui tendit la main avec un sourire irrésistible. La jeune fille se laissa gagner par son insistance et traversa la forêt de cristal avec lui. Daghild la fit ensuite descendre dans une grande vallée où serpentait une rivière turquoise.

– Il n'y a aucun village ? s'étonna Larissa.

– Nous vivons presque tous dans le palais qui est invisible aux yeux des non-Fées. Seuls quelques sujets habitent dans des logis séparés.

– Imperceptibles eux aussi ?

– Pas nécessairement.

Daghild l'emmena sur un petit pont qui permettait de franchir le cours d'eau.

– Tout est si étrange, ici, lâcha Larissa en observant les poissons colorés qui sortaient la tête de l'eau pour les regarder passer.

– Les Fées ont façonné leur univers selon leur propre idéal de beauté. Elles aiment tout ce qui est gracieux, harmonieux et apaisant.

Voyant qu'il la fixait intensément en prononçant ces mots, l'eyra détourna le regard.

– Elles ne consomment ni les plantes, ni la chair des animaux, poursuivit-il.

– Comment se nourrissent-elles, alors ? demanda Larissa sans le regarder.

– Elles font apparaître de petits gâteaux qui contiennent toutes les vitamines dont elles ont besoin pour être en parfaite santé.

Ils traversèrent de grands vergers où des pommes multicolores pendaient aux branches des arbres transparents.

– C'est tellement beau ! s'exclama Larissa.

– Tu devrais les voir la nuit, quand les fruits s'illuminent.

Dans une clairière, au-delà des plantations, Daghild pointa une petite chaumière en pierres lilas, couverte d'un toit d'ardoises grises.

– C'est là que tu vis ?

– Non. C'est la maison de ma sœur. Elle fait partie de la nouvelle génération qui désire échapper aux regards de la cour.

– Pas toi ?

– Ça m'est égal, alors je vis au palais avec mes parents.

– Où se trouve-t-il ?

L'adolescent Fée se plaça derrière elle et mit ses mains devant ses yeux.

– Comment suis-je censée voir quoi que ce soit si tu me bloques la vue ?

Il écarta les doigts. Devant eux les murs de cristal de l'immense construction brillaient au soleil. Larissa se défit des mains de Daghild afin de mieux admirer le château autour duquel voletaient des centaines de petites Fées.

– Moi aussi j'habite une forteresse en verre... murmura-t-elle, éblouie. Mais elle ne ressemble en rien à celle-ci...

– Allons voir si mon grand-père nous révélera la formule magique qui crée des arbres transparents.

Larissa retint son souffle en pénétrant dans le palais. Les carreaux s'allumaient sous ses pas dans le long couloir aux murs de marbre rose jalonnés de portes dorées. Celles du hall royal s'ouvrirent d'elles-mêmes devant Daghild. Le plafond de cette pièce somptueuse atteignait une hauteur vertigineuse. Il y pendait plusieurs lustres dont les larmes de cristal projetaient des millions de petits points lumineux autour d'eux. Une vingtaine de jeunes Fées, assises sur des poufs, jouaient de la harpe sous l'œil attentif de la Reine Calva. Larissa n'avait jamais entendu une aussi douce mélodie.

– Le roi n'est pas avec vous ? s'étonna Daghild.

– Il est dans son refuge préféré, l'informa sa grand-mère en examinant sa compagne. Qui nous emmènes-tu, aujourd'hui ?

– Lady Larissa de Shola. Vous aurez l'occasion de vous entretenir plus longuement avec elle au repas, tout à l'heure, puisque j'ai l'intention de l'y convier.

L'eyra n'eut pas le temps de saluer la reine, car Daghild l'entraîna dans un autre corridor, derrière le trône. En l'espace d'un instant, elle se retrouva dans un magnifique jardin intérieur. Debout au milieu des fleurs, Tilly caressait la corolle d'énormes clochettes de muguet.

– Qu'y a-t-il, jeune homme ?

– J'ai besoin une fois de plus de vos vastes connaissances, Votre Majesté.

Le roi posa les yeux sur la jeune personne qui accompagnait son petit-fils. Ignorant ce qu'elle devait dire à un tel personnage, celle-ci se contenta de faire une courte révérence.

– Je ressens une énergie sauvage en vous, devina Tilly.

– J'ai hérité de ma mère le don de me transformer en fauve. Je suis la fille de Myrialuna de Shola.

– Vous n'avez pas de nom ?

– Larissa.

– C'est très joli.

– Elle aimerait savoir comment façonner des arbres de cristal qui enjoliveraient son pays désertique, expliqua Daghild.

– Il faut posséder une bonne maîtrise de la magie pour y parvenir.

– Je sais transformer la pierre en zircon, affirma-t-elle.

– Alors, voyons si tu arriveras à faire ceci.

Du bout des doigts, Tilly attrapa une aigrette portée par le vent. Il souffla dessus, puis la laissa tomber sur le sol. Des racines de cristal se formèrent aussitôt. Tandis qu'elles s'enfonçaient dans la terre, le tronc du futur arbre s'éleva devant les yeux émerveillés de la jeune fille. En peu de temps, des branches se développèrent et de délicates feuilles bleues s'ouvrirent sur chacune d'entre elles.

– Magnifique ! Pourrais-je en avoir quelques milliers qui puissent survivre dans le froid intense de mon pays ? réclama Larissa.

Un sourire amusé illumina le visage du roi.

5

UNE MÈRE TOURMENTÉE

En rentrant chez lui après avoir livré les bijoux qu'il avait réparés, Atlance sentit tout de suite que quelque chose ne tournait pas rond. Il ramassa le panier d'osier abandonné devant le seuil, poussa doucement la porte et scruta l'intérieur avec ses sens magiques, comme sa femme le lui avait enseigné. Il ne capta que la présence de Katil et de leur petit Lucca, mais pourquoi ne les voyait-il pas ?

Atlance avança lentement en tendant l'oreille. Il crut alors entendre des sanglots. Il s'empressa de contourner le lit et aperçut Katil assise sur le plancher, le dos appuyé contre le mur, serrant leur fils dans ses bras. Alarmé, il se jeta à genoux devant eux.

– Pourquoi pleures-tu ? Est-il arrivé un malheur ?

– Il était là... hoqueta Katil, tremblante.

– Qui ça ?

– Nemeroff !

– Il s'est présenté chez nous ? A-t-il cherché à t'intimider ?

— Non... oui... Sa seule présence était une menace.

— Tu l'as laissé entrer ?

— Non. Je l'ai vu sur la plage, assis sur un cheval. Il observait la maison.

Atlance aida sa femme à se relever et la serra dans ses bras, emprisonnant le bébé entre eux.

— Tu es une puissante magicienne, pourtant.

— Je ne suis pas de taille à repousser un monstre.

Se sentant coincé, Lucca se mit à pleurnicher. Atlance recula.

— T'a-t-il dit quelque chose ?

— Rien du tout. Il ne faisait que regarder. J'ai eu si peur qu'il soit venu chercher notre fils !

— Il n'a plus besoin de lui, ma chérie. Il s'est trouvé un corps adulte qui lui permet de faire tout ce dont il a envie.

— Alors, pourquoi était-il sur la plage ?

— Il voulait sans doute savoir dans quelles conditions nous vivions.

— Qu'est-ce que ça peut bien lui faire ?

– Je n'en sais rien, Katil. Je vais aller voir si je peux relever des indices sur la plage. Je t'en prie, calme-toi.

Elle hocha vivement la tête, heureuse de ne plus être seule pour affronter Nemeroff. Atlance l'embrassa et sortit. Il marcha au bord de la mer, mais n'y découvrit aucune énergie négative. Il ne s'attendait pas à trouver des empreintes de sabots dans les galets mouillés, mais il en chercha quand même pour ne rien laisser au hasard. Katil pouvait-elle avoir imaginé cette rencontre ? Ou s'agissait-il simplement d'un cavalier qui passait par là ?

Il retourna chez lui et constata avec satisfaction que Katil avait déposé Lucca dans sa chaise haute. Le petit mâchonnait avec bonheur un quartier de pomme. Les bras croisés, la maman faisait de gros efforts pour vaincre ses craintes.

– Et alors ? fit-elle nerveusement.

– Rien. Tu as peut-être vu une silhouette et cru que c'était mon frère.

– Je te jure que c'était lui.

– Alors, dis-moi comment je pourrais te rassurer.

– Allons vivre ailleurs.

– Même si nous nous exilions à Irianeth, Nemeroff nous retrouverait. Je pense que nous devrions plutôt l'ignorer.

– Quoi ?

– Tout ce qu'il veut, c'est nous effrayer pour que nous ne tentions pas de lui reprendre le trône. Ne jouons pas à son jeu.

Katil marcha autour de son fils en réfléchissant.

– Les Fées réussissent à échapper aux regards des sorciers, déclara-t-elle.

– Mon amour, j'ai passé ma vie dans la terreur. Je ne veux plus fuir. Si Nemeroff a quelque chose à me dire, qu'il vienne me le dire en face.

Katil éclata en sanglots et alla s'asseoir sur le lit.

– Mais où est ma vaillante guerrière? se découragea Atlance en s'installant près d'elle.

Elle se réfugia dans ses bras pour pleurer.

– Je suis enceinte, Atlance, et je ne veux pas revivre un autre enlèvement...

– Enceinte? Mais c'est une bonne nouvelle!

– Pas si on nous prend cet enfant aussi...

– Heureusement, je n'ai qu'un seul frère qui a eu besoin d'un bébé pour revenir dans notre monde. Notre deuxième enfant ne risque rien, je te le jure.

Ils demeurèrent enlacés jusqu'à ce que Lucca se mette à gémir parce que son morceau de fruit lui avait échappé et s'était écrasé sur le plancher. Atlance lui en offrit un autre puis proposa une petite sortie en famille.

— Il faut profiter du beau temps avant la saison des pluies, déclara-t-il en s'efforçant de se montrer optimiste.

Dans son for intérieur, il se rappelait ses échanges avec Fabian et Maximilien, qui craignaient que leur aîné ne fasse disparaître tous ses neveux et nièces pour s'assurer de régner longtemps sur Émeraude.

Une fois Lucca nettoyé et changé, ils allèrent jouer tous les trois sur le bord de la mer.

— Il est malheureux que le sable des plages du Désert ne remonte pas jusqu'à Zénor, déplora Katil, qui marchait prudemment sur les galets.

Tout comme son mari, elle faisait de gros efforts pour oublier le danger que représentait Nemeroff. Elle regardait régulièrement par-dessus son épaule, mais il n'y avait personne sur la plage.

— Je trouve étonnant que les courants marins ne nous en fassent pas cadeau de temps en temps.

— Hé ho ! les appela une voix masculine.

Katil n'eut pas besoin d'utiliser sa magie pour la reconnaître. Elle déposa Lucca dans les bras d'Atlance et s'élança vers les quatre visiteurs qui approchaient.

— Papa ! s'exclama-t-elle en sautant dans les bras de Jasson.

Le Chevalier la fit tourner dans les airs et l'embrassa, puis la libéra pour qu'elle puisse manifester à sa mère et à ses deux frères sa joie de les revoir.

— Maman et toi avez réussi à arracher Carlo et Cléman à la ferme ? s'étonna Katil.

— J'avais besoin de voir du pays, expliqua Sanya. Alors, ton père et moi avons pensé que ce serait une bonne idée de te rendre visite.

— J'ai laissé mes terres aux bons soins de mes fermiers, ajouta Jasson. Je leur fais confiance.

Carlo et Cléman étaient désormais des adolescents musclés par les travaux aratoires. Ils étaient presque aussi grands que leur père, mais ni l'un ni l'autre ne possédait son sens de l'humour.

— Ce sera bientôt le temps des récoltes, grommela Carlo.

— Nous ne pourrons pas rester bien longtemps, renchérit Cléman.

— Je suis contente de vous voir, moi aussi, répliqua Katil en constatant qu'ils n'avaient pas changé.

— Il ne faut pas leur en vouloir, les excusa Jasson. C'est la première fois qu'on les déracine.

– Où est ton bébé ? demanda Sanya.

– Là-bas, sur la plage, avec son père.

– Sur ces cailloux qui risquent d'abîmer ses petits pieds ?

– À Zénor, c'est la seule façon de profiter de la mer, soupira Katil.

Elle conduisit sa famille auprès d'Atlance. Avant qu'il puisse se lever pour serrer les bras de son beau-père et de ses beaux-frères, Sanya lui ravit Lucca.

– Les plages du sud sont beaucoup plus accueillantes, se rappela Jasson. Pourquoi n'irions-nous pas y passer quelques heures ?

– C'est une excellente idée, l'appuya Atlance.

– Ton père t'a-t-il enseigné à créer un vortex ?

– Onyx ne s'est jamais vraiment intéressé à moi.

– As-tu au moins hérité de ses pouvoirs ?

– J'en découvre de nouveaux tous les jours.

– Au pire, nous prendrons les chevaux.

Ils retournèrent à la maison, que Jasson inspecta avec minutie, ses garçons sur les talons, pendant que les femmes préparaient le repas.

– À quoi doivent servir toutes ces planches que tu accumules près du muret de la cour ? demanda-t-il à son gendre.

– Il faut que je répare l'abri des chevaux pour qu'ils soient bien au sec durant la saison des pluies.

– Nous nous y mettrons tous ensemble au retour de notre petite expédition, car ces deux garnements sont les meilleurs charpentiers d'Émeraude.

Cette révélation réjouit Atlance, qui ne connaissait rien à la menuiserie.

– Ton jardin aurait aussi besoin d'un petit coup de pouce, remarqua Jasson.

– Nous sommes de nouveaux propriétaires et, malheureusement pour nous, nous avons passé trop de temps au château à manger ce qui nous était offert au lieu de jardiner.

– Ouais, il était vraiment temps que nous arrivions.

Jasson demanda alors à ses fils d'aider les femmes à sortir la table dehors, devant la maison, avant de s'isoler avec Atlance.

– Je te taquinais tout à l'heure au sujet de ton vortex, car si tu n'es jamais allé à la frontière de Zénor et du Désert, tu ne pourrais pas nous y emmener de toute façon. Heureusement, l'endroit que j'ai en tête se situe à une journée à peine, à cheval. Cependant, je pense que ce serait une bonne idée que tu apprennes à maîtriser ce pouvoir, qui pourrait un jour vous sauver la vie si une tempête ou toute autre menace devait arriver de la mer.

– Est-ce une prémonition ?

– Non, c'est un appel à la prudence. J'ai déjà possédé ce pouvoir moi aussi, mais contrairement à ton père, j'avais besoin de mes bracelets magiques pour créer le maelström. Je me souviens par contre des principes fondamentaux de ce type de déplacement.

– Si tu m'en crois capable, je veux bien tenter l'expérience.

– Ce qui est important, Atlance, c'est que toi, tu y croies.

– D'accord...

– Tu dois d'abord visualiser l'endroit où tu veux te rendre. Comme je te disais tout à l'heure, il est important que ce soit un lieu où tu t'es déjà trouvé physiquement. Admettons que tu voies approcher une menace. Tu n'as qu'à prendre ton fils dans tes bras et ta femme par la main, puis à visualiser ma ferme, par exemple. Le vortex devrait normalement vous y emmener en quelques secondes.

– Peut-on aussi y faire entrer des objets ?

– Oui, mais ce tourbillon d'énergie ne reste pas ouvert très longtemps, sauf s'il a été créé par Onyx. Commençons par une courte distance. Nous sommes dans l'enclos. Concentre-toi sur la plage où nous étions il y a quelques minutes et essaie de t'y rendre par ta seule volonté.

Atlance soupira, vaincu d'avance.

– Tu es désormais père de famille, jeune homme, lui rappela Jasson. Il est crucial que tu apprennes à avoir confiance en toi.

Fermant les yeux pour se rappeler les détails de la plage de galets, même s'il doutait de sa capacité de réussir, Atlance tenta l'expérience pour faire plaisir à son beau-père. «Je veux m'y rendre», souhaita-t-il intérieurement. À sa grande surprise, lorsqu'il ouvrit les yeux, il se tenait près de l'océan. «Ça marche!» se réjouit-il. Selon toute probabilité, l'exercice était réalisable en sens inverse. Il réapparut aussitôt devant Jasson.

– C'est fantastique! s'exclama Atlance.

– Ce qui l'est encore plus, c'est que, grâce à toi, nous mettrons beaucoup moins de temps à rentrer à la maison après notre petit voyage sur la plage du Désert.

La présence de sa famille acheva d'apaiser Katil. Elle mangea en écoutant les récits de labour et de récolte de ses frères, puis berça Lucca jusqu'à ce qu'il s'endorme. Puis, ils confectionnèrent des lits de fortune en jetant des couvertures sur de la paille au milieu de la maison et allumèrent un feu.

Aux premières lueurs de l'aube, les femmes entassèrent des provisions dans de grandes besaces pendant que les hommes sellaient les chevaux. Ce fut Atlance qui porta Lucca sur son bras pendant la randonnée. Jasson choisit de longer l'océan, de façon à ne pas indisposer les voisins qui dormaient encore.

Ils avalèrent le repas du midi à mi-chemin entre le Château de Zénor et l'endroit où la rivière Mardall se jetait dans l'océan, puis se remirent en route.

Lorsqu'ils arrivèrent enfin à la cascade, le jour déclinait. Les hommes plantèrent les tentes pendant que Katil allumait un feu magique, puisqu'il était impossible d'escalader la falaise pour aller chercher du bois. Ils bavardèrent jusqu'à ce qu'il fasse sombre et se retirèrent pour la nuit.

Au matin, Katil déshabilla son fils et le fit asseoir dans le sable, là où les vagues venaient lui chatouiller les pieds. Les rires de l'enfant égayèrent les adultes. Constatant que l'eau était plus chaude à cet endroit que près du château, les garçons se jetèrent volontiers dans les vagues. Jasson se précipita à leur poursuite.

— Vas-y toi aussi, fit Katil à son époux, qui était resté assis près d'elle. Il n'y a rien à craindre, ici.

— Vous êtes à découvert.

— Je t'appellerai à l'aide, le taquina-t-elle.

Atlance ne se fit pas prier. Il plongea à la suite de son beau-père. Katil profita de ce répit pour bavarder avec sa mère, mais elle s'abstint de lui raconter l'épisode de la visite de Nemeroff. Lorsque le soleil commença à leur brûler la peau, elle enfila une tunique à Lucca et couvrit sa tête avec un bonnet. Affamé, les hommes revinrent s'installer sur la plage. Ils ouvrirent les sacs de vivres et se régalèrent.

Lorsque le soleil se mit à descendre dans la mer, ils admirèrent les magnifiques couleurs du couchant, puis Jasson se tourna vers Atlance.

— Mais comment vais-je ramener six chevaux, six personnes et un bébé à la cité? paniqua-t-il.

— Avec un peu d'organisation, répondit le Chevalier. Tout le monde à cheval. Formez une ligne et tenez-vous tous par la main.

Pour être capable de toucher à ses voisins, Katil confia Lucca à son père. Il serra donc l'enfant contre lui avec le bras droit et tendit sa main droite à son épouse.

— Êtes-vous prêts? demanda Jasson.

— Prêts à quoi? s'inquiéta Carlo.

— Ne lâchez pas votre voisin.

Ils furent emportés dans un tourbillon glacé puis, après quelques secondes, ils se retrouvèrent devant la maison d'Atlance.

— Mais je croyais que tu avais rendu tes bracelets à la déesse! s'étonna Sanya en dévisageant Jasson.

— Je n'ai rien à voir là-dedans.

— Alors, comment sommes-nous arrivés ici? s'enquit Cléman.

– Remerciez votre beau-frère.

– Toi ? s'émut Katil.

– Je vais de surprise en surprise, avoua-t-il.

Jasson tint sa promesse : durant toute la semaine qui suivit, il aida Atlance à transformer l'abri des chevaux en une solide écurie, puis construisit un poulailler avec le reste des planches. Lorsque vint le moment de partir, Atlance offrit à sa belle-famille de la reconduire à Émeraude.

– Avec plaisir ! s'exclama le Chevalier. Vous pourrez repartir après le repas du soir. Maintenant, vous n'avez plus d'excuses : vous devrez nous rendre visite au moins une fois par mois. Je veux voir grandir mon petit-fils... et l'autre que tu portes.

– Tu es enceinte ? s'égaya Sanya.

– J'attendais le bon moment pour vous l'annoncer, s'excusa Katil, mais j'avais oublié que papa possède la faculté de deviner les grossesses, surtout à leur début.

– Allons fêter ça ! s'exclama joyeusement Jasson.

Dès que tous furent prêts à partir, Atlance les enveloppa dans son vortex.

6

LE PACTE ROMPU

Dans la forêt enchantée qu'il avait créée au début des temps, Abussos sculptait méthodiquement des hippocampes sur le pourtour de sa toute nouvelle pirogue. Malgré ses appréhensions, son fils Nayati n'avait pas encore commis d'atrocités dans le monde des humains. Il ne pouvait toutefois pas le laisser en liberté plus longtemps parmi eux. Au fond de l'âme du jeune dieu-dragon, l'obscurité n'attendait que le moment de se manifester. Puisqu'il n'arrivait pas à le localiser lui-même, Abussos avait demandé à des pisteurs de Vulpiculus de le capturer et de le ramener au hall des disparus. Pourquoi tardaient-ils à lui confirmer qu'ils avaient accompli leur mission ?

Tandis qu'il travaillait le bois avec la lame de son poignard, le dieu fondateur essayait d'apaiser son esprit, mais tous les récents événements continuaient de l'obséder. Pendant des milliers d'années, la vie avait suivi son cycle normal dans son univers, puis une brèche s'était formée entre celui-ci et le monde d'Achéron. Avant qu'elle ne soit enfin refermée, un terrible dieu-scarabée l'avait franchie avec ses sujets. Il avait d'abord laissé les habitants d'Enkidiev l'affronter. Ceux-ci avaient triomphé des soldats-insectes, mais cette défaite n'avait que retardé l'inévitable. Amecareth était revenu à la charge.

Abussos n'avait pas eu d'autre choix que d'intervenir. Il avait dépêché son fils Nahélé sur le continent, après avoir placé en lui toute la lumière du ciel. Seul un dieu pouvait en détruire un autre. Lors de la première invasion, la force brute de Nashoba n'avait pas réussi à débarrasser les humains de la menace. Il avait fallu tout l'amour de Nahélé pour y parvenir, cinq cents ans plus tard.

Abussos tenta de se concentrer davantage sur son travail, mais d'autres souvenirs l'accablèrent. Pendant que le dieu-scarabée s'en prenait aux hommes, son frère Kimaati avait profité de l'ouverture entre les mondes pour fuir lui aussi la domination de son père. Beaucoup plus rusé que le coléoptère, il avait échappé aux recherches de Parandar. «Évidemment, puisqu'il ne regardait pas au bon endroit», soupira-t-il intérieurement. Le dieu-lion s'était réfugié sur le domaine d'Étanna et il l'avait même séduite. Lorsqu'il l'avait enfin appris, Abussos s'y était rendu en personne, mais Kimaati avait déjà disparu, comme s'il avait pressenti sa venue. Après l'avoir traqué partout dans sa galaxie, le dieu-hippocampe l'avait finalement repéré à Shola, mais cette fois encore, l'intrus lui avait échappé. Abussos avait donc demandé à Tayaress, son fidèle serviteur, de le retrouver. Ce dernier avait perdu sa trace.

Le visage volontaire d'Ayarcoutec apparut alors dans les pensées du dieu-fondateur. Il ne comprenait pas pourquoi il éprouvait autant de tendresse pour la fille de Napashni. Peut-être parce qu'elle lui ressemblait, comme le prétendait Lessien Idril. La petite était intelligente, téméraire et tendre. Bien qu'encore très jeune, elle possédait un grand sens de la justice. En fait, elle représentait l'avenir du monde...

Pendant qu'il soufflait sur les copeaux de bois, Abussos songeait à la guerre que se livraient ses petits-enfants oiseaux et félins. En leur allouant des territoires différents, Aiapaec et Aufaniae avaient élevé entre leurs enfants des murs infranchissables. Jaloux les uns des autres, ils en étaient venus à se détester. Abussos avait réussi à faire lever la contrainte des triades qui maintenaient l'équilibre de la galaxie. En s'anéantissant mutuellement, au moins ils ne mettaient plus en péril l'existence de toutes les autres formes de vie. Comment arriverait-il à rétablir la paix entre les trois panthéons ? Même si celui des reptiliens se tenait à l'écart des hostilités, il n'en demeurait pas moins fermé à l'idée d'établir des relations amicales avec les autres. Peut-être était-il préférable qu'il confie cette mission à sa femme, qui réagissait moins abruptement que lui.

Abussos ! l'appela alors Lessien Idril. Le ton angoissé de sa voix n'échappa pas au dieu-hippocampe, qui laissa aussitôt tomber sa dague sur le sol et se dématérialisa, pour réapparaître près de sa grande tente. La déesse-louve était penchée sur un homme couché sur le ventre, à quelques pas du feu. Abussos accourut, mais il avait déjà reconnu le blessé à sa tignasse rousse.

– Il est arrivé en titubant et il s'est effondré en prononçant ton nom, l'informa Lessien Idril.

Elle avait déjà soigné les brûlures sur son dos et avait découvert sur son torse et ses avant-bras de profondes lacérations qu'elle avait rapidement refermées avant qu'elles ne l'emportent sur les grandes plaines de lumière.

— Le connais-tu ? demanda-t-elle tandis qu'elle inondait l'étranger de lumière.

— C'est un des chasseurs à qui j'ai demandé de ramener Nayati dans notre monde.

— Tu ne pouvais pas le faire toi-même au lieu de mettre de pauvres innocents en danger ?

— Les pisteurs de Vulpiculus ne sont pas aussi démunis que tu sembles le croire, Idril. Ce sont de redoutables traqueurs qui ramènent toujours leur proie.

— Dans ce cas, où est Nayati ?

— Je n'en sais rien. Il possède apparemment le don de m'éviter, sans doute grâce à un artifice de son cru. C'est pour cette raison que j'ai fait appel à ces hommes.

— Pour le tuer ?

— Non, Idril. Avec leurs filets magiques, les pisteurs peuvent immobiliser leur prise et la transporter avec facilité. À ce que je vois, ils ont fait face à un redoutable gibier.

— Je suis certaine que Nayati n'a blessé cet homme que pour se défendre.

Le traqueur battit des paupières en reprenant connaissance.

— Vénérable Abussos... murmura-t-il.

Lessien Idril l'aida à s'asseoir et lui offrit de l'eau. Malitgaï vida la gourde et s'essuya la bouche.

— Je suis venu pour vous raconter ce qui s'est passé. Mon frère et moi avons retrouvé votre fils. Lorsque nous avons tenté de le capturer, il s'est transformé en dragon. Il n'est toutefois pas aussi redoutable que d'autres monstres semblables que nous avons affrontés par le passé. Il semblait n'avoir jamais eu à combattre. C'est l'imprévisibilité de cette jeune bête qui a coûté la vie à mon frère.

— Vous m'en voyez vraiment navrée, se désola Lessien Idril.

— Il vous a donc échappé, comprit Abussos.

— Non pas parce que nous avons manqué d'adresse, mais parce qu'un épervier s'est porté à son secours.

— Un épervier ? répétèrent en chœur les divinités.

— Ce n'était pas un oiseau ordinaire.

— Un dieu-rapace, devina Abussos.

— Les pisteurs de Vulpiculus honorent toujours leur parole, poursuivit Malitgaï. Je vous jure que même si je dois continuer seul cette mission, je m'en acquitterai tel que promis.

— Vous risquez de subir le même sort que votre frère, l'avertit Lessien Idril.

— Alors, je mourrai moi aussi.

Le regard insistant de la déesse-louve ne laissa pas Abussos indifférent.

— Je mets fin à notre entente, déclara-t-il. Vous êtes libre de rentrer chez vous. Merci d'avoir essayé.

Malitgaï pencha la tête avec respect et se dématérialisa.

— Pourquoi n'as-tu pas confié cette tâche à Tayaress ? reprocha aussitôt Lessien Idril à son mari.

— Parce que je l'ai déjà chargé de retrouver Azcatchi et de veiller en même temps sur la petite Ayarcoutec.

Mécontente, la déesse retourna s'asseoir sur ses peaux, devant la porte de la tente.

— As-tu eu vent d'une quelconque catastrophe provoquée par Nayati depuis qu'il s'est enfui ?

— Non.

— Se conduit-il correctement dans le monde des mortels ?

— Tu connais sa propension pour le mal, Idril.

— Et son penchant pour le bien ?

Le dieu-hippocampe garda le silence.

— Ces deux tendances existent dans tous nos enfants, lui rappela-t-elle. Nashoba a tué pour défendre sa vie. L'as-tu pour autant expédié dans le hall des disparus ?

— Nous parlons de deux créatures fort différentes.

— Je refuse de croire que Nayati est un assassin en puissance.

— Le goût du mal est en lui et il n'y a rien que nous puissions faire pour l'extraire de son âme. Tôt ou tard, il fera surface et alors, nous ne pourrons plus le maîtriser.

— Pourquoi ne lui donnes-tu pas plutôt l'occasion de te prouver qu'il peut aussi faire le bien ? Tu pardonnes tout à Nashoba. Pourquoi ne fais-tu pas la même chose avec Nayati ?

— Il m'effraie.

— Dans ce cas, laisse-moi te convaincre que la lumière peut vaincre l'obscurité.

Abussos lui jeta un air incrédule, alors elle s'approcha de lui, s'appuya contre sa poitrine et leva le menton pour le regarder dans les yeux.

— Me fais-tu confiance ?

— Tu sais bien que oui, grommela-t-il.

— Nous avons conçu de bons enfants. Toutes les créatures de l'univers peuvent pencher vers le noir ou vers le blanc, mais habituellement, elles choisissent différentes teintes de gris. Nashoba et Napashni ne sont pas entièrement méchants et Nahélé et Naalnish ne sont pas complètement vertueux. Ce sera la même chose pour Nayati. Il a seulement besoin d'un environnement qui l'incitera à donner le meilleur de lui-même.

Abussos ne put s'empêcher de soupirer avec agacement.

– Quant à Lazuli, j'aimerais que tu le laisses grandir à Enkidiev, afin de lui redonner la vie qu'il s'est fait enlever.

– Tu m'en demandes beaucoup, ma femme.

– Parce que je sais que tu donnes beaucoup.

– Va et prouve-moi que j'ai tort.

Lessien Idril l'embrassa et recula de quelques pas avant de disparaître. Elle survola Enkidiev et capta l'énergie de l'effort qu'avaient fourni les pisteurs non loin du Château d'Émeraude. Elle se posa sur la plaine, referma ses ailes sur son dos de louve blanche et se mit à flairer le sol. Le chasseur roux avait raison : un terrible combat avait eu lieu à cet endroit. Elle découvrit les restes de Malilsohi ainsi que des traces du sang divin de son fils. Tant chez les dieux que chez les humains, celui-ci recelait de précieuses informations. Lessien Idril prit le temps d'analyser toutes celles qui concernaient Nayati. Elle y trouva une déconcertante innocence, sans doute parce qu'il avait péri à l'âge de neuf ans, une forte volonté, une grande fierté et une curiosité sans borne. Parmi ces belles qualités se trouvaient également l'ombre d'une ambition dévorante et une bonne part d'égocentrisme, mais rien de plus.

La déesse-louve vit la forteresse d'Émeraude qui s'élevait au loin et son instinct lui dit de poursuivre son enquête de ce côté. Afin de ne pas effrayer les paysans qui avaient commencé les récoltes, Lessien Idril se dématérialisa et flotta jusqu'au château. Là aussi, les serviteurs s'affairaient à engranger les provisions qui leur permettraient de survivre jusqu'à la fin de la saison des pluies. Elle s'approcha du balcon, où les Sholiens avaient enfoncé la pierre d'Abussos qui les protégeait des dieux aux intentions funestes, puis entra dans le palais. Il n'y avait personne dans la chambre royale, mais elle captait des signes de vie. Elle longea le couloir et vit deux garçons qui jouaient en riant dans une pièce, puis une femme enceinte endormie dans celle d'à côté. « Lazuli », se réjouit-elle en ressentant sa puissance bénéfique. Il naîtrait certainement dès les premiers orages.

Plus loin, de l'autre côté du long couloir qui divisait tout l'étage en deux, elle découvrit une jeune femme qui décorait la chambre de son futur bébé. Nahélé et Naalnish ne s'y trouvaient pas, mais elle pouvait deviner dans la pierre qu'ils y avaient passé beaucoup de temps. Lessien Idril s'arrêta devant le grand escalier et fut d'abord tentée de descendre, mais son intuition la poussa plutôt vers l'étage supérieur. Elle pénétra dans la bibliothèque et s'arrêta net en apercevant un jeune homme aux cheveux noirs, portant des vêtements somptueux, assis à une table jonchée de bougies. Il était absorbé par la lecture d'un livre apparemment très ancien. Il possédait des pouvoirs magiques, mais il ne semblait pas percevoir la présence de la déesse à seulement quelques pas de lui.

Lessien Idril conserva son invisibilité afin d'observer Nayati. Elle sonda ses pensées et fut surprise de constater qu'il était préoccupé par l'amour... En s'approchant du nouveau roi pour voir ce qui le captivait autant, elle découvrit des poèmes qu'il s'acharnait à apprendre par cœur. Puis, d'un coup sec, il referma le recueil et regarda droit devant lui.

– Montrez-vous, ordonna-t-il.

La déesse-louve étudia les émotions de son fils. Ce n'était pas de la colère qui montait en lui, mais une profonde inquiétude, ce qui n'était pas étonnant vu que deux experts chasseurs avaient bien failli le capturer et que son père ne désirait que le renvoyer dans le monde des morts.

– Si c'est un combat que vous cherchez, il n'aura pas lieu dans mon château, ajouta Nemeroff.

Lessien Idril choisit de lui apparaître sous sa forme humaine, craignant que son apparence de louve ne traduise pas ses intentions pacifiques.

– Mère... murmura-t-il avec soulagement.

– Contente que tu te souviennes de moi.

– Vous savez pourquoi je ne pouvais pas vous rendre visite.

– Je suis justement venue te parler de ce malentendu entre ton père et toi.

– Puisque ses séides n'ont pas réussi à me mater, c'est vous qu'il envoie ?

– Au contraire, j'ai dû insister avant qu'il accepte que je vienne jusqu'à toi.

– Je ne comprends pas...

Nemeroff se leva lentement pour que la déesse ne se méprenne pas sur ses desseins.

– Mais où sont mes manières ? fit-il en se donnant une contenance.

Il les transporta tous les deux dans son hall, désert à cette heure, et approcha deux bergères du feu.

– Ta magie est impressionnante, admit la déesse.

– Je n'en connais pas encore les limites.

Lessien Idril prit place devant son fils sans la moindre méfiance.

– Contrairement aux autres magiciens, je n'ai pas eu de mentor pour me dire ce qu'il faut et ne faut pas faire.

– Il te suffit d'agir avec discernement, Nayati.

– Que me voulez-vous, exactement ?

– Je cherche à convaincre Abussos que tu ne représentes aucun danger pour les humains et qu'il n'a aucune raison de vouloir t'enfermer une seconde fois dans le hall des disparus.

– Si je leur avais voulu du mal, il ne resterait déjà plus personne à Émeraude, car il y a en moi une terrible fureur qui se déchaîne quand je suis en colère. Je ne me croyais pas capable d'une telle férocité avant d'avoir été la victime d'un attentat.

– C'est justement ce que craint ton père.

– Cela ne se reproduira plus. Je suis devenu beaucoup plus prudent.

– Comment arrives-tu à échapper à Abussos ?

– Je me suis rendu invisible à ses yeux, car je ne sais pas encore comment lui prouver que je mérite de vivre. Tous vos enfants ont eu le bonheur de se rendre jusqu'à l'âge adulte. Je veux la même chose.

– Tu as tué un des chasseurs qui tentaient de te capturer.

– Je le reconnais, mais j'étais persuadé qu'ils voulaient m'éliminer.

– As-tu fait d'autres victimes depuis que tu vis chez les mortels ?

– Seulement une. J'avais besoin d'un corps, alors j'en ai choisi un. Techniquement, je n'ai pas tué cette personne, puisqu'elle respire encore.

– Mais tu as chassé son âme de son enveloppe corporelle.

– Comme Onyx l'a fait avant moi, je vous ferais remarquer.

– As-tu des amis ?

– J'en ai déjà eu lorsque j'étais petit, mais il est difficile de s'en faire quand tout le monde croit qu'on est un imposteur. Mes propres frères refusent d'admettre que la magie de notre père m'a ramené à la vie. Ils complotent contre moi.

– Et Onyx ?

– Il a quitté Émeraude avant mon retour. Il me tarde de le revoir et de lui montrer que je suis devenu l'homme qu'il voulait faire de moi. Son désir le plus cher était que je lui succède un jour sur le trône. Non seulement je l'ai fait, mais je suis un très bon roi. Vous pouvez le demander à qui vous voulez dans ce pays.

– Et l'amour ?

Lessien Idril vit de petites étoiles apparaître dans les yeux du jeune souverain. C'était une émotion que son côté sombre ne pouvait pas ressentir.

– Quelqu'un fait donc battre ton cœur ?

– Je ne prétends pas comprendre ce que je ressens, mais chaque fois que je pense à elle, ma tête se met à tourner et j'ai des papillons dans l'estomac. C'est vraiment la plus belle femme de tout l'univers, à l'intérieur comme à l'extérieur. Lorsqu'elle me regarde, je ferais des folies pour elle.

– Pourquoi n'est-elle pas à tes côtés en ce moment ?

– Je lui ai demandé sa main, mais elle veut d'abord y penser, car elle redoute que son nouveau titre de reine l'empêche de poursuivre son travail de guérisseuse. Je l'ai pourtant assurée que non et je tiens mes promesses.

– Que feras-tu si elle refuse de t'épouser?

Nemeroff s'adossa brusquement dans la bergère, comme si on venait de lui planter un couteau dans le cœur.

– Je préfère ne pas y penser... murmura-t-il, bouleversé.

– Serais-tu en colère?

– Je ne pourrais jamais me fâcher contre elle...

– Tu respecterais donc sa décision?

– Oui, mais elle me briserait le cœur à jamais. C'est pourquoi je ferai tout en mon pouvoir pour lui prouver mon amour.

Lessien Idril ne sentait aucune malice dans ce dieu qui était la contrepartie du bienveillant Lazuli.

– Alors, je te souhaite de gagner son cœur, Nayati.

Lorsque la déesse se leva, Nemeroff l'imita, par politesse. Elle se hissa sur la pointe des pieds et embrassa son fils sur le front.

– Je reviendrai, promit-elle.

Avec un sourire, elle se dématérialisa sous les yeux du roi.

– Je sais... siffla-t-il entre ses dents.

Utilisant son vortex personnel, Nemeroff retourna à la bibliothèque pour continuer d'apprendre son poème.

7

UN CŒUR FRAGILE

Au pays des Elfes, presque toutes les huttes commandées aux ouvriers de Rubis, mais construites par la magie de Nemeroff, étaient désormais solidement fixées au sommet des sequoias. En compagnie de ses conseillers, Cameron visitait tous les clans pour s'assurer que personne n'était laissé pour compte. Danitza, son épouse, avait plutôt choisi de rester dans leur village afin de veiller sur Kaliska. La guérisseuse finissait toujours par oublier ses propres besoins lorsqu'elle prenait soin des blessés. Danitza s'assurait donc qu'elle mange et qu'elle dorme comme tout le monde.

Kaliska passait de longues heures auprès de Fabian, qui ne revenait à lui que quelques minutes de temps en temps. Elle inondait ses plaies de lumière et se réjouissait de les voir enfin guérir. Trois fois par jour, elle lui faisait avaler un potage de légumes avant de le laisser se rendormir. Sa seconde patiente en provenance du château s'était remise plus rapidement de ses blessures et avait même commencé à quitter régulièrement la hutte. Lorsque Cornéliane descendait l'échelle en corde, ses deux petits dragons s'accrochaient à elle. Ils ne la quittaient pas d'une semelle.

La guérisseuse n'avait parlé à personne du baiser échangé avec Fabian, car il continuait de la troubler. Lorsqu'elle avait fini de s'occuper du jeune prince, elle redescendait dans la forêt, au cas où quelqu'un aurait besoin d'elle, mais de moins en moins d'Elfes nécessitaient ses soins. Bientôt, elle serait forcée d'aller offrir ses services dans un autre royaume.

Danitza continuait de prodiguer de bons conseils à ses sujets. En l'absence de son mari, elle profitait de la présence rassurante de Shvara. Ce dieu-rapace récemment converti aux mœurs des humains faisait preuve d'une grande curiosité que la reine satisfaisait avec plaisir. Tout intéressait ce jeune homme aux grands yeux noirs et à la chevelure fauve parsemée de petites mèches sombres. Pour ajouter aux maigres repas des Elfes qui vivaient autour de l'arbre royal, Shvara se changeait en oiseau de proie et allait acheter à Opale des légumes et des fruits frais, qu'il rapportait dans un grand panier d'osier que les femmes avaient tressé spécialement pour cette fonction. Une fois son panier rempli, la divinité se changeait en busard cendré géant, pour le plus grand plaisir des fermiers, et s'envolait vers le royaume sylvestre.

Shvara avait même commencé à préparer les repas en compagnie de Danitza et des femmes Elfes. Il prenait plaisir à couper les légumes avec un couteau, lui qui, toute sa vie, n'avait utilisé que son bec et ses serres pour arriver au même résultat sur les proies qu'il capturait. Toutefois, au contact du peuple de Cameron, il s'était transformé en végétarien. Il était justement en train de peler des carottes, assis près de Danitza, lorsqu'un cri aigu leur parvint de la forêt.

Autrefois, les Elfes auraient abandonné ce qu'ils étaient en train de faire pour se réfugier sur les hautes branches, mais les temps avaient changé. Les jeunes hommes se précipitèrent pour aller chercher leurs arcs et leurs carquois.

– Par là, leur indiqua Shvara.

Ils visèrent tous le même sentier, mais ce qui en sortit ne constituait aucunement une menace. Une jeune enchanteresse arriva en courant, hors d'haleine, et se jeta aux pieds de la reine.

– Que se passe-t-il, mon enfant ? s'alarma Danitza.

– Sélène... parvint-elle à articuler, en état de choc.

– Lui est-il arrivé quelque chose ?

– Dans l'eau...

– Est-elle morte ? demanda crûment Shvara.

La magicienne hocha vivement la tête.

– Conduis-nous jusqu'à elle, exigea Danitza.

Aussitôt, les plus habiles archers formèrent une escorte autour de la reine. Le groupe se rendit jusqu'à l'étang où la doyenne flottait, inanimée.

– Qu'on la sorte de là, ordonna la souveraine.

Les Elfes craignant les sortilèges des magiciennes, personne ne bougea. Alors, le dieu-busard se porta volontaire. Il descendit dans l'eau, cueillit la défunte et la ramena sur la terre ferme.

– On dirait qu'elle s'est noyée, déplora la reine. Ramenons-la au village.

Shvara n'avait pas fait deux pas que Moérie lui barrait la route.

– Il appartient aux enchanteresses de procéder aux rites funéraires de l'une des leurs, lâcha-t-elle.

Une vingtaine de femmes apparurent de chaque côté de Moérie, qui leur fit signe de s'emparer de leur maîtresse. Quatre d'entre elles l'arrachèrent des bras du dieu-rapace.

– Il est curieux que tu n'aies pas trouvé Sélène toi-même, fit Danitza sur un ton accusateur.

– Je ne peux pas être partout, cracha Moérie.

Les magiciennes s'enfoncèrent dans la forêt avec le cadavre.

– Moi aussi, je trouve cela étrange, laissa tomber Shvara. Sa mort remonte certainement à plusieurs jours. Vont-elles enquêter à ce sujet ?

– On ne sait pas ce qu'elles font dans leurs cercles de pierre, grommela la reine, mécontente.

Ils retournèrent en silence au village. Dès qu'il fut seul avec Danitza, Shvara lui tendit un pendentif en forme de spirale dans lequel était enfermée une pierre verte.

— J'ai eu le temps de prendre ceci sur le corps de la défunte. Les gens d'ici possèdent-ils des facultés pouvant extraire les émotions des objets ?

— Je suis certaine que les enchanteresses sauraient le faire.

— Mais ce sont les dernières personnes à qui vous devriez vous adresser, précisa Shvara. N'y a-t-il pas quelqu'un de plus neutre ?

— Tu es un dieu, non ?

— Certes, mais je n'ai pas ce don.

La reine et le rapace se tournèrent en même temps vers Cornéliane, qui revenait de la rivière. Ses petits dragons gambadaient devant elle, contents d'avoir pu prendre un bain. Danitza leur fit aussitôt signe d'approcher.

— Possèdes-tu le talent de voir les événements à travers les objets ? s'enquit Shvara.

— Pas à ma connaissance, répondit la princesse, étonnée.

— Mais nous, si, intervint Ramalocé.

— Nos créateurs nous ont dotés de pouvoirs aussi variés que fascinants, ajouta Urulocé.

– Qu'avons-nous à perdre ? soupira Danitza en leur remettant le bijou.

Ramalocé prit le pendentif avec ses pattes de devant et le serra sur son cœur. Au bout de quelques instants, pris de convulsions, il le jeta sur le sol.

– Mais qu'est-ce... murmura la reine, inquiète.

Urulocé s'empara à son tour de la pierre verte et fut pris du même mal.

– Assez ! s'exclama Cornéliane en ramassant le pendentif.

– Pourquoi vous tordez-vous ainsi ? s'étonna Shvara.

– On l'a tuée, affirma Ramalocé en tentant de se relever.

Cornéliane prit les deux petites bêtes dans ses bras pour les réconforter.

– Qui a commis ce crime ? demanda Danitza, les larmes aux yeux.

– Une autre femme, les informa Urulocé. Elle a mis son pied sur sa tête et elle l'a enfoncée dans l'eau jusqu'à ce qu'elle ne respire plus.

– Avez-vous vu le visage de la meurtrière ? s'enquit Cornéliane.

– Un instant à peine avant que l'eau n'embrouille la vue de la défunte, leur apprit Ramalocé. Elle avait des tatouages sur le visage.

– Moérie... s'étrangla Danitza, effrayée.

– Pourquoi aurait-elle commis une pareille atrocité ? se récria Cornéliane. N'est-elle pas une enchanteresse ?

– C'est une femme profondément dérangée, leur fit remarquer le dieu-busard.

– Il est vrai qu'elle n'a jamais rien d'encourageant à dire, mais je ne la croyais pas capable d'une telle cruauté, avoua la reine. Shvara, pourrais-tu aller prévenir Cameron ?

– Tout de suite, Altesse.

Il se changea en oiseau et fila vers le nord.

– Qui a-t-elle tué ? voulut savoir Cornéliane.

– Sélène, la doyenne des enchanteresses... répondit Danitza d'une voix faible. Les Elfes ne sont pourtant pas des créatures agressives.

– Mais votre Moérie est différente, commenta Ramalocé. À mon avis, elle s'est débarrassée de la voix de la raison.

– Pour prendre sa place à la tête des magiciennes, nul doute, supposa Urulocé.

– Si nous en sommes rendus là, alors notre société est vraiment en danger, soupira la Princesse d'Émeraude.

Cornéliane resta avec Danitza jusqu'au retour de son mari. Elle alluma un feu magique pour réconforter la reine ébranlée et une des femmes jeta une couverture sur ses épaules. Cameron sortit du sentier en courant, suivi de ses conseillers, et serra sa femme dans ses bras. En s'efforçant de rester calme, elle lui raconta ce qui s'était passé. « Pourquoi faut-il que le seul meurtre de toute l'histoire des Elfes se produise sous mon règne ? » se désespéra Cameron.

– Êtes-vous bien certains que c'est Moérie, la coupable ? voulut-il s'assurer.

– Nous ne nous trompons jamais, assura Ramalocé.

– Allez me chercher Moérie, ordonna Cameron aux archers. Prenez tous les hommes dont vous avez besoin et fouillez la forêt de fond en comble.

Ils lui obéirent sur-le-champ, sauf deux d'entre eux, qui restèrent de garde derrière le couple royal.

– Que feras-tu d'elle ? s'inquiéta Danitza.

– Je n'en sais rien, avoua Cameron. Mon grand-père ne m'a jamais parlé de crimes et de sanctions.

– Vous devriez la livrer à mon frère, grommela Cornéliane. Il la ferait rôtir.

– Nous n'avons même pas de cachot pour l'emprisonner, déplora le roi.

– Nous suggérons la peine de mort, fit Urulocé.

– Ou le bannissement, ajouta Ramalocé.

– Et où l'enverrais-je en exil ? Et de quelle façon ?

– Si elle est bien ligotée, je pourrais la laisser tomber où vous voudrez, offrit Shvara.

– Ce ne doit pas être un endroit où il y a des gens, conseilla Cornéliane, sinon, elle continuerait à faire le mal.

Ils gardèrent tous le silence pendant quelques minutes, repassant leurs leçons de géographie dans leur esprit.

– L'île des Araignées ! s'exclama soudain Cornéliane.

– La magie de Moérie pourrait-elle les influencer ? s'inquiéta Danitza.

– Les insectes possèdent un esprit différent de celui des humains et des Elfes, leur rappela Cameron. Je ne vois pas comment elle pourrait les mettre à son service.

– Alors, ce serait un juste châtiment.

Toutefois, lorsque les archers revinrent au pied de l'arbre royal, Moérie n'était pas avec eux.

– Elle a disparu, annonça l'un des hommes. Nous avons cherché partout. Les enchanteresses elles-mêmes ne savent pas où elle est passée. Apparemment, Moérie s'est éclipsée au milieu de la cérémonie funéraire de Sélène.

– Que des messagers préviennent les souverains de Shola, d'Opale, de Diamant et d'Argent que cette femme dangereuse est en fuite et qu'elle doit être appréhendée à tout prix.

Des archers se portèrent volontaires et se mirent en route sans perdre de temps. Quant à lui, Shvara décida de mener sa propre enquête à partir du ciel. Il se changea en rapace, prit son envol et plana au-dessus de la forêt des Elfes en scrutant le sol. Il ne vit personne pressé de quitter les lieux. À en juger par la distance que la meurtrière devrait couvrir pour échapper à la justice du Roi Cameron, elle ne pouvait pas avoir quitté le pays. Elle se cachait certainement quelque part et attendait qu'on la cherche ailleurs pour filer entre les doigts des archers. Shvara se promit donc de procéder à des inspections quotidiennes jusqu'à ce que la meurtrière quitte son refuge. Il n'avait pas utilisé ses pouvoirs magiques depuis longtemps : il avait bien hâte de se mesurer à l'enchanteresse.

Lorsque le busard revint au village, Cornéliane était remontée dans sa hutte, mais Cameron et Danitza étaient toujours assis devant le feu, se tenant par la main. Shvara prit place devant eux. Il leur fit part de ses réflexions, puis leur promit de surveiller la forêt.

Pendant ce temps, dans sa hutte, Kaliska venait de faire avaler à Fabian sa dernière ration de potage de la journée. Elle l'avait recouché avec douceur et s'était aperçue qu'il la couvait d'un regard reconnaissant.

– Essaie de dormir, murmura-t-elle. Tu es sur la bonne voie.

Pour l'empêcher de protester, Kaliska lui transmit une vague anesthésiante qui le plongea dans un sommeil profond. Satisfaite des progrès de son patient, elle se rendit à l'autre bout de l'abri circulaire et s'assit près de Cornéliane. Ses dragons dormaient en boule à ses pieds.

– Je commence à peine à m'habituer à tes traits d'adulte, avoua la Princesse d'Émeraude.

– Ça m'a pris du temps aussi.

– Mon frère finira-t-il par se remettre de ses blessures?

– Il sera sur pied d'ici quelques jours. J'ai du mal à croire que c'est Nemeroff qui l'a blessé ainsi.

– C'est parce que tu ne l'as jamais vu sous sa forme de dragon.

– N'y a-t-il pas une chance, même minime, que vous finissiez par tous vous entendre, pour le bien du Royaume d'Émeraude?

– C'est un usurpateur.

– Si mes souvenirs sont bons, ton père n'a jamais arrêté de dire que c'est à lui qu'il aurait remis sa couronne.

– S'il avait été vivant.

– Mais il l'est, Cornéliane.

– Tu ne comprends pas : ce trône est mon seul avenir.

– Mais d'autres voies s'ouvrent à toi : devenir Chevalier d'Émeraude ou épouser le roi d'un autre pays. Tu pourrais même t'installer sur une ferme et vivre une vie parfaitement acceptable, entourée d'une ribambelle d'enfants.

– Je n'ai jamais envisagé autre chose qu'être reine.

– Alors, il est plus que temps que tu élargisses tes horizons. Le monde regorge de belles occasions pour qui sait les saisir.

– Je vais y réfléchir. Bonne nuit, Kaliska.

– Fais de beaux rêves, mon amie.

La guérisseuse éteignit magiquement les bougies et alla s'allonger sur sa couche. Toutefois, elle n'arriva pas à trouver le sommeil. Alors, au bout d'un moment, elle marcha jusqu'à la trappe sur la pointe des pieds et descendit l'échelle de corde. Même si Moérie avait décidé de revenir au village au lieu de s'enfuir, Kaliska ne la craignait pas. Elle savait que ses pouvoirs de déesse la protégeraient de sa méchanceté.

L'air frais caressa le visage de la jeune femme. Elle alluma un feu magique dans la petite enceinte en pierre et s'assit devant les flammes. Une coupe de vin apparut alors sur le sol près de sa main.

– Je pensais justement à vous, fit-elle en cherchant son propriétaire des yeux.

– Mon cœur s'en réjouit, avoua Nemeroff en sortant de l'obscurité.

– Je me demandais comment vous pouvez être aussi aimable avec moi et aussi cruel avec les membres de ma famille.

– Seulement avec ceux qui conspirent contre moi.

– Vous exagérez.

– Pas du tout. J'ai dû éloigner d'Émeraude ceux qui voulaient me destituer, car ils n'avaient pas le bien du royaume à cœur. N'importe qui dans ma position en aurait fait autant.

– Est-il vrai que vous vous transformez en dragon ?

– Tout comme vous en licorne.

– Je ne sais pas encore comment le faire à volonté.

– Alors, laissez-moi vous l'enseigner.

– Vous êtes très entreprenant, Nemeroff.

– J'ai besoin d'une reine. Vous m'avez demandé d'attendre que votre mission soit complétée et je me suis soumis à votre volonté. Les dernières huttes sont désormais fixées sur les arbres au nord du pays. Vous voulez poursuivre votre travail de guérisseuse et je vous ai juré sur mon honneur que je ne vous en empêcherais pas si vous acceptiez de partager ma vie.

– Vous êtes donc venu chercher une réponse, cette nuit ?

– Avec beaucoup d'espoir.

Kaliska se reprocha de n'avoir pas communiqué avec ses parents pour leur en parler d'abord.

– Que feriez-vous si je refusais ? demanda-t-elle bravement.

– Je pourrais être tenté de retirer aux Elfes ce que je viens de leur accorder.

La menace frappa la guérisseuse en plein cœur. Tous les sentiments qu'elle tentait d'étouffer refirent surface en même temps. Non seulement elle désirait le bonheur des Elfes, mais elle se rendit compte qu'elle éprouvait aussi un amour secret pour le jeune dieu-milan qu'elle était en train de soigner. Pire encore, Fabian était le frère de Nemeroff !

– Est-ce bien ce que vous voulez, Kaliska ?

– Non, attendez... Laissez-moi réfléchir.

Un magnifique fauteuil apparut derrière Nemeroff. Il s'y installa et se croisa les jambes. Pour se donner du courage, la jeune femme vida sa coupe d'un trait.

– Si j'accepte de vous épouser, quel genre de vie me promettez-vous ? s'entendit-elle demander.

– Vous serez la plus heureuse de toutes les femmes. Je vous chérirai et je prendrai soin de vous jusqu'à la fin des temps. Vous serez libre de faire tout ce dont vous avez envie, à la condition de me revenir régulièrement.

– J'aimerais aussi que vous redonniez aux forêts des Elfes la fertilité dont elles jouissaient avant l'inondation.

Kaliska sentit une puissante énergie l'entourer.

– C'est fait, assura Nemeroff. Autre chose ?

– Oui. Une enchanteresse a commis un crime atroce et les Elfes n'arrivent pas à la localiser.

– Je m'en occuperai personnellement.

– Alors... c'est oui... céda-t-elle.

Kaliska disparut de l'endroit où elle se trouvait et réapparut instantanément sur les genoux de Nemeroff.

– Vous venez de faire mon plus grand bonheur, avoua-t-il, la gorge serrée par l'émotion.

« Il semble si sincère », ne put s'empêcher de penser la guérisseuse.

– C'est l'homme que je veux apprendre à aimer, pas le dragon, précisa-t-elle.

– Vous ne le verrez jamais. Rentrerez-vous avec moi à Émeraude cette nuit ?

– Il me reste encore un patient à traiter. Dès qu'il sera sur pied, vous pourrez revenir me chercher.

– Vous n'aurez qu'à m'appeler. D'ici là, je mettrai en branle les préparatifs de notre union.

Il embrassa tendrement sa future épouse, mais Kaliska ne put que constater que ce baiser ne la transportait pas comme celui de Fabian... « Suis-je en train de commettre une erreur ? » s'attrista-t-elle. Le fauteuil s'éleva alors doucement vers le ciel.

– Qu'est-ce que vous faites ? s'effraya-t-elle en s'accrochant à lui.

– Je veux regarder les étoiles avec vous.

Le confortable siège s'arrêta au-dessus de la cime des grands arbres, où il flotta sur place.

– Mon père a passé de nombreuses nuits à m'enseigner leurs noms et leurs significations.

Il pointa la constellation directement au-dessus de leurs têtes.

– Voici la dague et, à sa droite, le magicien.

Trop occupés par leurs enfants, les parents de Kaliska n'avaient jamais pris le temps de s'asseoir ainsi la nuit pour leur enseigner l'astronomie. Lassa et Kira étaient si fourbus à la fin de la journée qu'ils s'effondraient dans leur lit pour dormir.

– Je trouve curieux qu'Onyx ait agi ainsi, laissa-t-elle tomber.

– Je me souviens de lui comme d'un père affectueux, prévenant, qui aurait fait n'importe quoi pour ses enfants.

– Agissait-il de la même façon avec ses autres fils ?

– Au début, il nous emmenait tous les quatre, mais j'étais le seul qui prêtait attention à ce qu'il disait. Atlance s'endormait dans ses bras, Fabian se lamentait qu'il faisait trop froid et Maximilien jouait avec ses chevaux de bois. Alors, après un certain temps, Onyx les a laissés dans leur lit et il ne prenait que moi avec lui.

– Vos souvenirs sont plutôt clairs pour un homme qui est mort depuis si longtemps.

– C'est tout ce qu'il me reste de ce monde.

Kaliska frissonna. Aussitôt, une chaude couette la recouvrit. S'il ne faisait pas battre son cœur, elle comprit que cet homme prendrait néanmoins bien soin d'elle.

8

UN AVENIR DIFFÉRENT

Lorsque Kaliska se réveilla, elle constata que son patient le plus mal en point était assis, le dos appuyé contre le mur de sa hutte. Les yeux grand ouverts, Fabian semblait observer le sommeil de sa sœur Cornéliane couchée non loin de lui. L'adolescente était toute recroquevillée, ses dragons collés contre elle. De l'autre côté du prince, Shvara dormait à poings fermés. Sans faire de bruit, Kaliska s'approcha de Fabian et passa une main lumineuse au-dessus de lui.

– Mais... s'étonna-t-elle.

– Grâce à toi, j'ai réussi à rassembler suffisamment d'énergie pour achever ma guérison, répondit Fabian.

La guérisseuse soupçonna Nemeroff d'être intervenu afin de hâter leur mariage, mais elle ne le mentionna pas au dieu-milan.

– Une excellente nouvelle, dit-elle plutôt avec un radieux sourire.

– Ai-je la permission de me lever ?

– Seulement si ta tête ne tourne pas.

– Depuis mon réveil, je n'éprouve aucun vertige.

– Alors, oui, mais au moindre signe d'étourdissement, il faudra t'allonger.

– J'ai vraiment besoin de prendre un bain et de changer de vêtements.

– Je peux demander au roi de te prêter une tunique.

– Si je me déguise en Elfe, arriverai-je à conquérir ton cœur ?

Kaliska recula en rougissant.

– Je suis d'accord : un bain s'impose, trouva-t-elle à répondre.

Fabian lui décocha un sourire amusé et se transforma en oiseau de proie. Heureusement, Kaliska avait laissé deux volets ouverts pour faire circuler l'air dans sa hutte. Le milan royal prit son envol et quitta la maison. La guérisseuse retourna s'asseoir sur sa couche. Cette fois, elle n'avait plus d'excuse. Il lui faudrait se rendre à Émeraude pour faire face à son destin. Son sacrifice permettrait aux Elfes de continuer à s'épanouir.

Le vent frais du matin fit le plus grand bien à Fabian, qui survola la forêt pendant un long moment en remarquant que la végétation semblait s'être renouvelée partout. Il se posa près de la rivière Mardall, là où il n'y avait aucun village, pour reprendre sa forme humaine. Il se débarrassa du seul vêtement qu'on lui avait laissé, soit son pantalon, et plongea dans l'eau froide. Chaque fois qu'il se purifiait ainsi, il ne pouvait s'empêcher de penser à son père. Onyx avait habitué ses enfants très jeunes au contact de l'eau, peu importe sa température. Il leur avait enseigné à nager pour éviter qu'ils se noient s'ils devaient tomber un jour dans l'océan ou ailleurs.

Une fois bien propre, Fabian se laissa sécher sur une grande pierre non loin de la rivière. La chaleur du soleil lui procura une immense sensation de bien-être. Encore une fois, il se perdit dans ses souvenirs. Lorsqu'il était petit, il s'était souvent retrouvé sous la domination de Nemeroff, son frère aîné. Il n'avait que sept ans lorsque celui-ci avait perdu la vie, mais il se rappelait fort bien son ton de commandement. Bien que plus âgé que Fabian, Atlance n'avait jamais eu beaucoup de fermeté physique ou morale et n'avait jamais cherché à imposer sa volonté à ses frères. Maximilien, étant le plus jeune, était devenu son principal compagnon de jeu.

Si Fabian se rappelait que Nemeroff avait été le préféré d'Onyx, il n'avait cependant jamais souffert de cet état de fait. Le Roi d'Émeraude avait traité tous ses enfants de la même façon. «Il aurait été intéressant de voir comment Nemeroff aurait réagi à l'habitude tyrannique de père de nous dicter la route que nous devions suivre à l'âge adulte», songea Fabian. Onyx voulait que son plus vieux lui succède sur le trône, alors il avait commencé à le préparer très jeune à ce rôle. Puisqu'il savait qu'Atlance n'était pas aussi fort que ses frères, il avait préconisé pour lui un mariage avec une femme de son rang, capable de le prendre en main, mais le cadet en avait décidé autrement. «Père a respecté la volonté d'Atlance, mais il s'est désintéressé de lui», comprit Fabian. Maximilien était le seul qui avait manifesté le désir d'élever des chevaux et Onyx l'aurait sans doute aidé à acquérir son propre haras s'il était resté au château.

«Il m'aurait probablement aidé à devenir un grand sorcier si je n'avais pas choisi de suivre Aquilée», pensa Fabian. La seule chose qui avait vraiment intéressé le troisième Prince d'Émeraude, c'était la magie et Onyx était encore plus puissant que tous les dieux-rapaces réunis. «J'ai été séduit par le profond décolleté d'une mangeuse d'hommes», soupira intérieurement Fabian.

Un busard cendré se posa près de lui, une tunique grisâtre entre les serres. Il reprit sa forme humaine et lui lança le vêtement.

– Pourquoi es-tu parti sans moi ? lui reprocha Shvara.

– J'avais besoin de réfléchir.

– Il se passe toujours des choses malencontreuses quand tu fais ça.

– Ce n'est pas vrai.

– Veux-tu que je t'en dresse la liste ?

– Non. Et si tu es venu jusqu'ici pour me casser les pieds, tu peux retourner chez les Elfes.

– Mais nous sommes déjà chez les Elfes et je n'ai certainement pas l'intention de te faire du mal maintenant que Lady Kaliska t'a remis en bon état.

– Je parlais au sens figuré, Shvara.

– Pourquoi les gens ne peuvent-ils pas dire les choses simplement ?

– Ils aiment donner de l'éclat à leurs propos.

– Pourquoi n'optent-ils pas pour ce qui est facilement intelligible ?

– Tu es désespérant... au sens propre.

– En tout cas, toi, tu es redevenu toi-même.

Fabian revêtit la tunique, étonné par sa douceur.

– Je dois survoler le pays, ce matin, afin de localiser Moérie, annonça le dieu-busard. Te sens-tu assez fort pour m'accompagner ?

– Que devrons-nous faire d'elle si nous la retrouvons ?

– La ramener au Roi Cameron pour qu'il prononce sa sentence.

– Elle a encore changé la couleur de la peau d'un humain ?

– Cette fois, elle a tué une de ses semblables.

– Oh...

Même s'il n'était pas encore en pleine forme, Fabian suivit son ami au-dessus des grands arbres coiffés de huttes circulaires. Contrairement au busard, qui se servait de ses yeux pour effectuer ses recherches, le prince utilisa plutôt ses sens invisibles. Il capta une puissante magie dans les forêts des Elfes, mais ce n'était pas celle d'une enchanteresse. Shvara reconnut sans doute sa provenance en même temps que lui, puisqu'il lui fit aussitôt signe de rebrousser chemin.

Les deux oiseaux de proie se posèrent en même temps au pied du séquoia royal, à quelques pas de celui où s'élevait le logis de la guérisseuse, et se transformèrent en humain. Cornéliane était déjà assise près du feu et partageait un repas de gibier grillé avec ses dragons.

– Mais où as-tu pris ça ? s'étonna son grand frère.

– C'est apparu devant moi, expliqua la princesse en se délectant. Je n'ai rien contre les noisettes et les légumes sauvages, mais j'avais vraiment besoin d'autre chose.

– C'est une abomination de faire rôtir la viande, laissa tomber Shvara en prenant place près de Fabian.

Cornéliane lui en tendit une tranche qu'il ne refusa pas, cependant. Ils mangèrent en silence pendant un moment.

– Je suis contente de voir que tu es guéri, fit la princesse, une fois repue.

– J'ignore ce qui s'est passé, mais au milieu de la nuit, j'ai eu l'impression d'être enveloppé dans un cocon de chaleur bienfaisante et, à mon réveil, je ne souffrais plus du tout.

– Une intervention divine ?

– Peut-être qu'Aquilée a eu des remords, avança Shvara.

– Je suis plutôt d'avis que si elle me mettait la main au collet, elle m'étranglerait, plaisanta Fabian.

– Au sens figuré ?

– Non.

– As-tu l'intention de rentrer à Émeraude ? demanda Cornéliane à son frère.

– Après avoir défié Nemeroff ? Non merci.

– Je suis d'accord, fit Shvara entre deux bouchées.

– Toutefois, j'aimerais bien revoir Maximilien une dernière fois...

– Moi aussi, avoua Cornéliane.

– J'ai beaucoup réfléchi, ce matin, poursuivit Fabian, et à mon avis, la meilleure chose que je puisse faire, c'est de retrouver père et de faire la paix avec lui.

– Tu vas abandonner notre mère à Émeraude ?

– Tant qu'elle est sous le pouvoir de Nemeroff, elle n'a rien à craindre. Il ne s'attaque qu'à ceux qui le menacent. Comme toi, par exemple.

– Oh mais j'ai bien compris la leçon. Je n'arriverai jamais à le détrôner toute seule. Et même si j'aimerais retourner auprès de maman pour veiller sur elle, je me rends bien compte que ce n'est plus possible. Nemeroff finirait par me tuer et lui faire croire que c'était un accident.

– Où iras-tu ?

– Je songeais à rentrer à An-Anshar. On pourrait s'y rendre ensemble.

– Surtout que tu sais où ça se trouve, la taquina Fabian.

– Quand veux-tu partir ?

– Dès que j'aurai réglé un petit détail. Je te ferai signe.

– Il y a autre chose, Fabian. Je suis inquiète pour Anoki, Jaspe et le bébé qui va bientôt naître.

– À mon avis, tant qu'ils seront petits, ils ne risqueront rien. Mais nous devrons entrer en communication avec Anoki pour savoir s'il pressent un danger

– C'est un bon plan, acquiesça Shvara.

– Je vais aller me purifier à la rivière, annonça Cornéliane.

Elle quitta les deux hommes et s'enfonça dans la forêt, ses dragons sur les talons. Fabian vit alors Kaliska descendre l'échelle de corde de son arbre.

– Tu peux avoir le reste de ma part, dit-il au rapace.

Shvara s'empara de la viande de son ami tandis que celui-ci se hâtait d'aller à la rencontre de la guérisseuse.

– As-tu mangé ? s'inquiéta Kaliska en voyant approcher le prince.

– Oui, et je me sens merveilleusement bien.

– C'est surprenant, mais je m'en réjouis.

– Dois-tu aller quelque part, ce matin ?

– Non. À cette heure-ci, j'aime bien aller simplement marcher avant de commencer la journée.

– Puis-je t'accompagner ?

– Oui, bien sûr.

Ils suivirent un sentier qui serpentait entre les étangs. Habituellement Kaliska ne s'y aventurait pas, mais il était plus large que les autres chemins qu'elle aimait emprunter. Fabian pourrait donc déambuler près d'elle.

– Te sens-tu assez fort pour rentrer chez toi ? demanda la jeune femme, à tout hasard.

– Je crois que oui, mais tout dépendra de la réaction d'une certaine personne à qui je suis sur le point d'ouvrir mon cœur.

Effrayée, la guérisseuse s'arrêta net et se tourna vers lui.

– Je ne comprends pas les sentiments que j'éprouve pour toi, Kaliska, mais je ne peux pas les nier. Ce ne sont pas ton visage et tes atours qui m'ont séduit, mais la pureté de ton être tout entier.

– Fabian, je t'en prie...

– J'aimerais devenir ton compagnon de vie, celui qui t'aimera pour toujours et qui te protégera contre la méchanceté des créatures comme Moérie.

– Je t'en conjure, arrête. J'ai déjà promis mon cœur à un autre homme.

– Si ce que tu dis est vrai, alors pourquoi y a-t-il de la tristesse dans ton regard?

– Parce que je ne veux pas te faire de la peine.

– Est-ce que tu l'aimes?

– Oui, mentit Kaliska.

– Et si je me montrais encore plus digne de toi que lui?

Des larmes se mirent à couler sur le beau visage de la guérisseuse.

– Si tu éprouves vraiment de l'amour pour moi, alors cesse de me tourmenter, murmura-t-elle.

Elle prit la fuite dans la sylve. Déterminé à comprendre pourquoi elle était si malheureuse tout à coup, Fabian la poursuivit et la rattrapa entre deux étangs. Il la saisit par la taille et la fit pivoter vers lui.

– Pardonne-moi, la supplia-t-il. La dernière chose que je voulais, c'était de te causer du chagrin.

– Ce n'est pas ta faute.

– C'est un mariage arrangé, n'est-ce pas ?

Elle baissa honteusement la tête.

– Je connais tes parents, Kaliska. Ils t'écouteront si tu leur expliques ce que tu ressens.

– Ils n'y sont pour rien...

– Alors, j'avoue ne plus rien comprendre.

– J'ai déjà donné ma main à quelqu'un et je ne peux pas revenir sur ma parole.

– Même si tu n'éprouves aucune attirance pour lui ?

– Je n'ai pas dit ça.

– Alors, pourquoi pleures-tu ?

– Parce que c'est toi qui aurais dû me faire cette demande le premier.

La jeune femme voulut s'enfuir, mais Fabian la retint fermement.

– Dis-moi qui est cet homme, exigea-t-il. S'il t'aime, il te laissera suivre les élans de ton cœur.

– C'est impossible...

– Rien n'est impossible, Kaliska.

– Mon futur mari est ton frère Nemeroff.

Saisi de stupeur, Fabian laissa la guérisseuse s'échapper. En plus de l'avoir chassé de son pays, cet usurpateur lui ravissait la femme qu'il aimait ! Il resta immobile un long moment à réfléchir à ce qui venait de se passer. Il en vint à la conclusion que si Kaliska était tellement affligée, c'était que Nemeroff lui avait fait des menaces pour qu'elle partage son lit ! « Je dois la rassurer et lui prouver qu'elle peut lui tenir tête, tout comme je l'ai fait », décida-t-il. Au cas où elle refuserait d'entendre raison, il pourrait toujours l'enlever et l'emmener vivre chez son père.

Pendant que Fabian se torturait l'esprit, Cornéliane était agenouillée dans l'eau peu profonde, sur le bord de la rivière, et se lavait le visage. Ramalocé et Urulocé barbotaient autour d'elle en couinant de plaisir. La princesse sentit alors une présence et se retourna vivement. Une jeune Elfe se tenait à quelques pas d'elle et l'observait.

– Je voulais juste savoir qui jouait dans l'eau, s'excusa-t-elle d'une voix douce comme le vent. Je suis Lirelha.

– Et moi, la Princesse Cornéliane d'Émeraude.

– Je sais qui tu es. Je t'ai souvent vue en compagnie de la reine.

– Dans ce cas, tu as un pas d'avance sur moi.

– Je suis une enchanteresse.

Cornéliane tressaillit.

– N'aie aucune crainte, je n'appartiens pas au clan de Moérie. Je suis l'apprentie de Maayan. Tu es très loin de ton royaume.

– En fait, j'en ai été chassée par mon frère aîné.

– Ta famille ne l'en a pas empêché ?

– Elle est plutôt morcelée ma famille, en ce moment.

– Je sens une grande magie en toi.

Cornéliane préféra ne pas le confirmer.

– Aimerais-tu faire partie d'une communauté de magiciennes qui prendrait toujours soin de toi ?

Les dragons se hâtèrent auprès de la princesse en secouant la tête pour la mettre en garde.

– J'appartiens à deux royaumes, alors il m'en reste heureusement un autre, répondit Cornéliane. Mais merci de me l'offrir.

– Cet autre pays se trouve-t-il loin d'ici ?

– Très loin.

Ramalocé se mit à sauter de façon insistante sur les genoux de l'adolescente. Il ne voulait surtout pas parler en présence de l'enchanteresse, car il craignait de l'encourager à harceler davantage sa maîtresse. De son côté, Urulocé cherchait à se cacher sous le bras de Cornéliane en s'efforçant de frissonner.

– Mais qu'est-ce que vous avez ?

– Ce sont de jolies bêtes, commenta Lirelha.

– On dirait qu'ils ont froid.

Urulocé amplifia ses tremblements pour indiquer qu'elle visait juste.

– Allez, rentrons.

Ramalocé sauta sur la berge en gambadant tandis que son ami bleu feignait d'avoir un malaise. Cornéliane le cueillit dans ses bras.

– Je suis heureuse d'avoir fait ta connaissance, Lirelha. Je dois maintenant aller prendre soin d'eux.

La princesse passa devant l'enchanteresse et retourna au village.

– Ne leur adressez plus jamais la parole, chuchota Urulocé, la tête appuyée sur son épaule.

– On dit que ces magiciennes peuvent ensorceler leurs victimes par leur seule voix, ajouta Ramalocé, qui marchait devant.

– Ce n'est qu'une apprentie ! protesta Cornéliane.

– Nous ignorons depuis combien de temps elle étudie avec ces sorcières, la mit en garde Urulocé.

– Vous n'êtes que des froussards.

– Pardon, mademoiselle ! se hérissa Ramalocé en s'arrêtant net dans le sentier. Nous avons votre survie à cœur !

– Vous pouvez vous fier à notre sagesse, renchérit Urulocé.

– Nous allons bientôt partir d'ici de toute façon, leur rappela la princesse.

✳ ✳ ✳

Kaliska courut jusqu'à l'étang qui était devenu son refuge préféré lorsqu'elle avait besoin de méditer. Aucune des magiciennes ne se l'était approprié, alors elle pouvait y passer de longues périodes complètement seule. Elle s'assit sur le tronc d'un vieil arbre terrassé et repensa à la conversation qu'elle venait d'avoir avec Fabian. « Jamais je n'aurais dû lui avouer mes sentiments », se reprocha-t-elle. Il était guéri et n'avait plus besoin d'elle.

Plongée dans l'inquiétude et la tristesse, elle ne vit Nemeroff que lorsqu'il mit un genou en terre devant elle, la faisant sursauter.

– Quelle est la cause de votre chagrin, mon aimée ?

– Je ne désire pas en parler...

Comme elle ne disait rien, Nemeroff l'attira doucement dans ses bras et la serra avec tendresse.

– J'aurais préféré vous égayer avec de plus encourageantes nouvelles, murmura-t-il.

– Ne me dites pas que quelqu'un est mort ! s'effraya Kaliska.

– Il s'agit de la traîtresse Moérie et, malheureusement, elle vit toujours. J'ai exploré le continent en tous sens et je n'ai relevé aucune trace d'elle.

– Comment est-ce possible ?

– Elle possède sans doute la faculté de se déplacer magiquement.

Kaliska rappela à son esprit tout ce qu'elle savait sur les Elfes.

– J'ai entendu dire que les enchanteresses utilisaient les cromlechs pour se rendre dans les royaumes où il s'en trouve d'autres.

– J'ai pourtant passé Enkidiev au peigne fin.

– À moins que les bâtisseurs des cercles de pierres en aient construit dans le nouveau monde...

– Si c'est votre désir que je la traque de l'autre côté des volcans, je le ferai.

– Non, Nemeroff, n'allez pas aussi loin. Mais si elle ose remettre les pieds sur notre territoire, par contre, faites tout ce que vous pourrez pour vous saisir d'elle. Au nom du Roi des Elfes, merci.

– Tout comme vous, je possède un grand sens de la justice. Plus encore, ce qui est important pour ma promise l'est aussi pour moi.

Nemeroff attendit que Kaliska se soit apaisée avant de relâcher son étreinte. Il essuya doucement les larmes sur les joues de la jeune femme avec le dos de son index.

– Quand rentrerez-vous à Émeraude avec moi ?

– J'aimerais partir maintenant, mais je dois d'abord faire mes adieux aux souverains de ce pays.

Nemeroff lui fit gentiment tourner le menton vers la forêt où, étonnés, Cameron et Danitza venaient d'apparaître.

— Allez-y. Je vous attends ici.

— Pas question, vous venez avec moi.

Kaliska prit la main de son fiancé et l'entraîna jusqu'au couple. Cameron avait déjà rencontré le nouveau monarque sur la route de Rubis, mais la reine n'en avait qu'entendu parler.

— Altesses, je vous présente le Roi Nemeroff d'Émeraude, mon futur époux. Nemeroff, voici le Roi Cameron des Elfes et sa femme Danitza.

— Je suis enchantée de faire votre connaissance, fit la reine en esquissant une petite courbette.

— Tout le plaisir est pour moi, madame.

— J'espère que nous aurons bientôt l'occasion de discuter de politique, fit Cameron.

— En fait, cela devra attendre un autre jour, indiqua Kaliska. Il est venu me chercher.

— Te chercher ? déplora Danitza.

— Je reviendrai, je vous le promets.

Kaliska serra ses amis dans ses bras avant de glisser sa main dans celle de Nemeroff. Ce dernier salua Cameron et Danitza d'un gracieux mouvement de la tête et disparut avec sa fiancée.

9

RETOUR AUX SOURCES

Même si Hawke n'était pas toujours très actif dans la vie de sa famille, sa présence rassurait sa femme Élizabelle. Depuis qu'il était reparti en mission avec Briag, celle-ci commençait à ressentir un grand vide. Ses deux garçons s'étaient intégrés à la vie des moines au point où ils passaient plus de temps dans le temple que dans les quartiers de leurs parents. Ils écoutaient volontiers les babillages de leur mère lors du premier repas de la journée, puis ils disparaissaient et ne revenaient que pour dormir, préférant manger avec les cénobites le midi et le soir.

Délaissée, Élizabelle parlait de plus en plus à ses plantes, mais ces dernières ne lui répondaient jamais. « J'ai besoin d'un petit animal de compagnie », se dit-elle. Cependant, elle n'était pas certaine que les habitants du sanctuaire apprécieraient les aboiements d'un chien ou les miaulements d'un chat. Elle avait déjà vu des perroquets vendus par les marchands du sud lors des fêtes de Parandar à Émeraude. Ces oiseaux vivaient apparemment très longtemps et ils étaient très affectueux.

Tandis qu'elle rêvassait en rangeant la vaisselle, Élizabelle comprit enfin ce qui lui arrivait. Isolée du reste du monde depuis des années, elle avait envie de sortir du sanctuaire.

Habituellement, c'était ses fils qui allaient chercher les plantes dont elle avait besoin, mais elle éprouvait maintenant le besoin de respirer l'air de l'extérieur. Il lui faudrait bien sûr suivre les règles du monastère et en demander la permission à Isarn, mais il ne pourrait pas la lui refuser. La première étape, toutefois, c'était de faire part de ses désirs à ses enfants.

En attendant le bon moment pour expliquer à Meallan et Jaheda que ce serait elle qui irait cueillir ses végétaux, Élizabelle eut une autre révélation : elle n'avait pas revu son père depuis son départ d'Émeraude. Pire encore, les Sholiens ne possédaient aucun messager pour porter des missives aux autres royaumes. Elle n'avait donc eu aucune nouvelle de lui depuis que Hawke avait installé la pierre d'Abussos sur le balcon du palais d'Émeraude.

Alors, un matin, pendant que les jumeaux mangeaient en silence à la table de pierre de la cuisine, Élizabelle prit place devant eux et rassembla son courage.

– Auriez-vous envie de rendre visite à votre grand-père ? leur demanda-t-elle.

– Non, répondit Meallan, après avoir avalé sa dernière bouchée.

– Il aimerait peut-être vous revoir.

– Nous ne pouvons pas nous absenter du temple, mère, expliqua Jaheda. Isarn vient enfin de nous confier des tâches importantes.

– Et si je m'absentais quelque temps, pourriez-vous vous débrouiller seuls ?

– T'absenter ? répétèrent en chœur les jumeaux.

– Moi, j'ai besoin de retourner dans mon pays natal et de revoir mes amies.

– Tu n'es jamais allée nulle part, se rappela Jaheda.

– Il y a un début à tout.

– Je suis capable de préparer les repas, affirma Meallan.

– Qui sait faire la vaisselle ?

Les garçons conservèrent un silence décourageant.

– À mon retour, si je trouve notre logis sens dessus dessous, il y aura des conséquences dont vous vous souviendrez longtemps.

– Viens, Meallan, nous allons être en retard, fit Jaheda en se levant.

Les adolescents s'empressèrent de quitter la cuisine. Élizabelle demeura assise à la table et sirota son thé en pensant que ses fils ne seraient pas longtemps seuls à la maison. Hawke finirait bien par rentrer et il les remettrait au pas. Elle se mit alors à penser à ses amies Amayelle, Wanda, Sanya et Catania, dont elle était sans nouvelles depuis qu'elle vivait sous terre à

Shola. Chaque fois que son mari allait en mission, il oubliait toujours de s'informer d'elles.

Lorsqu'elle eut rangé les couverts, Élizabelle s'aventura dans le sanctuaire en faisant attention de ne pas faire de bruit. Dès que les moines auraient terminé les prières du matin, ils se disperseraient pour vaquer à leurs activités quotidiennes. Comme à son habitude, Isarn retournerait à sa cellule pour méditer. Pour s'assurer de lui parler, Élizabelle l'attendit près de sa porte. Quelques minutes plus tard, le vieil homme apparut au bout du couloir.

— C'est moi que tu veux voir, mon enfant?

— Oui, vénérable Isarn.

— Suis-moi.

Il la fit entrer dans la petite pièce.

— Habituellement, c'est Hawke qui vient me trouver ainsi.

— C'est lui qui m'a expliqué comment procéder lorsque nous avons besoin de vous adresser une requête.

— Que désires-tu?

— J'aimerais rendre visite à mon père.

— Tu veux quitter le sanctuaire?

– Temporairement, je vous assure. Ma place est auprès de mon mari et de mes enfants, mais j'ai besoin de savoir ce qui est advenu de la famille que j'ai laissée à Émeraude.

– Combien de temps resterais-tu là-bas ?

– Un mois tout au plus.

– Emmènes-tu les garçons avec toi ?

– Non. Ils ont exprimé le désir de rester au temple.

– Tu partirais seule ? Le Royaume d'Émeraude se trouve à plusieurs jours d'ici.

– Je sais me défendre et, de toute façon, nous n'avons plus rien à craindre sur ce continent. J'ai l'intention de demander aux Elfes une embarcation, car par la rivière, le trajet sera beaucoup moins long.

– C'est juste. Va et contente ton âme, Élizabelle. Je veillerai sur les jumeaux.

– Merci infiniment.

Elle pencha la tête en signe de respect, comme le lui avait recommandé Hawke, et retourna chez elle pour rassembler quelques affaires dans une besace. La saison chaude tirait à sa fin et elle était certaine de pouvoir trouver de quoi manger un peu partout. Toutefois, pour ne courir aucun risque, elle apporta des fruits. Une fois prête, elle écrivit un mot à ses garçons, puis sortit de ses quartiers. «Je ne sais même pas de quel côté aller», songea-t-elle.

Heureusement, un des moines passait par là. Même si pour la plupart des étrangers, les Sholiens se ressemblaient tous, un œil averti pouvait arriver à les différencier. Elle reconnut donc Einar, qui avait enseigné le Venifica à ses fils.

– Puis-je vous aider? offrit-il.

– J'ai reçu d'Isarn la permission de quitter le temple, mais je ne sais pas où est la sortie.

– Dans ce cas, vous aurez besoin de moi.

– J'apprécie votre aide, Einar.

Il la conduisit jusqu'au bout d'un corridor qui semblait pourtant sans issue. Quand ils s'arrêtèrent devant un mur, Élizabelle ne cacha pas son étonnement.

– C'est une issue magique, expliqua son guide. Je peux l'ouvrir, mais pas vous y suivre. Une fois à l'extérieur, vous devrez vous débrouiller seule.

– Je comprends.

Einar la salua et rebroussa chemin. Le pan rocheux se mit alors à glisser sur le côté, laissant la lumière éclatante du soleil pénétrer dans le sanctuaire. Élizabelle protégea aussitôt ses yeux jusqu'à ce qu'ils se soient habitués à cette clarté. Elle fit quelques pas en humant l'air frais et s'arrêta net. Elle se trouvait sur une étroite corniche, au milieu de la falaise de Shola. Avant qu'elle puisse faire demi-tour, la plaque de pierre s'était refermée. Elle était coincée à une centaine de mètres au-dessus du sol !

– Comme dirait mon père : pas de panique, il y a toujours une solution, murmura-t-elle pour se rassurer.

Elle examina attentivement son environnement. Le chemin creusé par les anciens Sholiens se trouvait à plusieurs mètres à sa gauche. Pour l'atteindre, il lui faudrait s'agripper aux aspérités dans le roc et s'y rendre à la manière d'une araignée. « J'aurais dû apprendre l'escalade quand j'étais jeune », se dit-elle. Lorsqu'elle vivait chez Morrison, les jeunes Chevaliers s'amusaient souvent à grimper aussi haut qu'ils le pouvaient sur le flanc sud de la montagne de Cristal. Sans expérience, elle risquait de se rompre le cou. La seule solution, c'était d'implorer les moines de la laisser rentrer. « Mais je ne possède pas de pouvoirs magiques ! Comment vont-ils m'entendre ? »

Une rafale ébouriffa ses cheveux blond roux. Craignant d'être balancée dans le vide, elle se colla le dos contre la paroi rocheuse en priant Abussos de lui venir en aide. C'est alors qu'elle vit une énorme bête écarlate descendre du ciel droit devant elle. À la base de son cou était assis un jeune homme.

– Je vais vous sauver ! cria-t-il.

Le dragon tendit ses pattes antérieures et s'empara d'Élizabelle, qui poussa un cri de terreur. En quelques battements d'ailes, la créature descendit vers la plaine des Elfes, au pied de la falaise de Shola, où elle libéra sa proie.

Celle-ci s'éloigna en courant avant de se retourner, afin de ne pas être à portée de ses dents pointues.

— N'ayez aucune crainte, tenta de la rassurer le dragonnier en se laissant glisser sur le sol. Il est végétarien.

Élizabelle examina attentivement ses traits.

— Nartrach, est-ce toi ?

— Le seul et unique. Comment se fait-il que vous sachiez qui je suis, mais que je ne vous reconnaisse pas ?

— J'ai quitté Émeraude il y a des lustres. Je suis Élizabelle, la fille de Morrison.

— Oui, je me souviens !

— Comment se porte ta mère ?

— Il y a longtemps que je n'ai pas rendu visite à mes parents, mais la dernière fois que je l'ai vue, elle allait très bien.

— Tu n'habites plus avec eux ?

— Non. Je me suis marié et je vis avec ma femme et ma fille chez les Fées.

— Les choses ont vraiment changé en mon absence, bredouilla Élizabelle.

— Si elles demeuraient statiques, nous n'aurions aucun défi.

– Tu as raison.

– J'étais en route pour la nouvelle cité d'Espérita lorsque je vous ai aperçue sur la falaise.

– La nouvelle cité ?

– Rebâtie et améliorée. Il n'y manque que les habitants, mais Dylan et Dinath s'en occupent. Puis-je vous demander comment vous vous êtes retrouvée en si mauvaise posture ?

Tous les occupants du sanctuaire ayant juré de ne jamais en révéler l'existence et encore moins l'entrée, Élizabelle se vit contrainte de mentir, ce qui ne lui plaisait pas du tout.

– J'ai fait de l'escalade et j'étais trop fatiguée pour redescendre, expliqua-t-elle. Merci de m'avoir aidée, Nartrach.

– Puis-je vous conduire quelque part ?

– C'est gentil, mais je dois cueillir des plantes médicinales et j'en ai pour un moment. Tu peux poursuivre ta route.

– Je repasserai au coucher du soleil, si jamais vous changez d'idée.

L'homme-Fée remonta sur son dragon.

– Je vous souhaite une récolte abondante.

L'énorme bête rouge s'envola vers le nord. Élizabelle ne manqua pas de remercier Abussos, persuadée que c'était lui qui avait mis Nartrach sur sa route au moment où elle avait le plus besoin de lui. Elle s'orienta et suivit la rivière, en se disant qu'elle finirait bien par trouver des Elfes.

Elle s'arrêta vers midi, mangea des fruits et but de l'eau. Le temps était vraiment magnifique. Il était difficile de croire que quelques semaines plus tard, le ciel serait envahi par de gros nuages noirs qui déverseraient des torrents de pluie sur le continent.

Elle se remit en route en profitant de sa liberté très provisoire et aperçut finalement des pirogues accostées dans les roseaux. Elle piqua donc vers la forêt, certaine qu'un village avait été bâti non loin des embarcations. Quelle ne fut pas sa surprise d'apercevoir les huttes circulaires au sommet des sequoias. «On dirait que j'ai été enfermée chez les Sholiens pendant des siècles», s'effraya-t-elle. Il n'y avait personne au pied des arbres, mais Hawke lui avait déjà dit que les Elfes se cachaient à l'approche des étrangers.

– Il y a quelqu'un ? cria-t-elle.

Rien ne se produisit.

– Je suis Élizabelle, l'épouse du Chevalier Hawke. Il était de la tribu des *pagellas*, je crois.

Un homme sortit de sa cachette derrière un buisson.

– Le magicien d'Émeraude ? demanda-t-il.

– Autrefois. Il est depuis devenu un moine de Shola.

— Je suis Ilari de la tribu des *riparias*. Celle de votre mari s'est établie dans les forêts de l'ouest. Je peux vous y faire conduire, si vous le désirez.

— Vous êtes bien aimable, mais je suis plutôt à la recherche de quelqu'un qui pourrait me prêter une pirogue pour aller à Émeraude, où j'habitais jadis avec Hawke.

— Les Elfes n'ont pas l'habitude de mettre leurs embarcations à la disposition des étrangers, mais si vous acceptez d'attendre quelques heures, leurs propriétaires reviendront de la cueillette et vous pourrez le leur demander. Malheureusement, je n'en possède aucune moi-même.

— D'accord.

Élizabelle crut alors entendre une mélopée lugubre en provenance de la forêt.

— Ce sont des chants funèbres à la mémoire de Sélène, la grande enchanteresse. Elle a perdu la vie dans l'un des étangs du sud.

— Je suis vraiment navrée...

Ilari la convia dans sa hutte en expliquant qu'ils y seraient plus à l'aise. Par curiosité, Élizabelle accepta sur-le-champ. Elle se hissa par l'échelle de corde jusque sur le plancher et examina l'intérieur du logis.

— Depuis quand les Elfes vivent-ils dans les arbres? demanda-t-elle en marchant jusqu'à l'une des fenêtres par laquelle entrait une brise fraîche.

– C'est très récent, un cadeau de la déesse Naalnish.

L'interrogation dans les yeux de la femme fit comprendre à l'Elfe que ce nom ne lui disait rien.

– La fille d'Abussos, ajouta-t-il.

– Lui, je sais qui il est, affirma Élizabelle avec un sourire. Les moines ne vénèrent que lui.

Ilari la fit asseoir sur un tatami et lui servit un jus de fruit odorant.

– Pourquoi désirez-vous aller à Émeraude et pourquoi votre mari n'est-il pas avec vous ? s'enquit l'Elfe en s'installant devant son invitée.

– Abussos lui a confié une mission, alors je profite de son absence pour rendre visite à mon père, que je n'ai pas vu depuis très longtemps.

– Le mal du pays ?

– En quelque sorte.

Elle vida son gobelet d'un trait en fermant les yeux.

– C'est vraiment délicieux... Il faudra me dire comment je peux en préparer à mes enfants.

– Des demi-Elfes.

– Ils n'ont plus rien ni de mon peuple, ni de celui de leur père, avoua Élizabelle en riant. Ils sont devenus des Sholiens aux oreilles pointues.

Elle lui expliqua comment les cénobites étaient revenus de la mort, ce que son mari avait fait pour eux et comment elle en était arrivée à partager leur vie. Au bout d'un moment, elle se mit à penser qu'elle aurait aimé habiter dans une grande hutte à proximité du ciel.

Les piroguiers revinrent au village au coucher du soleil, leurs paniers remplis de tous les petits fruits qu'ils avaient pu trouver sur leur territoire. Ilari descendit le premier pour qu'ils ne fuient pas en apercevant l'humaine. Il leur expliqua pourquoi elle s'était arrêtée dans leur village et les laissa observer Élizabelle tandis qu'elle mettait pied à terre.

– Il va bientôt faire nuit, fit observer l'un des Elfes.

– Ce n'est pas le moment d'aller où que ce soit, renchérit un autre.

– Demain matin, alors ?

Depuis que le Roi Cameron s'était aventuré jusque dans les royaumes les plus à l'est, les jeunes l'avaient imité en sillonnant la rivière Mardall et ses affluents.

– Je pourrais vous conduire jusqu'à Émeraude, annonça alors l'un d'eux. J'y suis déjà allé.

– Élizabelle dormira chez moi, décida Ilari, et elle accompagnera Yassi au lever du soleil. D'ici là, elle sera notre invitée.

Toute la tribu se réunit au pied des arbres géants pour préparer un repas frugal. Élizabelle mangea en leur racontant comment elle était devenue l'épouse de l'un des leurs. Ils connaissaient déjà l'épopée des Chevaliers d'Émeraude et certains avaient même entendu parler des exploits de l'Elfe magicien lors des derniers combats contre les hommes-insectes.

Dès que l'obscurité descendit sur le pays des Elfes, ils regagnèrent chacun leur hutte et remontèrent les échelles de corde. Élizabelle n'eut aucune difficulté à trouver le sommeil, bercée par le chant des grillons et le bruissement du vent dans les feuilles.

10

UN PETIT COUP DE POUCE

Même après avoir promis aux Princes Fabian et Maximilien d'Émeraude de retrouver leur père et de le ramener au bercail, Hadrian avait éprouvé des réticences. Afin de comprendre ce qu'il ressentait, il s'était isolé une fois de plus dans la tour qu'il avait édifiée au Royaume d'Argent, près de la rivière Mardall. Il était bien sûr en colère contre Onyx, qui lui avait ravi le talisman qu'il affectionnait, mais le but de sa quête ne devait pas se limiter à la vengeance. Ayant régné pendant des centaines d'années sur les Argentais, Hadrian avait acquis une certaine grandeur d'âme.

Il avait donc passé de longues heures assis devant les flammes de son âtre à se demander comment il aborderait son ancien lieutenant. Onyx n'était pas un homme facile. Hadrian se rappelait encore ses airs revêches et ses répliques laconiques. En fait, lorsqu'il daignait répondre, sa phrase préférée était souvent : *c'est une longue histoire*. « Dans quoi s'est-il embarqué maintenant ? » soupira intérieurement l'ancien souverain.

Wellan avait découvert dans un ancien traité sholien qu'Onyx était en réalité le dieu Nashoba, fils d'Abussos. De l'avis d'Hadrian, ce n'était pas impossible, car lorsqu'il l'avait rencontré, plus de cinq cents ans auparavant, il possédait de vastes pouvoirs magiques avant même que le magicien de Cristal n'en ait accordés aux Chevaliers d'Émeraude. Ce qui était nébuleux cependant, c'était la raison pour laquelle le dieu fondateur avait semé des enfants partout sur le continent.

Pour ramener le renégat dans son pays natal, Hadrian devait éviter tout conflit avec lui. Autrement dit, trouver une façon de récupérer son talisman sans être obligé de le lui arracher des mains. Mieux encore, il lui faudrait découvrir si Onyx connaissait les propriétés magiques du bijou.

Armé de toutes ces bonnes résolutions, Hadrian se mit à la recherche d'Onyx avec ses sens invisibles. Tout comme il s'y attendait, il ne le trouva nulle part. Mais son instinct lui disait d'aller jeter un coup d'œil du côté d'Enlilkisar.

Il enfouit dans une sacoche de cuir un recueil de poèmes, un journal, une plume, un petit encrier, les restes de son repas de la veille et quelques tuniques, puis passa la bandoulière par-dessus sa tête. Il sortit de la tour. Dehors l'attendait sa plus grande épreuve : expliquer à sa jument-dragon qu'elle ne pourrait pas l'accompagner dans cette nouvelle aventure.

En le voyant quitter son logis avec son sac à provisions, Staya accourut et se mit à gambader autour de lui comme un poulain qui sort pour la première fois de l'écurie.

— Tu ne vas pas aimer ce que je vais te dire.

L'animal s'arrêta net et releva la tête, les oreilles bien droites.

– Je ne peux pas t'emmener là où je vais, parce que c'est un endroit grouillant de prédateurs qui dévorent tout ce qu'ils trouvent.

Staya montra toutes ses dents de façon menaçante.

– Y compris les chevaux-dragons.

La jument piaffa de colère.

– Je tiens bien trop à toi pour t'exposer aux dangers du nouveau monde, Staya. La géographie là-bas est complètement différente de celle d'Enkidiev. Les humains peuvent à peine circuler dans les denses forêts et il est certain que tu ne pourrais passer nulle part.

Staya se mit à pivoter sur elle-même en poussant des cris si aigus qu'Hadrian dut attendre qu'elle se calme avant de poursuivre ses justifications.

– Je reconnais que c'est tout à fait injuste, mais la vie est parfois faite ainsi. Ce qui important pour moi, c'est que tu sois encore mon amie lorsque je reviendrai.

Ébranlée, la jument vint appuyer son chanfrein sur la poitrine de l'ancien roi.

– Il est essentiel que je retrouve Onyx, et seuls les dieux savent sur quel terrain glissant il m'entraînera.

Elle poussa des gémissements de déception.

– Si tu ne veux pas rester ici toute seule, tu pourrais rejoindre le troupeau de Hathir. Je suis certain que tes vieux amis seraient contents de te revoir. Si je constate que tu n'es plus ici à mon retour, alors j'irai te chercher à l'ombre de la montagne de Cristal. Qu'en dis-tu ?

La jument continua de se lamenter, mais avec moins de désespoir. Hadrian caressa son encolure jusqu'à ce qu'elle se calme.

– Je savais que tu serais raisonnable.

L'ancien monarque marcha jusqu'à la rivière et s'accroupit pour remplir sa gourde d'eau. Staya poussa un sifflement d'alarme. Hadrian se redressa d'un seul coup et scruta les alentours. Une pirogue descendait la rivière en suivant le courant. « Onyx viendrait-il à moi ? » se demanda-t-il. Lorsque l'embarcation se fut suffisamment rapprochée, Hadrian utilisa sa magie pour l'attirer jusqu'à lui. Il s'aperçut alors qu'elle transportait un Elfe et une femme.

– Sire Hadrian ? s'étonna-t-elle.

– Lady Élizabelle ?

– Quelle merveilleuse surprise !

L'Elfe laissa le magicien échouer sa pirogue sur la berge. Sa passagère en descendit et alla serrer les mains du revenant avec affection.

– Je ne croyais plus jamais vous revoir.

– Ça fait partie des désagréments de la vie des ermites. Mais dites-moi, que faites-vous par ici ?

– Je me rends chez mon père, à Émeraude.

– Me permettriez-vous de vous accompagner ?

– Mais certainement, si Yassi est d'accord, bien sûr.

– Ma pirogue est suffisamment grande pour trois personnes, affirma l'Elfe.

Hadrian le salua en baissant légèrement la tête.

– J'ai oublié de vous présenter cet illustre personnage, se désola Élizabelle en se tournant vers son guide.

– Tous les Elfes savent qui il est, assura Yassi. Ce sera un honneur pour moi de vous emmener où vous voudrez, *Haran* Hadrian.

– Je ne suis plus un roi, mon ami, mais un simple citoyen d'Enkidiev.

Il aida Élizabelle à s'asseoir dans l'embarcation et prit place devant elle. D'un geste élégant, l'Elfe poussa la pirogue dans le courant à l'aide de sa longue perche. Hadrian aurait pu utiliser son vortex pour les emmener plus rapidement, mais il y avait bien longtemps qu'il ne s'était pas déplacé tout simplement sur une rivière en compagnie d'un membre de ce peuple ami des Argentais. Il se laissa d'abord bercer par les vagues en admirant le paysage, tandis que Yassi passait de la rivière Mardall à son affluent, la rivière Wawki. Finalement, il se tourna vers Élizabelle et lui demanda comment se portait son ami Hawke. Elle lui raconta volontiers comment elle en était venue à vivre avec lui chez les moines.

– Mon mari aime tellement sa nouvelle existence que jamais je n'oserais l'en priver.

Elle voulut savoir à son tour ce qu'il avait fait depuis qu'elle avait perdu tout le monde de vue. Il lui raconta ses déboires amoureux tout en restant très serein.

– Rien n'arrive pour rien, ajouta-t-il. Si le ciel n'a pas voulu que j'unisse ma vie à celle de Jenifael, c'est qu'il avait d'autres plans pour moi. Le problème, c'est qu'il ne me les a pas encore révélés.

– J'admire votre sagesse.

– C'est qu'on m'a donné amplement d'occasions de l'acquérir.

À la tombée du jour, ils arrivèrent à un petit débarcadère d'où partait un sentier qui menait jusqu'au Château d'Émeraude. Les marchands des Royaumes de Turquoise, de Perle, de Cristal et d'Argent qui possédaient de petits vaisseaux l'utilisaient pour transporter leurs marchandises.

– Nous accompagnez-vous ? demanda Hadrian à Yassi.

– Non. Je vais profiter du faible courant pour remonter vers le nord. Faites bonne route.

Élizabelle et l'ancien souverain observèrent le départ de l'Elfe.

– Puisque le palais se situe à des heures de marche, puis-je vous proposer une façon plus rapide de nous y rendre ?

– Certainement, sire.

Hadrian prit la main de sa compagne et l'emporta dans son vortex jusqu'à l'entrée du château.

– J'avais oublié cette terrible sensation de froid, avoua-t-elle.

– Elle est tout à fait temporaire, je vous assure.

Ils franchirent le pont-levis et se dirigèrent tout droit vers la maison du forgeron.

– Rien n'a changé ici, remarqua Élizabelle en regardant autour d'elle.

– Un autre roi gouverne Émeraude depuis qu'Onyx est parti, lui apprit Hadrian.

– Hawke ne m'en a pas parlé.

– C'est plutôt récent.

Puisqu'elle n'habitait plus dans la maison de Morrison, Élizabelle frappa poliment à sa porte. Ce fut Jahonne qui lui ouvrit. La femme mauve poussa un cri de joie et sauta dans les bras de la revenante.

– Quelle belle surprise !

Jahonne l'étreignit pendant quelques secondes, puis recula d'un pas.

– Es-tu séparée de ton mari ? s'alarma-t-elle.

– Non, la rassura Élizabelle. J'avais juste envie de vous voir.

– Entrez, tous les deux !

Les voyageurs pénétrèrent dans la chaumière, où un appétissant ragoût mijotait sur le feu. Cyndelle était en train de mettre la table, tandis qu'Elrick lisait un livre, assis dans un coin. Ils cessèrent leurs activités et étreignirent leur demi-sœur.

– Comme vous avez grandi ! laissa tomber Élizabelle.

– Où sont tes garçons ? demanda Jahonne.

– Ils ne pouvaient pas m'accompagner. Peut-être la prochaine fois ?

– Ce qui est important, c'est que toi, tu sois ici. Vous allez partager notre repas et nous parlerons toute la nuit !

Hadrian accepta volontiers. Il n'avait aucune envie de se transporter à Enlilkisar après le coucher du soleil, à l'heure où les bêtes sauvages sortaient de leur cachette pour se nourrir. Il partirait donc le lendemain matin. Heureuse d'avoir des visiteurs, Jahonne les fit asseoir à table et leur versa du vin.

– Morrison va bientôt rentrer, annonça-t-elle. Il a presque fini à la forge.

– Le ragoût est prêt, chuchota Cyndelle.

Elrick déposa son livre et se joignit aux adultes pendant que sa sœur coupait le pain encore chaud et que sa mère servait le repas dans des écuelles en étain. Lorsque Jahonne déposa celle de Morrison à sa place, celui-ci fit son entrée comme par magie.

– Hadrian ? s'étonna-t-il en l'apercevant en premier.

Il vit ensuite sa fille.

– Élizabelle... murmura-t-il, étranglé par l'émotion.

Il se hâta jusqu'à elle et la souleva de son siège pour la serrer contre lui.

– Ça fait une éternité ! Pourquoi n'es-tu pas revenue à Émeraude avant aujourd'hui ?

– Mes fils étaient trop jeunes pour se passer de moi.

– Tu ne les as pas emmenés ?

– Ils viennent de monter en grade au temple, alors ils ne pouvaient pas s'absenter, mais moi, je ne pouvais plus attendre.

– Je suis tellement content de te voir !

Morrison la laissa retomber sur le banc et alla s'asseoir.

– Il ne vient jamais personne, ici, grommela-t-il en redevant lui-même.

– Parce que nous n'invitons personne, expliqua Jahonne.

Pendant qu'ils mangeaient, Élizabelle leur raconta comment les choses se passaient depuis qu'elle habitait dans un temple souterrain.

Les enfants, qui jusque-là avaient été muets, se mirent à lui poser des questions. Ils voulaient savoir comment ses plantes parvenaient à survivre sans soleil, quel air elle respirait, ce qu'elle mangeait et de quelle façon elle faisait cuire ses aliments. Elle satisfit leur curiosité, puis voulut savoir tout ce qu'elle avait manqué depuis son départ. Morrison se fit un plaisir de lui en dresser la liste.

Élizabelle ne cacha pas sa surprise en apprenant que Kira et Lassa avaient quitté le palais avec leur famille, tout comme Bridgess, Santo, Mali et Liam.

– C'est à cause de l'imposteur qui s'est emparé du trône, maugréa Morrison.

– C'est pourtant la reine qui lui a remis sa couronne, le corrigea Jahonne.

– Je suis certain qu'il la fait chanter.

– J'ai parlé à Swan, intervint alors Hadrian. Elle m'a dit qu'elle n'avait plus le courage de diriger le pays et qu'en l'absence d'Onyx, cette tâche revenait tout naturellement à son fils aîné.

– Un garçon qui est mort à l'âge de neuf ans et qui réapparaît au moment où Onyx s'absente ? fit Morrison, incrédule. Moi, je trouve que ça sent le complot.

– Qui est-il, alors ?

– Un autre dieu déchu qui veut notre perte.

– Nemeroff prétend avoir été ressuscité par son père, leur fit savoir Hadrian. Nous savons tous qu'Onyx est suffisamment puissant pour accomplir un tel tour de force.

– Oui, mais j'en doute. Le seul qui pourrait confirmer les dires de ce blanc-bec, c'est Onyx. J'espère qu'il reviendra avant que cet usurpateur ruine le pays.

Hadrian décida de ne pas jeter d'huile sur le feu et parla plutôt des récoltes et de la température. Chaque fois que Morrison revenait sur la politique, il changeait de sujet.

Les enfants regagnèrent leurs matelas avant minuit et Jahonne installa ses invités sur des lits de fortune devant l'âtre. Au matin, Hadrian remercia une dernière fois ses hôtes et disparut dans son vortex. Quant à elle, Élizabelle passa la journée avec Jahonne, Cyndelle et Elrick, pendant que son père travaillait à la forge. Elle apprit qu'en l'absence de Bridgess et de Mali, il ne se donnait plus aucun cours au château.

– Vous n'avez trouvé personne pour les remplacer ?

– Les Chevaliers se sont tous éloignés d'ici, déplora la femme mauve.

– Je suis certaine qu'en cherchant un peu, vous finirez par trouver quelqu'un. Vous ne pouvez pas laisser ces enfants sans éducation.

– Je suis d'accord, Élizabelle, mais il n'est pas facile d'attirer qui que ce soit au palais, en ce moment. Lorsque le nouveau roi aura fait ses preuves, les choses changeront sans doute.

Après le repas du soir, Élizabelle s'installa entre son frère et sa sœur pour les entendre lire quelques passages des récits de Ménesse qui captivaient tant Elrick.

Ils se débrouillaient bien pour des petits qui n'avaient plus de professeurs. Elle leur proposa ensuite quelques exercices de mathématiques et leur demanda de lui composer une courte lettre.

Cyndelle et Elrick terminèrent leur composition juste avant de se mettre au lit et la remirent à leur grande sœur en lui souhaitant bonne nuit. Assise devant le feu, Élizabelle parcourut le résultat de leurs efforts et eut tout un choc. Sans se consulter, les enfants lui décrivaient les épreuves que leur famille avait traversées et lui avouaient que c'était grâce à elle qu'ils avaient eu le courage de les surmonter. Elle était leur modèle, leur exemple, leur héroïne.

Émue, Élizabelle s'allongea sur sa couche. Elle se promit alors de les aider à découvrir leurs forces ainsi que leur but dans la vie, puis de les aider à le concrétiser. Mais avant d'en arriver là, elle décida de leur changer les idées. Au matin, elle annonça qu'elle allait rendre visite à ses amies qui habitaient la campagne et proposa à sa famille de l'accompagner. Morrison émit un grognement désintéressé et regagna la forge. Jahonne avoua, honteusement, qu'elle ne voulait pas quitter la forteresse, où elle se sentait en sûreté depuis que les Sholiens avaient incrusté la pierre d'Abussos dans la balustrade du balcon royal. Élizabelle se tourna donc vers les plus jeunes.

– J'aimerais y aller, si mes parents sont d'accord, indiqua Cyndelle.

– Moi aussi ! lança Elrick.

– Alors, c'est décidé, s'égaya Élizabelle, nous partons tout de suite. Où pouvons-nous trouver des chevaux ?

– Les Chevaliers ont laissé leurs destriers au château, lui apprit sa sœur. Les palefreniers laissent ceux qui en ont besoin les utiliser.

– Allons-y.

Les enfants prirent les devants.

— Soyez prudents, leur recommanda Jahonne.

Les garçons d'écurie sellèrent trois bêtes dociles et les aidèrent à se hisser sur leur dos. Sans se presser, le trio se dirigea vers les grandes portes et franchit le pont-levis. Il faisait encore chaud, mais au sud, des nuages commençaient à se former. Dans les champs, les paysans se pressaient de terminer les récoltes avant la saison des pluies.

Élizabelle s'arrêta d'abord à la ferme de Sanya, mais apprit qu'elle était partie à Zénor avec sa famille. Elle continua donc jusqu'à la propriété de Catania. Heureusement, toute la marmaille y était! Les chevaux marchèrent jusqu'aux enclos, où Bergeau était en train de donner une leçon d'équitation à ses fils Dieter et Matthias, âgés de neuf et sept ans. Kieran, qui venait de fêter ses quinze ans, vint aussitôt s'occuper des bêtes de leurs visiteurs.

— Maman est dans la maison avec les plus petits, leur dit-il.

Élizabelle prit Cyndelle et Elrick par la main et les entraîna vers l'entrée. Puisqu'ils ne sortaient pas souvent, elle craignait qu'ils ne s'enfuient vers la forteresse en voyant la famille nombreuse de Catania. De plus, Cyndelle était née avec la peau grise comme de la cendre, ce qui lui donnait une apparence de statue, mais une fois qu'on apprenait à la connaître, il était facile d'oublier cette différence, car elle possédait le merveilleux don de l'empathie. Élizabelle ne douta pas un instant qu'elle se ferait de nouveaux amis, ce jour-là.

En pénétrant dans la cuisine, Élizabelle vit que son amie finissait de nettoyer le visage de la petite Domenka.

– Il y a quelqu'un ? fit-elle moqueusement.

Catania poussa un cri de joie en apercevant Élizabelle. Elle déposa sa fille sur le plancher et courut se jeter dans ses bras.

– Nous parlions justement de toi hier au repas ! s'exclama la Zénoroise, folle de joie. Je disais à Bergeau à quel point je m'ennuyais de toi.

Elle continua d'étreindre Élizabelle.

– Katrine ! appela Catania.

Sa fille de onze ans arriva en courant.

– Peux-tu t'occuper de Domenka et de Gunther, ma chérie ?

– Bien sûr, maman.

– Puis-je l'aider ? demanda Cyndelle.

– Mais certainement.

Elrick suivit aussitôt sa sœur, préférant être avec d'autres enfants plutôt qu'avec des adultes. Catania prépara du thé et s'assit dans le grand salon avec Élizabelle. Les deux femmes se racontèrent tout ce qu'elles avaient vécu depuis le départ de Hawke à Shola.

– Je m'arrêterai aussi chez Amayelle en rentrant chez moi, annonça Élizabelle.

– Tu ignores donc qu'elle ne vit plus chez les Elfes ?

– Je vis coupée de tout le monde. Que s'est-il passé ?

– Nogait en a eu assez de la vie pastorale, expliqua Catania. Il a ramené sa famille sur sa ferme à Émeraude.

– Elle habite non loin d'ici, alors ?

– À une heure à peine. Tantôt, j'enverrai mes plus vieux avertir Amayelle que tu es ici.

Catania lui apprit aussi que leur amie Wanda vivait au nord-est de la forteresse et qu'elle élevait des chevaux-dragons avec son mari Falcon. Élizabelle irait donc la voir avant de quitter Émeraude. Tandis que ses fils filaient chez Nogait et que Bergeau allumait le feu dans le foyer extérieur pour faire cuire la viande, Catania commença les préparatifs du repas. Ce n'était pas une mince affaire de nourrir une aussi grosse famille. Élizabelle lui donna volontiers un coup de main et les filles mirent les couverts sur la table, dehors.

Lorsque leurs invités arrivèrent enfin, tout était presque prêt. Réservée comme tous les Elfes, Amayelle se contenta de serrer les mains d'Élizabelle et de lui faire la bise. Elle laissa son petit Alkar sous la surveillance de Nogait et aida les femmes à servir le repas. Malika se joignit à Cyndelle et Katrine. Quant à lui, Elrick s'était lié d'amitié avec Dieter, qui avait son âge.

Assise au milieu de cette ribambelle d'enfants, qui riaient et qui se taquinaient, et de plusieurs adultes qui se racontaient les histoires de pêche les plus abracadabrantes, Élizabelle comprit qu'en mariant Hawke, elle s'était privée de tout ce plaisir. Elle vivait désormais dans les entrailles de la terre. Or ce n'était pas à elle qu'on avait confié la mission de faire revivre les Sholiens, c'était à l'Elfe magicien. C'était lui qui avait accepté de rester auprès d'eux jusqu'à ce qu'ils comprennent ce qui leur arrivait. «Et maintenant, je ne peux plus échapper à cette vie...»

11

UN AUTRE CAUCHEMAR

Au palais de Fal, Kira et Lassa se préparaient à partir. On leur avait offert des armes, mais ils n'en avaient pas voulu, prétendant que leur magie était plus rapide et plus efficace. Bridgess et Santo leur avaient donc procuré des provisions qui se conserveraient pendant plusieurs jours, jusqu'à ce qu'ils retrouvent Marek et Onyx. Tout comme le renégat, Kira avait appris à faire venir jusqu'à elle toute la nourriture dont elle pourrait avoir besoin. Elle accepta tout de même le sac de cuir avec reconnaissance.

– Comment vous transporterez-vous dans les volcans ? s'enquit Santo.

– Par vortex, affirma Kira.

– Le mien, précisa Lassa.

Les oreilles pointues de la Sholienne se rabattirent sur ses cheveux, mais elle garda le silence. Elle n'avait jamais réglé ses problèmes conjugaux devant les autres et elle n'allait certainement pas commencer ce jour-là.

– Il ne manque plus que Mahito, ajouta Lassa avec un air d'innocence.

Dans la pièce d'à côté, le dieu-tigre était en train de faire ses adieux à sa compagne. Normalement, Jenifael aurait insisté pour l'accompagner, mais la présence de l'enfant qui grandissait en elle la rendait tout à coup beaucoup plus prudente. Après la naissance du bébé, elle redeviendrait la terrible guerrière qu'elle avait déjà été, mais jusque-là, elle préférait ne courir aucun risque.

– Pourras-tu te débrouiller sans moi ? murmura-t-elle, blottie contre la poitrine de Mahito.

Il éclata de rire, ce qui lui valut une claque de reproche dans le dos.

– J'ai survécu à tous les dangers de ce continent et de celui de l'autre côté des volcans, Jeni. Non seulement je suis très vigoureux, mais je possède un puissant instinct de survie.

– On ne l'aurait jamais cru quand tu t'en es pris à mes amis dans le Désert, répliqua-t-elle.

– J'ai été blessé, c'est vrai, mais je suis toujours là et, en plus, j'ai gagné.

– Tu n'es qu'un fanfaron.

– Et ça te plaît.

– Pas toujours... Veille sur Kira et Lassa. Même s'ils ont du sang divin, ils ne maîtrisent pas autant que toi les merveilleux pouvoirs dont ils ont hérité.

– Je ne laisserai rien leur arriver. Je t'en fais la promesse.

Le dieu félin et la déesse du feu s'embrassèrent pendant un long moment.

– Et pendant que je serai parti, profites-en pour trouver le nom du bébé.

– Tu pourrais prendre le temps d'y penser, toi aussi.

– Tu es plus instruite que moi.

– Arrête de te trouver des excuses et file. Tes compagnons d'aventure t'attendent.

Mahito lui donna un dernier baiser et tourna les talons. Jenifael le regarda partir en se félicitant de lui avoir fait troquer ses vêtements rouge vif pour une tunique courte et un pantalon noirs. De cette façon, il ne serait pas une cible facile pour la canaille qui avait enlevé Marek. Elle posa les mains sur son ventre et sentit l'énergie qui s'y développait. Bientôt, elle pourrait établir un lien avec son fils, avant même sa naissance...

Le dieu-tigre entra dans le salon où Kira et Lassa l'attendaient. Il les trouva en compagnie de ses beaux-parents ainsi que des moines de Shola, Hawke et Briag, qui écoutaient attentivement les recommandations de la femme mauve.

– Poursuivez votre enquête partout. Questionnez tout le monde.

– Ce serait une bonne idée que vous fassiez la même chose dans le nouveau monde, suggéra l'Elfe.

– Nous ne nous attendons pas à rencontrer beaucoup de gens dans les volcans, mais nous n'y manquerons pas.

– Restons en communication télépathique, ajouta Lassa. À moins de nous retrouver dans une situation catastrophique, prenons l'habitude de faire le point au coucher du soleil tous les jours.

– C'est une excellente idée, acquiesça Briag, rassuré.

– Êtes-vous prêts à partir ? demanda Lassa à ses compagnons de voyage.

Kira et Mahito firent signe que oui, mais le dieu-dauphin n'eut pas le temps de former son maelström. Mali déboula dans la pièce, l'air hagard, son mari sur les talons.

– Ne les embête pas avec ça, l'avertit Liam.

– Avec quoi ? s'inquiéta Kira.

– J'ai eu une terrible vision !

– Un autre cauchemar, précisa Liam.

La Sholienne s'empara des mains tremblantes de l'ancienne prêtresse d'Adoradéa.

— Dis-moi ce que tu as vu.

— Un terrible lion qui dévorait tout sur son passage !

— Si c'est le Pardusse, vous n'avez rien à craindre, affirma Mahito. Je l'ai battu une fois et je peux certainement le vaincre une seconde fois.

— Il était différent ! Énorme ! Plein de colère ! Personne n'arrivait à le maîtriser !

— Je n'arrête pas de lui dire que ce n'est qu'un rêve, comme celui des gens qui tombent du ciel, se découragea Liam.

— S'il s'agit d'un dieu, il n'y a qu'Ahuratar qui répond à cette description, leur fit remarquer Mahito, et je ne vois pas pourquoi il agirait ainsi. Mon père m'a dit qu'il rugissait très fort, mais qu'il ne mordait pas.

— Non, non... pleura Mali. Il égorgeait tous ceux qui se trouvaient sur sa route ! Je vous en conjure, ne partez pas !

Lassa décocha à son épouse un regard qui signifiait : comment pourrions-nous être certains que ce n'est pas une prophétie ? Kira capta son interrogation, mais ce n'était pas le moment d'indisposer davantage la fidèle servante du panthéon reptilien.

— Est-ce que tu nous a vus dans cette vision, Mali ? lui demanda-t-elle plutôt.

La jeune femme plissa le front pour rappeler le cauchemar à son esprit, puis secoua la tête.

– Non...

– Alors, qui se faisait tuer ? s'étonna Mahito.

Kira aurait préféré que le dieu-tigre n'affole pas Mali, mais la question était légitime.

– Des soldats... s'étrangla la prêtresse.

Elle éclata en sanglots incontrôlables, alors Kira l'attira contre elle en lui transmettant une vague d'apaisement, tout en dirigeant vers Liam un regard chargé de reproche. S'il avait rassuré Mali au lieu d'essayer de la convaincre qu'elle se fourvoyait, ils seraient déjà sur les volcans.

– Des soldats que nous connaissons ? s'enquit Briag, plus curieux qu'effrayé.

– Des Chevaliers d'Émeraude...

– Quoi ? s'exclama Kira, stupéfaite.

– Et d'autres combattants tout de noir vêtus...

– Le lion s'en prenait aux deux camps ? s'enquit Lassa.

– Il était fou de rage...

Kira emmena Mali dans le couloir et la conduisit à ses appartements, où une servante veillait sur son bébé. Avec douceur, la Sholienne fit asseoir la prêtresse sur son lit et s'accroupit devant elle.

– Est-ce que tu me crois, Kira ?

– Oui, mais à mon avis, il s'agit d'événements appartenant à un avenir lointain, puisque les Chevaliers n'ont aucune raison en ce moment de se rassembler pour faire face à quelque ennemi que ce soit. Cela nous permettra donc d'identifier la menace et de l'enrayer avant le massacre.

– Je ne veux pas que tes amis connaissent une mort aussi atroce.

– Cesse de te tourmenter, Mali. Je m'occupe de tout.

Kira l'obligea à s'allonger et posa sa main sur son front, ce qui eut pour effet de l'endormir instantanément. Elle leva ensuite les yeux sur Liam qui avait assisté à l'échange, debout de l'autre côté du lit.

– Si elle a d'autres visions, je veux en être informée sur-le-champ, lui dit-elle.

– Tu penses vraiment que ce sont des prémonitions ?

– Je n'en sais rien, Liam, mais je les étudierai davantage quand j'aurai retrouvé mon fils. Prends bien soin d'elle.

La guerrière retourna dans le salon, où ses amis discutaient de ce qu'ils venaient d'entendre.

– Allez en paix, les rassura Santo. Nous veillerons sur Mali.

Lassa tendit les mains à Kira et Mahito, mais, encore une fois, il n'eut pas le temps d'aller plus loin. *Papa ! Maman ! J'ai besoin de vous voir !* fit la voix de Kaliska dans leur esprit. *Où es-tu ?* s'alarma le dieu-dauphin. *Dans les anciens quartiers qu'occupait Wellan quand il était Chevalier.*

– Mais qu'est-ce qu'elle fait là ? s'étonna Kira.

– Nous allons le savoir tout de suite, répliqua Lassa.

Le trio disparut dans le vortex et réapparut dans le long couloir des chambres de l'aile des Chevaliers à Émeraude.

– Nemeroff pourrait-il nous avoir tendu un piège ? soupçonna Kira.

– Je ne sens que la présence de notre fille, affirma Lassa.

Il poussa la porte et aperçut Kaliska assise sur le lit, les mains jointes sur ses genoux. Elle ne paraissait pas souffrante. Les parents se précipitèrent à l'intérieur pendant que Mahito scrutait les alentours pour vérifier l'hypothèse de Kira.

– Que se passe-t-il, mon cœur ? fit Lassa en l'examinant avec ses sens invisibles.

– Je ne suis pas malade, mais il y a quelque chose que vous devez savoir dès maintenant.

– J'imagine que c'est en rapport avec ta présence à Émeraude ? devina la mère.

Kaliska prit une profonde inspiration pour se donner du courage.

— Le Roi Nemeroff m'a demandé de l'épouser, laissa-t-elle tomber.

Ahuris, ses parents furent incapables de prononcer un seul mot.

— Il me fait la cour depuis un petit moment déjà et...

— Tu vas épouser l'homme qui voulait jeter ton frère au cachot ! s'exclama finalement Lassa, incrédule.

— Cela n'a rien à voir avec Marek.

— Nous ne savons même pas si c'est un imposteur !

— La Reine Swan a confirmé qu'il était son fils. Tu sais pourtant qu'il n'y a rien à l'épreuve du Roi Onyx. Il voulait ravoir son aîné et il a trouvé la façon de l'arracher à la mort.

— S'il cherchait à te séduire depuis quelque temps, pourquoi est-ce la première fois que tu nous en parles ? voulut savoir Kira.

— Parce qu'au début, je n'étais pas certaine des sentiments que j'éprouvais pour lui. Je pense qu'on peut dire qu'il m'a lentement apprivoisée.

— Tu as quitté la maison pour aller guérir les malade, lui rappela Lassa.

— Nemeroff ne m'empêchera jamais de faire ce dont j'ai envie. Il me l'a juré.

— Mais tu es bien trop jeune pour te marier, ma chérie, soupira Kira.

— J'ai dix-sept ans.

— Si ta décision est prise, pourquoi nous as-tu fait venir jusqu'ici de toute urgence ?

— Parce que je ne voulais pas que vous appreniez la nouvelle par les hérauts.

— Ce qui m'attriste, avoua Kira, c'est que tu aies fait ton choix sans nous en parler d'abord.

— Vous n'auriez qu'ajouté à ma confusion.

L'air renfrogné de Lassa indiquait que cette union ne lui plaisait guère.

— L'une de mes conditions était que mon futur époux gracie Marek, lui dit Kaliska pour l'apaiser.

— Moi, ce qui m'importe, c'est ton bonheur, lui assura Kira. Nemeroff n'a aucune expérience de vie.

— Tout comme moi, maman. Nous sommes deux jeunes gens qui avons tout à apprendre et qui aimerions le faire ensemble.

— Alors, tu vas accepter ce trône que j'ai refusé jadis...

— C'est une bonne chose qu'il reste dans la famille, non ?

— Nous avons un enfant à retrouver, rappela Lassa à sa femme.

— Dites-moi seulement que vous approuvez ma conduite et mon âme sera en paix.

— Très sincèrement, ma chérie, je vous garderai à l'œil, l'avertit Kira, et si ton mari fait un seul pas de travers, il aura affaire à moi.

— Papa ?

— Je n'y peux rien, Kaliska. Une petite voix me souffle que ce n'est pas une bonne idée.

— Quand je suis partie de Shola, tu m'as dit que tu avais confiance en moi.

— On dit que Nemeroff a ensorcelé Swan et que c'est pour cette raison qu'elle lui a cédé le trône. Comment pourrais-je être certain qu'il ne t'a pas fait la même chose ?

— Si l'amour est un enchantement, alors, oui, il m'a ensorcelée moi aussi, mentit-elle.

— Où est ton fiancé, en ce moment ?

— À la bibliothèque. Il adore lire.

Le père se volatilisa.

– Lassa ! le rappela Kira, offensée qu'il ne l'emmène pas avec lui.

– Il veut sans doute avoir une discussion entre hommes avec son futur gendre, tenta de la rassurer Kaliska.

– Ton père n'est pas un homme violent, mais quand il s'agit de sa famille, il peut devenir imprévisible.

– Maintenant que la condamnation de Marek a été levée, il apprendra à aimer Nemeroff, lui aussi.

Lassa se matérialisa à l'entrée de la bibliothèque et repéra immédiatement celui qu'il cherchait. D'un pas résolu, il s'avança vers la table où Nemeroff était assis.

– Vous êtes de retour ? s'étonna le roi en le voyant arriver.

– Pas du tout. Je ne suis ici qu'à la demande de ma fille.

Lassa s'immobilisa devant le dieu-dragon.

– J'ose croire que c'est parce qu'il vous manque un grand nombre d'années de vie que vous avez oublié que c'est à son père qu'il faut demander la main d'une jeune fille.

– Pour moi, il était important que la jeune fille en question soit d'accord. Il n'était pas question que je me soumette à un mariage arrangé par ma mère. Je veux que ma femme partage mes sentiments.

Malgré l'air de douceur que se donnait Nemeroff, Lassa pouvait sentir la formidable énergie qu'il dégageait. Voyant que son futur beau-père ne disait rien, le jeune roi continua :

– Onyx a eu beaucoup de chance que ma mère l'aime à la folie, même s'ils ne s'étaient pas choisis au départ, mais je ne suis pas aussi aventureux que lui.

Nemeroff se leva très lentement pour que Lassa n'interprète pas son geste comme une agression. Il s'éloigna de son siège et mit un genou en terre.

– Lassa de Zénor, fils du Roi Vail et de la Reine Jana, acceptez-vous de m'accorder la main de votre fille Kaliska, afin que je puisse la chérir jusqu'à mon dernier souffle et faire d'elle la nouvelle Reine d'Émeraude ?

Le Chevalier était si surpris qu'il ne sut pas comment réagir. Toutefois, Nemeroff ne le pressa pas. Il demeura en position vulnérable devant lui, attendant sa réponse.

– Je suis particulièrement attaché à ma fille... articula enfin Lassa.

– Je sais.

– Il me serait très difficile de ne pas intervenir vigoureusement si vous deviez la maltraiter.

– Je vous jure qu'elle sera heureuse pour l'éternité.

N'ayant pas voulu courir le risque de se retrouver à des lieues du château en utilisant son vortex, Kira s'était précipitée dans le grand escalier, suivie de Mahito et de Kaliska, afin de rejoindre son mari. Quelle ne fut pas sa surprise d'apercevoir le Roi d'Émeraude à genoux devant lui.

– Il vient de me demander notre fille en mariage en bonne et due forme, annonça Lassa à la Sholienne.

– Et qu'as-tu répondu ?

– Rien encore, mais je lui ai fait des menaces.

Nemeroff ne semblait pourtant pas effrayé.

– Je lui ai dit que s'il malmenait Kaliska, il aurait affaire à moi, poursuivit Lassa.

– Et à moi, ajouta Kira.

Le revenant attendait patiemment leur décision, mais son attitude faisait penser à celle d'un chat qui prend son temps avant de capturer une souris...

– Alors, c'est oui, laissa tomber le père.

Un large sourire de satisfaction apparut sur le visage de Nemeroff, qui se releva.

– La cérémonie aura lieu au début de la saison des pluies. J'espère que vous y assisterez.

Lassa allait lui dire qu'il devait d'abord retrouver son fils dans les volcans, mais Kira le devança.

— Nous nous ferons un devoir d'y être, promit-elle.

— Puis-je vous convier à partager ma table, ce soir ?

— Ce serait un grand honneur, mais nous étions en route pour régler une affaire urgente.

— Dans ce cas, je ne vous retiens pas plus longtemps.

Lassa invita ses compagnons à prendre ses mains. C'est en fixant Nemeroff droit dans les yeux que le dieu-dauphin disparut dans son vortex. Le trio apparut au sommet du volcan où s'arrêtait la piste de Marek.

— Lui faites-vous réellement confiance ? demanda Mahito.

— Nous n'avons pas le choix, soupira Kira. Nous devons respecter la volonté de Kaliska.

— Est-ce vraiment ce qu'elle souhaite ?

— Où veux-tu en venir ?

— Ses lèvres et son cœur ne disent pas la même chose.

— Je suis d'accord avec Mahito, avoua Lassa, mais nous en reparlerons plus tard. Nous devrions nous concentrer uniquement sur Marek, jusqu'à ce que nous l'ayons retrouvé.

Le dieu-tigre se pencha sur le sol pour le flairer.

12

L'ÉPERVIER

Ce conflit qui opposait les dieux rapaces aux dieux félins avait jeté Sparwari dans un profond désarroi. Contrairement aux autres membres du panthéon d'Aquilée, il n'était pas de la lignée de Lycaon. Il avait plutôt été déifié par la déesse-faucon Métarassou, qui avait eu pitié de lui lorsqu'il avait péri à Irianeth, lors du dernier assaut des Chevaliers d'Émeraude contre l'Empereur Noir. Par reconnaissance, Sparwari était resté auprès de sa protectrice et il l'avait même épousée. Mais, au bout de quelques années, le nouveau dieu-épervier s'était mis à penser à sa vie précédente, quand il était Sage d'Espérita.

Dès que Métarassou lui eut montré comment franchir le passage entre le monde céleste et celui des humains, Sparwari était retourné au Château d'Émeraude, là où il avait été si heureux. Il s'était d'abord contenté d'observer Kira durant son sommeil. Son ex-épouse s'était remariée, car elle l'avait cru mort. Le dieu-épervier acceptait sa décision, mais il ne pouvait pas s'empêcher de l'aimer. Alors, à l'occasion d'une de ses visites nocturnes, il avait utilisé ses pouvoirs magiques afin d'éloigner la femme mauve de son nouveau mari et lui montrer qu'il éprouvait toujours de la passion pour elle. Cette nuit-là, ils avaient conçu un enfant ensemble. Kira avait donné au bébé le nom d'un homme qu'elle avait connu lors de son incursion dans le passé : Lazuli, fils d'Abussos. De l'avis de Sparwari, elle avait fait un bon choix. C'était un nom qui garantirait au garçon un avenir remarquable.

Sparwari avait donc surveillé de près la croissance de ce fils miraculeux, car sous sa forme hybride, jadis, il n'avait jamais pu avoir d'enfants. D'ailleurs, en tant que divinité, ce bonheur lui avait été encore une fois refusé, car Métarassou n'avait pas voulu enfanter. Lazuli était donc son seul héritier et, au fil du temps, il était aussi devenu son unique raison de vivre. C'était pour cela que le dieu-épervier avait accompagné Lycaon et Shvara lorsque le chef du panthéon aviaire avait décidé de réclamer les trois oisillons qu'il avait laissés à Émeraude. Sparwari ne voulait qu'aucun mal ne soit fait à Lazuli.

Depuis la mort soudaine du dieu-condor, les rapaces semblaient s'être désintéressés de ces petits bâtards. Ils étaient bien trop occupés à faire la guerre aux félidés. Toutefois, la haine de ceux-ci était si grande que Sparwari craignait qu'ils essaient d'éliminer tous les oiseaux de proie, y compris Cyndelle, Aurélys et Lazuli. Il avait dû faire un choix difficile entre sa loyauté envers Métarassou et son amour pour son fils. Le plateau de la balance avait penché en faveur de l'adolescent. Une fois sa décision prise, le dieu-épervier avait déserté sa famille ailée, refusant de prendre part aux hostilités, et il avait filé dans le monde des hommes.

Sous sa forme aviaire, Sparwari pouvait se rendre n'importe où sans qu'on le remarque. Il s'était donc infiltré dans le palais à Émeraude pour finalement s'apercevoir que Kira avait emmené ses enfants vivre ailleurs. Ses recherches l'avaient ensuite conduit à Shola, mais il n'y trouva pas non plus son fils. C'était tout à fait par hasard qu'il avait décidé de survoler Espérita, son ancienne patrie. Quelle ne fut pas sa surprise d'y découvrir une nouvelle cité, mais de surcroît, d'y flairer la présence de son enfant !

Sans perdre une seconde, Sparwari se posa sur le toit d'une des innombrables maisons curieusement inhabitées et scruta l'endroit. Deux Immortels se tenaient sur la place centrale, devant un homme-Fée et un formidable dragon écarlate. En examinant attentivement la piazza, il aperçut enfin Lazuli, assis sur la margelle du puits. Il écoutait ce que se disaient les adultes. Il n'était pas question pour le dieu-épervier de se manifester tout de suite. Ses gardiens n'auraient sans doute pas compris ses intentions. Il attendit donc la tombée de la nuit, surpris de la douceur du climat de ce royaume nordique.

Le dragon et son maître étaient partis depuis le coucher du soleil, mais les Immortels veillaient toujours. Cependant, après minuit, lorsque l'enfant fut endormi, l'homme et la femme s'absentèrent en utilisant un vortex. Sparwari comprit que c'était le temps d'agir. Il entra par la fenêtre de la chambre de son fils et reprit son apparence humaine. Il s'approcha du lit en silence et contempla les traits de l'adolescent. « Il me ressemble au même âge », ne put-il s'empêcher de penser.

Comme si Lazuli avait senti la présence de la divinité près de lui, il ouvrit subitement les yeux.

– Père ? murmura-t-il en se redressant.

– Ne crains rien.

— Pourquoi aurais-je peur de vous ?

— Je ne voudrais pas que tu croies que ce sont les dieux rapaces qui m'envoient.

— Cette idée ne m'a même pas effleuré l'esprit. En fait, j'espérais que vous étiez là pour moi.

— Dans ce cas, tu lis mes pensées.

Sparwari s'assit sur le lit et caressa le visage de son fils.

— Que fais-tu aussi loin de ta mère ?

— Elle m'a donné la permission d'accompagner mon oncle Dylan et ma tante Dinath jusqu'à Espérita pour participer à la fondation d'une nouvelle ville.

— Qu'est-il advenu de toutes les fermes ?

— Elles étaient remplies de cadavres, alors ils les ont rasées avec un feu magique.

— Sont-ils aussi à l'origine du changement de température ?

— Oui. Ils ont dit qu'ils n'arriveraient jamais à attirer des colons s'ils ne réchauffaient pas un peu la région.

— Il s'agira donc d'un climat permanent ?

— À mon avis, oui.

Sparwari hocha doucement la tête en pensant que c'était une excellente initiative.

— C'est ici que vous avez vécu, n'est-ce pas ? demanda Lazuli.

— Je suis né dans le tunnel qui reliait Espérita et Alombria, puis ma mère m'a remis à mon père et il m'a élevé au nord de la cité.

— Sur une ferme, c'est ça ?

— Nous avions de grands jardins que cultivaient ma mère adoptive et mes sœurs, alors que mon père et moi nous occupions des animaux.

— Maman m'a raconté que vous avez quitté votre pays pour devenir Chevalier d'Émeraude.

— Cette décision, je l'ai prise un peu plus tard, Lazuli. Ce qui m'importait, c'était d'échapper à cette enceinte de glace où j'étouffais depuis longtemps. Je voulais voir le monde, mais jamais je n'aurais pensé qu'il était aussi vaste. Si je suis devenu Chevalier, c'était pour rester auprès de ta mère.

— Elle m'a dit que vous vous êtes beaucoup aimés.

— En réalité, je l'aime encore, mais je respecte son engagement envers Lassa. Sans lui, elle aurait sans doute sombré dans le désespoir.

— Est-il vrai que vous avez été enlevé par un dragon ?

– Tout ce qu'il y a de plus vrai. Il m'a ramené chez l'empereur des hommes-insectes, où j'ai bien failli être sacrifié sur l'autel de son dieu.

Lazuli écarquilla les yeux avec effroi.

– Heureusement pour moi, Amecareth a flairé le sang insecte qui coulait dans mes veines et il m'a épargné. Je suis devenu un membre de la communauté Tanieth, mais j'ai lutté de toutes mes forces pour conserver mes souvenirs de ma première vie. Je ne voulais pas oublier ta mère.

– C'est lui qui vous a transformé en oiseau ?

– Non. Le jour où les Chevaliers ont débarqué sur Irianeth, j'avais perdu la plus grande partie de mon identité, alors je les ai attaqués et j'ai payé pour mon erreur. Je suis mort, ce jour-là, mais la déesse-faucon Métarassou est venue récupérer mon corps et l'a ramené dans son monde. C'est elle qui m'a changé en épervier afin que je puisse vivre.

– Mais pourquoi a-t-elle fait ça ?

– Parce que je lui avais moi aussi sauvé la vie plusieurs années auparavant. Sous sa forme de rapace, elle s'était prise dans un buisson chargé d'épines et elle s'était cassé une aile en essayant de s'en libérer. Je l'ai ramenée au château et je l'ai soignée tout en ignorant sa véritable identité. Elle a donc tenu à me rendre la pareille.

Le visage de Lazuli s'attrista.

– Maman et papa préfèrent que je ne vous parle pas, avoua-t-il. Ils ont peur que je subisse votre influence.

– Mais tu ne peux pas renier ta véritable nature, mon petit.

– Pourquoi êtes-vous ici, ce soir ?

– Je suis venu te chercher.

La panique s'empara de l'adolescent. Sparwari posa aussitôt la main sur son bras pour l'apaiser.

– Mon intention n'est pas de te rapatrier dans le monde de Lycaon, mais de t'en protéger.

– Vous allez me ramener à Shola ?

– C'est trop dangereux.

– Je ne comprends pas.

Le dieu-épervier lui expliqua ce qui se passait dans les mondes célestes, où les chats et les rapaces s'entretuaient.

– Je sais qu'Aquilée peut vaincre Étanna, mais juste au cas où le contraire se produirait, les félidés chercheront à éliminer tous les descendants de Lycaon, même ceux qui vivent dans le monde des humains.

– Donc moi, Cyndelle et Aurélys... s'étrangla l'adolescent, effrayé.

– Tu comprendras que mon devoir de père est de te mettre en sûreté.

– Mais où ça ?

– Je n'en sais rien encore, mais ce n'est certainement pas ici, surtout si tu t'y trouves depuis quelque temps déjà.

– Et mes amies ?

– Chaque chose en son temps, mon enfant. Je vais commencer par te mettre en sûreté, puis nous verrons si j'ai le temps d'en faire autant avec le petit aigle noir et la jeune effraie. T'es-tu exercé à te transformer d'humain à gerfaut ?

– Pas vraiment. Mes parents me le défendent.

– Tu ne l'as jamais fait, même en cachette ?

– Une fois ou deux…

– C'est le moment de me montrer ce que tu sais faire.

– Mais ma mère va me tuer si je fausse compagnie à Dylan et à Dinath.

– Si tu ne me suis pas maintenant, ce sont les félins qui te tueront.

Tiraillé entre sa survie et son devoir d'obéissance envers ses parents, Lazuli n'arrivait pas à se décider.

— Lorsque le danger sera passé, je te ramènerai auprès de ta famille humaine, lui promit Sparwari.

— Et si ça devait prendre des années ?

— Alors, nous mettrons ta mère au courant sans lui dévoiler notre cachette, en attendant que les chats et les oiseaux recommencent à se tolérer.

— Ça me semble acceptable...

Lazuli prit entre ses doigts un objet invisible qui semblait pendre sur sa poitrine. Sparwari pencha la tête de côté, étonné.

— C'est un talisman qui est apparu dans mon cou après notre enlèvement par le grand condor, expliqua Lazuli en voyant la mine inquisitrice de son père.

Sparwari avait jadis possédé une amulette, lui aussi. Elle lui avait été offerte par sa mère. Il ne savait pas ce qu'il en était advenu après sa mort à Irianeth...

— Personne ne le voit sauf moi et je suis incapable de l'enlever, poursuivit l'adolescent. C'est mon frère Wellan qui m'a dit qu'il servait probablement à ma transformation. J'ai fait quelques essais et il avait raison.

— Allez, ne perdons plus de temps. Adopte ta forme divine et suis-moi.

Lazuli ferma les yeux et se métamorphosa en un gerfaut cendré dont le plumage ressemblait beaucoup à celui de son père épervier. Sparwari se transforma également et vola jusqu'au rebord de la fenêtre. L'adolescent battit des ailes et le rejoignit.

– Si tu éprouves quelque difficulté que ce soit, avertis-moi tout de suite.

– Promis.

Les rapaces foncèrent vers le ciel, sous les rayons de la lune. Au loin, ils pouvaient apercevoir les premiers nuages d'orage qui laissaient échapper de fulgurants éclairs. C'est vers le sud-ouest que Sparwari choisit de se diriger. Subtilement, il sondait le niveau d'énergie du jeune oiseau derrière lui. Ils survolèrent le Royaume d'Opale sans difficulté, puis Lazuli commença à perdre des forces au-dessus du Royaume de Diamant. Le dieu-épervier décida donc de faire une halte sur les hautes corniches de la montagne de Cristal qui s'élevait droit devant eux.

Lazuli reprit son apparence humaine en se posant sur la saillie rocheuse où il s'écroula, épuisé.

– C'est la première fois que je vole aussi longtemps, déclara-t-il.

– Je suis très fier de toi. Essaie de dormir un peu pendant que je réfléchis à notre prochaine destination.

– Un endroit sûr et introuvable.

– C'est certain.

Sparwari scruta d'abord le ciel pour s'assurer qu'aucun des dieux aviaires ne les avaient repérés, surtout Aquilée. Rassuré, il laissa ses sens invisibles effleurer la topographie entière du continent sans rien trouver de convenable. Il les dirigea donc au-dessus de l'océan, vers Irianeth, où il avait tant souffert. Il n'y était jamais retourné après sa captivité et sa fin tragique. C'est donc avec stupeur qu'il découvrit que la ruche de l'empereur avait été remplacée par un château et que celui-ci n'était pas habité. Personne ne les chercherait de ce côté...

L'épervier se mit alors à augmenter de taille jusqu'à devenir aussi gros que le dragon rouge de Nartrach. Il attrapa délicatement son fils entre ses serres et s'élança dans le vide avec une si grande douceur qu'il ne le réveilla même pas. Irianeth se situait à plusieurs heures de vol du Royaume d'Émeraude. Ils y seraient un peu avant le lever du soleil.

Pendant que Sparwari fuyait le continent afin de mettre son fils à l'abri des machinations d'Étanna, des ennemis qu'il n'aurait jamais soupçonnés s'intéressaient aussi au jeune Lazuli. Au milieu d'un très ancien cromlech, quelque part dans les denses forêts d'Adoradéa, Moérie surveillait les mouvements de ses prochaines cibles à la surface d'une vasque remplie d'eau. Assis à quelques pas d'elle, Corindon attendait ses ordres.

– Plusieurs personnes sont à ta recherche, lâcha-t-il après avoir senti le balayage magique de Nemeroff.

— Elles ne peuvent pas sentir ma présence dans ce pays perdu, répondit-elle en continuant d'observer ce qui se passait sur le miroir liquide. Il a été enchanté par des sorciers qui ne voulaient pas être retrouvés.

— Comment as-tu su qu'il y avait un cercle de pierres à Adoradéa ?

— Tu poses trop de questions, Corindon.

Un sourire cruel se dessina sur le visage de l'enchanteresse.

— Nous allons attiser la haine que les rapaces et les chats éprouvent les uns pour les autres en assassinant des enfants et en nous assurant de laisser des indices irréfutables sur chaque scène de crime.

— Nous ?

— Je t'indiquerai où aller et qui tuer et, pendant que tu t'exécuteras, je trouverai ta prochaine cible. Est-ce que ça te va, mon chéri ?

— Tant que tu ne m'envoies pas dans un guet-apens... En ce moment, je n'ai pas du tout envie de tomber sur Étanna.

— Ton manque de confiance en moi me contrarie beaucoup.

— J'ai survécu jusqu'à ce jour parce que je sais faire preuve d'une grande prudence.

— Que cette qualité continue à bien te servir, dans ce cas. Voici ta première victime.

Corindon se hâta aux côtés de la magicienne, mais ne vit rien sur l'eau.

– Il s'appelle Lazuli. C'est le petit-fils de la déesse des bienfaits.

– Tu veux t'attaquer aux reptiliens ?

– Étant donné qu'il sera tué par tes griffes, le meurtre sera imputé aux félidés et Parandar ne manquera pas de demander à Étanna de lui rendre des comptes. Peut-être réussirons-nous à mêler les membres de son panthéon au conflit et à en faire éliminer quelques-uns par les félins. Nous nous en prendrons ensuite à un enfant appartenant aux oiseaux de proie pour alimenter leur colère contre les chats.

– Tu es incomparable.

– N'est-ce pas ? Es-tu prêt à partir ?

– Tu n'as qu'à me dire où aller.

– Au nord du continent, il y a une nouvelle cité entourée de glace. Pour l'instant, elle n'est habitée que par un enfant protégé par sa tante et son oncle immortels. Mais ce soir, ils se sont absentés. Lazuli est seul dans son lit.

– Ça ne présente aucun défi, déplora Corindon.

– Raison de plus pour ne pas manquer ton coup. Va et ne me déçois pas.

Moérie lui tendit une dague forgée dans un métal qui lui était tout à fait inconnu. Sur son manche étaient gravées des inscriptions qu'il ne pouvait même pas interpréter.

– Ne suis-je pas censé utiliser mes griffes ?

– C'est juste par précaution. Garde ce poignard à ta ceinture. Il pourrait éventuellement te sauver la vie.

Corindon ne voyait pas comment, mais il avait cessé depuis longtemps de remettre en question la volonté de sa maîtresse. Il effleura les lèvres de Moérie d'un baiser prometteur avant de disparaître. Sous forme d'énergie pure, le dieu-caracal fila jusqu'aux pays enneigés. Il n'eut aucun mal à repérer la nouvelle ville dont lui avait parlé l'enchanteresse. Son flair de prédateur découvrit tout de suite la maison dans laquelle dormait le garçon.

Sous sa forme féline, Corindon se matérialisa au pied du lit. Il bondit et atterrit sur le matelas, étonné de ne pas sentir la chair de l'enfant sous ses griffes. Ce dernier l'avait-il entendu arriver ?

Corindon alluma magiquement toutes les bougies et promena ses yeux de carnivore dans la pièce. Il regarda sous le lit, puis crut relever une odeur différente de celle de sa proie. «Quelqu'un est venu le chercher», comprit-il. Furieux, il tailla les draps en pièces avant de se risquer dans les marches qui menaient au rez-de-chaussée. Il s'arrêta net au milieu de l'escalier en constatant que Lazuli n'avait pas fui de ce côté. Il remonta à l'étage, le fouilla de fond en comble, puis dut se résigner à rentrer bredouille à Adoradéa.

– Je ne vois pas de sang sur tes mains, lui reprocha Moérie lorsqu'il réapparut devant elle.

– Ta vasque a des faiblesses, gronda-t-il comme un fauve. Le garçon n'était pas là.

– C'est impossible !

L'enchanteresse passa la main au-dessus de l'eau et constata par elle-même que le lit était vide.

– Ce n'est qu'une coïncidence, maugréa-t-elle. Nous devrons faire preuve de plus de célérité pour les prochaines victimes.

– Qui est la prochaine ?

– Une petite effraie douce comme une colombe, qui n'a jamais fait de mal à personne.

✳ ✳ ✳

Dylan et Dinath ne s'étaient pas absentés plus d'une heure de la maison où ils logeaient avec leur neveu à Espérita. Ils étaient allés chercher des pierres précieuses à Shola pour les apporter à Nartrach, en dernier paiement des tuiles qu'il leur avait fournies pour la cité. Ils venaient à peine de réintégrer leur logis lorsqu'ils sentirent une présence divine. Si Danalieth n'avait pas enlevé à Dinath ses bracelets de foudre, elle aurait pu immédiatement déterminer s'ils avaient de la compagnie indésirable.

– Lazuli ! s'alarma la jeune femme.

Les Immortels se transportèrent à l'étage. Toutes les bougies brillaient, mais leur neveu n'était pas dans son lit. Pire encore, ses draps étaient en lambeaux ! Dylan posa la main sur le tissu.

– Je suis incapable de dire si c'est un dieu félin ou un dieu rapace, car je sens les deux énergies.

– Où est Lazuli ?

Ils le cherchèrent dans toute la cité avec leurs sens invisibles et ne le trouvèrent nulle part.

– Ne me dis pas qu'il a été enlevé durant notre courte absence... balbutia Dinath, soudain toute blême.

– Il a peut-être décidé de rentrer à Shola.

Ils poussèrent donc leurs efforts de ce côté, en vain. Puis ils ratissèrent tout Enkidiev, où ils sentirent enfin sa présence sur la montagne de Cristal.

– Mais pourquoi serait-il allé là-bas tout seul ? s'étonna Dylan.

Ils foncèrent vers le pic solitaire et se matérialisèrent sur la corniche où l'enfant s'était endormi.

– Ici, c'est plus clair, constata Dinath. Il était en présence d'un dieu rapace.

– Es-tu en mesure de l'identifier?

La jeune femme secoua la tête, découragée.

– Je peux seulement supposer que son panthéon l'a réclamé.

– Nous devons prévenir Kira.

Dylan n'avait pas vraiment envie d'avouer à sa sœur qu'il avait failli à sa tâche, mais il ne pouvait pas le lui cacher non plus. Il entra en communication avec elle en espérant qu'elle lui apprenne que l'adolescent avait décidé de se joindre aux recherches de ses parents.

Kira, Lassa et Mahito venaient de déterminer que l'homme qui avait enlevé Marek n'appartenait pas à leur monde lorsqu'ils reçurent l'appel de Dylan. La mère sentit ses jambes vaciller sous elle et se laissa tomber assise sur le sol.

– Après Marek, il vient de nous enlever Lazuli? balbutia-t-elle.

Les Immortels les informèrent que deux énergies accompagnaient celle de l'adolescent. *Un chat et un oiseau,* précisa Dylan.

– Sage... gronda Kira entre ses dents.

Que pouvez-vous nous dire de plus? s'enquit Lassa, au bord de la panique. *Nous avons ressenti beaucoup de violence dans la trace féline,* leur apprit Dinath. *Peut-être y a-t-il eu un combat entre les deux dieux et que l'un d'eux s'est enfui avec*

Lazuli. Lassa se mit à arpenter la corniche du volcan comme un fauve en cage. *S'il n'est plus à Espérita, retournez tout de suite à Shola et protégez les jumeaux,* ordonna-t-il. *Nous nous occupons du reste.*

Tandis que l'affolement paralysait les parents de l'adolescent, Mahito avait gardé la tête froide afin de sonder Enkidiev à sa façon.

— Je perçois la présence de deux dieux aviaires au-dessus de l'océan, annonça-t-il.

Kira se ressaisit aussitôt et chercha à vérifier ses dires.

— Il a raison ! s'exclama-t-elle. Lazuli est bel et bien en compagnie de Sage.

— On dirait qu'ils fuient quelque chose, ajouta Mahito.

— Ne le jugeons pas trop vite, recommanda Lassa. Si nous analysons toutes les informations recueillies par Dylan et Dinath, il est fort possible que Sage ait empêché un félidé de s'emparer de Lazuli.

— Qu'y a-t-il de l'autre côté de l'océan ? demanda le dieu-tigre.

— Irianeth... murmura Kira. Il essaie de gagner le continent de l'empereur pour le soustraire à ses ennemis...

Elle leva un regard interrogateur sur son mari.

– Faisons-lui confiance et portons-nous plutôt au secours de Marek, suggéra Lassa.

Kira hésita quelques secondes, tiraillée entre ses deux enfants.

– Tu as raison, décida-t-elle enfin, mais hâtons-nous. Dès que nous aurons récupéré Marek, nous nous lancerons au secours de Lazuli.

– Le ravisseur de Marek est allé de ce côté, leur apprit Mahito en pointant le nord.

C'était un bon début. «Mais qu'est-ce que nous avons bien pu faire aux dieux pour qu'ils nous punissent ainsi?» songea Kira.

13

UNE ÉTONNANTE ALLIANCE

Depuis le début du sanglant conflit entre le panthéon d'Aquilée et celui d'Étanna, Parandar passait presque tout son temps devant l'étang qui lui renvoyait les images de ce qui se passait à l'extérieur de son domaine. En raison de leurs constitutions distinctes, les enfants des dragons dorés n'avaient jamais eu l'occasion de tisser des liens. Les trois premiers étaient nés reptiliens comme leurs parents, mais les deux autres représentaient un mystère, même pour Abussos. L'un avait des plumes, l'autre un pelage. Leurs besoins différents les avaient aussitôt séparés de leur famille, car ils ne pouvaient pas respirer le même air. Les dragons leur avaient immédiatement créé des univers attenants pour qu'ils puissent survivre. «Pourquoi se sont-ils donné tout ce mal?» ne put s'empêcher de penser Parandar. S'ils les avaient tout simplement laissés périr, la galaxie aurait pu connaître des millions d'années de béatitude.

Le clan d'Étanna avait toujours détesté celui de Lycaon. Au début, ils se contentaient de s'insulter et de refuser de collaborer, mais dernièrement, les choses s'étaient aggravées. Parandar avait assisté, impuissant, aux agressions d'Azcatchi sur les membres de son propre panthéon, puis aux attaques sournoises des oiseaux. D'un moment à l'autre, les félins allaient riposter. Le chef du clan reptilien n'aimait pas voir les dieux s'entretuer, mais secrètement, il espérait que si tel était leur destin, aucun ne survivrait. Le monde serait alors gouverné par son propre panthéon et les humains connaîtraient enfin la paix.

Assis sur une grosse pierre plate, les genoux ramenés contre sa poitrine, Parandar suivait la trame de sa destinée, l'âme en peine.

– Quand interviendras-tu ? demanda alors la déesse Theandras en s'avançant vers lui.

– Probablement jamais.

– Il n'en restera plus un seul si tu ne fais pas quelque chose.

– Et si c'était mieux ainsi ?

– Nos parents ont créé un lien indestructible entre leurs enfants.

– Akuretari est mort et nous ne nous en portons que mieux.

Theandras se planta devant son frère.

– Tu as donc déjà décidé de les laisser s'entretuer, parce que tu crois que ton angoisse disparaîtra en même temps qu'eux ?

– Je n'ai nul besoin que tu me tortures davantage, Theandras.

– Mais je ne fais appel qu'à ta raison.

– Qu'y a-t-il à comprendre à ce massacre ?

Parandar se redressa, mais le poids de l'univers continua. de lui écraser les épaules.

– Rien de ce que je pourrais dire ou faire n'y mettra fin.

– Tous les problèmes ont une solution.

– Tu dois cesser de croire que j'ai réponse à tout parce que je suis l'aîné. N'oublie pas non plus que mon principal devoir est de protéger notre monde.

– Il m'apparaît évident que le panthéon qui survivra se tournera vers le nôtre pour le détruire.

– Non, Theandras, nous ne nous abaisserons pas à leur niveau.

– Tu vas donc rester ici à observer le carnage ?

– Sauf si on nous attaque. Pour l'instant, je n'ai aucune envie d'y prendre part.

– Alors, soit.

Theandras tourna les talons et suivit le sentier qui menait à sa rotonde. Elle savait que son frère ne changeait pas facilement d'idée. Seuls les dieux-dragons ou Abussos lui-même pouvaient influencer ses décisions.

La déesse traversa le mur de feu qui entourait son logis et marcha autour de l'âtre central en laissant libre cours à ses pensées. Elle aimait profondément les humains et cela ne lui plaisait guère qu'ils se retrouvent au beau milieu des règlements de compte célestes. Si elle ne pouvait pas mettre fin aux hostilités, pourrait-elle au moins les déplacer loin des populations innocentes ?

Parandar avait averti les dieux de son panthéon qu'ils ne pouvaient pas aller protéger les hommes dans leur monde, car les félins et les rapaces risquaient d'entraîner les Ghariyals dans leur querelle. Mais puisqu'elle avait toujours veillé sur eux depuis leur création, Theandras décida qu'elle avait parfaitement le droit de prendre elle-même cette décision. Sa propre fille vivait à Enkidiev et son Chevalier préféré également. Elle ne les laisserait certainement pas tomber maintenant.

— Theandras, puis-je entrer ? fit la voix de sa nièce.

Elle ouvrit une brèche dans les flammes, laissant Fan pénétrer dans son antre.

— Les dieux sont inquiets, lui annonça la déesse des bienfaits.

— Je m'en doutais.

— Qu'allons-nous faire ?

— Parandar ne désire pas agir avant que le danger soit à notre porte.

— Est-ce prudent d'attendre ?

– À mon avis, les félins et les rapaces vont s'éliminer mutuellement et la menace s'effacera d'elle-même. Toutefois, je ne resterai certainement pas à ne rien faire. Je vais me rendre dans le monde des humains et m'assurer qu'ils ne feront pas les frais de ce conflit.

– Puis-je faire de même ?

– Quelqu'un doit rester pour rassurer la famille, Fan, et je dois dire que tu t'acquittes plutôt bien de cette tâche.

– Comment Parandar réagira-t-il ?

– Je n'en sais rien. De toute façon, il est impossible de lui cacher la vérité. Il surveille tout ce qui se passe chez les humains et chez les dieux. S'il devait se produire un assaut sur notre panthéon, ce qui m'étonnerait beaucoup, avertis-moi.

Theandras embrassa sa nièce sur les joues et se dématérialisa. Tandis qu'elle descendait dans le monde des hommes, elle repéra l'énergie de Jenifael à l'ouest d'Enkidiev et celle de Wellan à Enlilkisar. Elle décida donc de réapparaître entre les deux, dans la forêt de Jade, afin d'évaluer l'étendue de la menace avant de consulter l'un ou l'autre.

L'énergie qu'elle ressentit n'était pas celle d'une meute de fauves enragés ou d'une volée d'oiseaux meurtriers. Au contraire, elle ressemblait à un subtil filet de vie qui tentait de se faire oublier au milieu de la végétation. Curieuse, la déesse du feu suivit cette trace qui semblait se diriger vers la rivière en faisant de multiples détours.

En contournant un massif de lauriers, Theandras aperçut deux silhouettes qui masquaient habilement leur force vitale et crut qu'ils étaient les auteurs de la piste qu'elle suivait. Elle s'en approcha sans crainte et, puisqu'elle ne tentait pas de dissimuler sa présence, les étrangers firent volte-face en sentant son approche.

– Vénérable Theandras ?

– Danalieth ?

Plus étonnant encore, l'Immortel était en présence d'un membre du panthéon félin !

– Que faites-vous ici ?

– Anyaguara et moi traquons un ennemi sournois qui profite des présents bouleversements pour s'implanter ici.

Theandras sonda la déesse-panthère et vit qu'elle n'entretenait aucune rancune envers les reptiliens. Tout comme elle, elle avait de longs cheveux sombres et un regard qui trahissait sa tendresse envers l'humanité.

– Qu'avez-vous trouvé jusqu'à présent ?

– Il semble avoir parcouru tout le pays, mais ne s'être arrêté nulle part, expliqua Anyaguara.

– Comme s'il cherchait quelque chose ? avança Theandras.

– Ou quelqu'un, ajouta Danalieth.

— Il est passé tout près des châteaux d'Enkidiev, poursuivit la déesse-panthère.

— C'est peut-être Nemeroff qui l'intéresse ? proposa Theandras.

— Nous avons pensé la même chose, mais la seule forteresse dont il ne s'est pas approché, c'est Émeraude, dont ce jeune dieu est désormais le roi.

— Est-ce à croire qu'il le craint ?

— Ce serait une excellente nouvelle pour nous, fit remarquer Danalieth, car cela signifierait qu'il n'est pas aussi puissant que nous l'avons d'abord cru.

— Avez-vous perdu sa trace ?

— Nous n'avons rien trouvé de ce côté de la rivière et nous nous apprêtions à poursuivre notre enquête sur la rive opposée.

— Qu'attendons-nous pour nous y rendre ?

— Vous désirez nous seconder ? se réjouit l'Immortel.

— Nous le débusquerons plus rapidement en unissant nos forces.

Ils se transformèrent spontanément en petites étoiles et filèrent au-dessus de l'eau, pour reprendre leur forme humaine sur la berge de l'immense contrée d'An-Anshar. Ils scrutèrent le sol chacun de son côté. Ce fut Anyaguara qui trouva un premier indice quant à l'identité de l'intrus magique. Pendant un moment, celui-ci s'était solidifié, laissant une empreinte dans la terre humide. La déesse-panthère s'accroupit pour l'examiner de plus près.

— Venez voir, fit-elle.

Theandras et Danalieth se hâtèrent à ses côtés.

— On dirait bien la patte d'un fauve, nota l'Immortel. Un membre de votre panthéon, ma chère ?

— Je ne crois pas, répondit Anyaguara.

Elle plaça sa main au centre de la marque afin de montrer à ses compagnons qu'elle était démesurément grande.

— Il semble qu'il a trois ou quatre fois la taille d'Ahuratar.

— Il n'y a qu'une façon de le savoir, intervint Theandras. Reculez.

La déesse du feu fit apparaître une fine poudre rouge étincelante sur les paumes de ses mains et souffla dessus en direction de l'empreinte. La poussière magique se déposa sur la forme invisible d'un énorme lion. Danalieth et Anyaguara se placèrent instinctivement en position défensive.

— Il n'est pas vraiment là, les rassura Theandras. Ces petites particules ont la faculté de reconstruire les choses qui sont disparues.

L'Immortel et sa maîtresse avaient du mal à croire qu'un fauve puisse atteindre une telle taille.

– Il est aussi gros qu'un cheval-dragon, laissa finalement tomber Danalieth.

– Aucun des descendants d'Étanna ne ressemble à ça, confirma Anyaguara.

– Est-ce que votre poudre peut nous fournir d'autres renseignements?

– Il ne s'agit pas d'une créature magique ordinaire, soupira Theandras. J'ai bien peur que nous ayons affaire à un dieu en provenance du monde parallèle.

Ni l'Immortel ni la déesse-panthère n'avait entendu parler d'une créature ayant franchi la brèche entre leur univers et celui du dieu Achéron, à part Amecareth.

– Comment pouvons-nous être sûrs qu'il ne s'agit que d'un seul dieu? s'alarma Danalieth.

– Pour l'instant, je ne ressens aucune autre énergie que la sienne sur ces terres, répondit Theandras, mais il n'est pas impossible que ce soit la première étape d'une invasion.

– Comment les membres du monde parallèle traitent-ils les humains? s'enquit Anyaguara, inquiète.

– Si c'est comme Amecareth, il serait plus prudent de capturer ce dieu et de le renvoyer chez lui avant qu'il ne cause des dommages, déclara Theandras.

– Nous ? firent en chœur Danalieth et Anyaguara.

– Si les clans d'Étanna et d'Aquilée étaient doués d'un minimum d'intelligence, ils se joindraient à nous pour chasser cet ennemi, lâcha Theandras.

– Ils sont bien trop occupés à se battre jusqu'à la mort, se désola Anyaguara.

– Dans ce cas, je suggère que nous traquions discrètement le lion et que nous en informions Parandar lorsque nous aurons découvert où il se cache. S'il a réussi à enfermer Akuretari et ses acolytes dans le gouffre sans fond, sans doute pourra-t-il nous débarrasser de cet indésirable.

– Et si cette tâche s'avérait au-dessus de ses forces ? osa demander Danalieth.

– Alors, c'est aux dieux fondateurs qu'il nous faudrait adresser cette requête.

L'Immortel et Anyaguara marchèrent autour de la statue écarlate du fauve pour bien s'imprégner de sa physionomie, puis Theandras claqua des doigts. La poussière retomba et se mit à rouler sur le sol, comme poussée par un vent ensorcelé. Partout où l'intrus avait posé une patte, la poudre remplissait son empreinte et se mettait à briller pour attirer l'attention du trio. Celui-ci parvint donc à suivre la trace du lion jusqu'au pied des volcans. Incapable de trouver d'autres pistes, la poussière magique se mit à tourbillonner sur place. La déesse du feu la fit disparaître.

– Il a sans doute changé de forme ici, devina Danalieth.

– Comme il l'a sans doute fait pour traverser la rivière Sérida, indiqua Anyaguara, à moins qu'il soit un puissant nageur.

– Il peut être allé de n'importe quel côté.

– Êtes-vous capables de continuer à le suivre sous sa forme de pure énergie ? s'enquit Theandras.

Ses compagnons le confirmèrent.

– Si nous voulons être plus efficaces, le mieux serait de nous séparer et d'examiner attentivement les trois directions que le lion a pu prendre. J'irai plein est, alors que l'un de vous inspectera le nord et l'autre, le sud. Le premier qui retrouvera sa trace avertira aussitôt les autres.

– C'est un excellent plan, approuva Anyaguara.

– Ne perdons pas de temps, les pressa Danalieth.

Les déesses et l'Immortel se changèrent en petites étoiles et filèrent vers les trois points cardinaux.

14

FUIR À TOUT PRIX

ans la chambre où Tayaress les retenait prisonniers, Marek et Ayarcoutec tournaient en rond en cherchant un moyen de s'enfuir.

Leur évasion semblait pourtant presque impossible, car leur cachot se trouvait au dernier étage de la forteresse d'An-Anshar, au sommet du plus haut de tous les volcans. Kimaati, le nouveau propriétaire des lieux, brouillait toutes les communications télépathiques, alors ils ne pouvaient pas appeler leurs parents à l'aide. Aucun mal ne leur avait encore été fait, mais Marek se doutait que c'était une question de temps. Toutefois, il ne voulait surtout pas effrayer la petite guerrière qui maugréait près de lui.

– J'aimerais bien vous donner des idées, mais je n'en ai aucune, s'excusa Cherrval. Je ne me suis jamais retrouvé dans une telle situation.

Assis sur son lit, Azcatchi les observait en silence. Depuis qu'Abussos lui avait retiré ses pouvoirs magiques, il ne voyait pas non plus comment il pourrait être d'un quelconque secours. Il acceptait tout simplement son sort, mais n'hésiterait pas à mettre à profit la moindre ouverture que leur accorderaient leurs geôliers. En fait, l'exaspération des deux enfants le faisait sourire.

– Tu trouves ça drôle ? se fâcha Ayarcoutec.

– À moins de posséder le pouvoir de passer à travers les murs ou de vous faire pousser spontanément des ailes, vous ne pourrez pas sortir d'ici.

– Avec une telle attitude négative non plus, monsieur le corbeau !

– Mon père dit qu'il y une solution à tous les problèmes, ajouta Marek.

– Dommage qu'il ne soit pas ici, laissa tomber Azcatchi.

La petite s'arrêta et s'assit en tailleur au milieu du plancher.

– Faisons le point, suggéra-t-elle.

Marek s'installa devant elle et Cherrval s'approcha, mais Azcatchi se contenta de les écouter de loin.

– Que sait-on ? fit la princesse.

– Le château a été pris d'assaut, répondit Marek.

– Par deux hommes, ajouta Azcatchi sur un ton moqueur.

– Un dieu et un assassin immortel, précisa Marek.

Le crave haussa les épaules.

– Ils laissent les Hokous subvenir à nos besoins, mais je suis certain que Tayaress n'hésiterait pas à les tuer s'ils essayaient de nous faire sortir d'ici, continua le garçon.

– Nous les aimons trop pour exiger d'eux un tel sacrifice, déclara Ayarcoutec.

– La seule porte de cette chambre est verrouillée. Il n'y a pas de barreaux à notre fenêtre et nous avons encore accès au balcon.

– Tous deux situés dans les nuages, leur rappela Azcatchi.

– Nous ne possédons pas de corde et même en attachant tous les draps ensemble, nous ne pourrions pas atteindre le sol. Il ne nous reste plus qu'à faire comme les souris.

– Que font-elles ? s'enquit Ayarcoutec.

– Elles creusent des trous dans les murs des maisons pour y circuler à leur guise.

– Dans les murs en pierre ? s'étonna le crave.

– Surtout dans les boiseries, souligna Marek.

Le front plissé, la petite guerrière refusait d'admettre qu'ils étaient dans une impasse.

– Je n'ai aucun pouvoir, déclara-t-elle. Azcatchi a perdu les siens. Cherrval n'a que sa force physique. Et toi, Marek, te reste-t-il quelque chose ?

Le garçon fit mentalement l'inventaire de ses connaissances.

— Si Kimaati bloque les communications, je suppose qu'il y a de fortes chances qu'il empêche aussi tout acte de magie, fit le Pardusse.

— Comme ma mère me l'a répété au moins un million de fois, fit Marek, ne supposons pas et vérifions.

Il ramassa quelques fragments de roc qui s'étaient détachés d'un mur et les changea en zircons sous les yeux émerveillés d'Ayarcoutec.

— Son interdiction a donc des limites, se réjouit-il.

— Peux-tu faire quelque chose d'utile ? demanda Azcatchi.

— Chez moi, à Shola, j'ai appris à concasser de gros rochers.

— Veux-tu essayer sur le mur ? s'enquit Ayarcoutec, remplie d'espoir.

— Je ne souhaite pour rien au monde freiner votre enthousiasme, intervint le crave, mais si vous réduisez un de ces murs en morceaux, il cessera de retenir le plafond qui se trouve au-dessus de votre tête.

— Il a raison, soupira Marek.

— Ne peux-tu pas broyer une seule pierre à la fois ? suggéra la guerrière.

– Je n'ai jamais essayé.

– Ce n'est pas comme si nous avions autre chose à faire...

– Tu as raison. Nous n'avons rien à perdre.

– Mais il faudrait le faire en silence. Tout bruit suspect attirera le traître Tayaress.

– Avant que vous vous amusiez à tout démolir, intervint encore une fois le crave, vous devriez réfléchir à la meilleure route à emprunter. Vous retrouver dans une autre chambre verrouillée après autant d'efforts ne servirait pas à grand-chose.

– Au lieu de nous décourager tout le temps, est-ce que tu ne pourrais pas plutôt trouver des solutions ? se fâcha Ayarcoutec.

– Non, il a raison, concéda Marek. Avant d'ouvrir une brèche, il faut penser à ce que nous ferons ensuite.

– Sortir d'ici, bien sûr !

– Il y a neuf étages avant les grandes portes du vestibule et un seul escalier, les informa Cherrval,

– Et ces portes sont très certainement fermées à clé ou scellées par de la magie, ajouta Azcatchi. L'envahisseur s'est sans doute installé dans le grand hall d'où il peut garder cette issue.

Ayarcoutec se redressa comme si une abeille l'avait piquée.

– Il y a un grand espace sous le château ! jubila-t-elle. J'y suis allée avec Cherrval pendant qu'on jouait aux voleurs de crypte.

Azcatchi arqua un sourcil étonné.

– Il y a des morts sous les fondations ? s'horrifia Marek.

– Non ! affirma Ayarcoutec. Seulement des tuyaux. Et si Cherrval est capable d'y circuler, alors nous aussi !

– Je ne sais pas si j'arriverai à trouer les planchers de neuf étages...

– Il n'est pas nécessaire d'accomplir tout cela le même jour.

– Vous pensez sérieusement que Tayaress ne s'en apercevra pas ? fit Azcatchi dans l'espoir de les ramener à la réalité.

– Pas si Marek travaille en silence.

– Comment allez-vous faire éclater de la pierre en silence ?

– J'ai compris, se fâcha la fillette. À ton tour maintenant de nous exposer tes brillantes idées.

– L'unique conclusion à laquelle je suis venu, c'est que nous ne pourrons sortir de cette prison que lorsque tes parents reviendront, à la condition qu'ils vainquent Kimaati et Tayaress, bien sûr.

– Maintenant, je comprends pourquoi ton panthéon ne voulait pas de toi, espèce de rabat-joie.

L'insulte ne sembla pas toucher le crave.

– Je vois les choses plus clairement que les enfants, se contenta-t-il de répliquer.

– Il est vrai que notre situation semble sans issue, avoua le Pardusse.

– Il est certain que nous n'arriverons pas à nous enfuir en entretenant de telles pensées, les sermonna Ayarcoutec. Marek, montre-nous ce que tu sais faire. Cherrval, installe-toi près de la porte et tends l'oreille. Si tu entends approcher qui que ce soit, sonne l'alerte.

Pour ne pas risquer qu'on le surprenne, le garçon décida de ne pas utiliser sa magie au beau milieu du plancher. Il choisit plutôt de percer le trou près du mur, de l'autre côté du lit que n'occupait pas le crave. De cette façon, si quelqu'un devait entrer précipitamment, il ne pourrait pas le voir.

– Excellente idée, approuva Ayarcoutec.

Marek s'agenouilla sur le sol et laissa partir de courts rayons de ses mains, brisant la dalle un morceau à la fois pendant que la princesse poussait les débris sous le lit.

– Il y a une autre couche de roc en dessous, déplora-t-il.

– Ce n'est pas un château de paille, leur rappela Azcatchi. Comment un tel édifice tiendrait-il debout autrement?

Dépité, Marek projeta un faisceau plus puissant qui fit éclater la pierre avec fracas.

– Oh non, gémit Ayarcoutec.

– Quelqu'un approche, les avertit Cherrval en s'éloignant de l'entrée.

Les deux enfants sautèrent sur le lit en s'époussetant. La porte s'ouvrit brusquement devant Tayaress.

– C'est quoi tout ce tapage?

– C'est moi! répondit bravement Marek. J'ai faim!

– Les repas ne sont pas encore prêts.

– Alors, vous allez devoir en changer l'horaire, exigea Ayarcoutec avec un air hautain.

– Ils arriveront au moment opportun.

L'Immortel referma brutalement la porte.

– Tu penses qu'il suspecte quelque chose? murmura la princesse à son jeune compagnon.

– C'est difficile à dire...

Cherrval retourna à son poste de guet. D'un seul mouvement, les enfants se penchèrent dans l'espace entre le lit et le mur.

– Tu as réussi ! s'étonna Ayarcoutec.

En effet, il y avait maintenant dans le sol un trou suffisamment large pour que même le Pardusse puisse s'y faufiler.

– En faisant des nœuds dans un drap, on pourra descendre d'un étage, poursuivit-elle.

– Pas ce soir, les avertit Azcatchi. Vous avez fait assez de bruit comme ça.

– Je pense qu'il a raison, admit Marek.

Quelques minutes plus tard, des Hokous apportèrent leurs plateaux de nourriture, tandis que d'autres transportaient une grande baignoire en cuivre et des seaux d'eau chaude pour la remplir.

– Ils pensent vraiment à tout, laissa tomber Azcatchi, que rien ne semblait inquiéter.

Ayarcoutec se précipita dans les bras d'Alana, qui la serra avec affection. Les Hokous étaient dociles et ils obéissaient aux ordres, peu importe qui les leur donnait. Ils étaient désormais au service de Kimaati...

– Le maître va tout arranger quand il reviendra, petit rayon de soleil, murmura la servante à la princesse.

Ayarcoutec sentit qu'elle pressait un objet très dur sur son ventre.

– Il faut le cacher. C'est juste au cas où.

L'enfant comprit que c'était un couteau et le dissimula dans les pans de sa tunique.

– J'ai apporté des vêtements propres pour le blessé et pour toi. Je suis en train d'en confectionner pour ton ami Marek.

– Merci, Alana. C'est toi qu'on devrait surnommer le petit rayon de soleil.

Le compliment fit sourire la femme Hokou.

– Pourrais-tu aussi m'apporter des draps propres ?

– Demain, princesse.

Alana embrassa Ayarcoutec sur le front et ordonna aux hommes de quitter la chambre.

Cherrval avait déjà commencé à manger et Azcatchi examinait encore ce qui se trouvait sur son plateau. Il s'habituait graduellement à la nourriture humaine, mais les Hokous avaient le don de le surprendre avec des aliments nouveaux ou préparés différemment.

Ayarcoutec rejoignit Marek sur le deuxième lit et se mit à manger du bout des lèvres, alors que le garçon dévorait sa nourriture.

– C'est l'utilisation de la magie qui t'ouvre l'appétit comme ça ? demanda la guerrière.

– Non. Je suis en pleine croissance.

Lorsqu'il eut terminé son assiette, Ayarcoutec lui tendit la sienne.

– Tu n'as pas faim ?

– Pas vraiment.

Elle se dévêtit et plongea dans la grande baignoire, où elle resta de longues minutes. Puis elle se sécha et enfila une tunique propre.

– L'eau est encore chaude, dit-elle à Marek en s'allongeant sur le lit.

Il déposa les plateaux par terre près de la porte et prit un bain à son tour.

– Je suppose que tu ne connais pas d'histoires... soupira-t-elle en tournant la tête vers le crave.

– Si, mais elles sont plutôt sanglantes.

Ayarcoutec se redressa d'un seul coup.

– Lyxus ! s'exclama-t-elle.

– Qui c'est ? demanda Marek en s'essuyant.

– L'archiviste d'An-Anshar !

– Ils l'ont certainement emprisonné lui aussi, laissa tomber Azcatchi.

– Ce n'est qu'une supposition. Moi, je pense qu'il est en train de planifier notre évasion !

– Ça aussi, c'est une supposition.

Marek grimpa sur le lit à son tour.

– Lui, il a peut-être réussi à s'enfuir, avança-t-il.

– Jamais de la vie. Quand Onyx a arraché le château de ses fondations à Agénor, il a ordonné à tout le monde d'en sortir, mais Lyxus a refusé de lui obéir. Il a dit qu'il avait vécu toute sa vie dans la bibliothèque et qu'il y mourrait.

– Pourquoi ne demandons-nous pas la permission d'y aller ?

– Il ne faudrait pas que nous trahissions la présence du vieil homme...

Ils entendirent alors ronfler Cherrval au pied du lit.

– Commencez donc par refaire vos forces, suggéra Azcatchi en se couchant à son tour.

– Comment pourrais-je dormir alors que je suis captive ? se découragea Ayarcoutec.

– Il a raison. Nous ne pourrons pas aller bien loin si nous ne sommes pas au meilleur de notre forme.

Marek se coucha et Ayarcoutec s'abrita dans ses bras, en quête de réconfort.

– Onyx a vraiment transporté ce palais jusqu'ici ? chuchota le garçon.

– Il n'y a rien à son épreuve. C'est l'homme le plus puissant du monde.

– Et Azcatchi, qui c'est exactement ?

Ayarcoutec lui raconta qu'il était un dieu aviaire qui avait commis des crimes affreux et dont la punition avait été de devenir humain.

– Il ne peut plus voler et il n'a plus de pouvoirs magiques.

– Pourquoi ressemble-t-il autant à Onyx ?

– Je n'en sais rien.

La princesse ravala un sanglot.

– Ne t'en fais pas, tout s'arrangera, lui promit Marek.

✳ ✳ ✳

Au même moment, assis sur le trône d'Onyx dans le grand hall du château, Kimaati se régalait devant Tayaress qui l'observait, impassible. Le monde dont était issu le dieu-lion était beaucoup moins accueillant que celui qu'il avait découvert en se faufilant dans la brèche entre les deux galaxies. Il ignorait si son père, le dieu Achéron, avait dépêché des chasseurs hyènes à ses trousses. Jusqu'à présent, personne ne l'avait harcelé. Il avait donc pu explorer un univers différent et était même tombé amoureux d'une belle déesse-jaguar qui lui avait donné de beaux enfants. Puis, un jour, il avait cru flairer une odeur en provenance de son ancienne vie et il avait filé pour ne pas mettre Étanna en danger.

Kimaati avait ensuite vécu à la frontière des domaines reptilien, félin et aviaire. Il avait même fait une courte incursion dans celui des dieux fondateurs, où il avait été repéré par Tayaress, le plus féroce gardien qu'il ait connu. Leur duel s'était terminé sur la planète des humains, dans une grande étendue de sable. À bout de force, les deux combattants s'étaient immobilisés, assis l'un en face de l'autre, à se dévisager. Bien décidé à conserver sa liberté, le dieu-lion avait avoué son identité au fidèle serviteur d'Abussos. Il lui avait aussi promis de le libérer du joug de l'hippocampe s'il le laissait partir. Tayaress avait d'abord hésité, car il n'avait jamais entrevu d'autre avenir pour lui-même, puis sans dire un mot, il était parti. Kimaati ne l'avait pas revu pendant des années.

Une fois rétabli, le dieu-lion était resté dans le monde des hommes afin de l'explorer. C'est ainsi qu'il avait fait la connaissance de Fan de Shola, dans son grand château de glace. Croyant qu'elle s'y morfondait, il était resté auprès d'elle jusqu'à ce qu'elle lui révèle qu'elle était mariée. Ne voulant pas être forcé de tuer le roi pour conserver cet amour, Kimaati avait une fois de plus poursuivi sa route. Depuis, il cherchait un endroit bien à lui, qu'il n'aurait plus besoin de partager avec qui que ce soit, un lieu à partir duquel il se taillerait une réputation enviable et pourrait enfin devenir le personnage important qu'il méritait d'être.

— Si j'avais su que ce peuple d'excellents cuisiniers existait quelque part sur cette planète, je me serais installé dans leur pays ! s'exclama Kimaati en faisant référence aux Hokous.

— Je sais où il se situe, mais ils vivent dans des huttes de paille.

— À bien y penser, je préfère rester ici.

Il vida d'un trait sa coupe de vin.

— Tu ne sais pas ce que tu manques, Tayaress.

— Je ne consomme pas cette nourriture.

— Une autre insondable restriction de ton dieu ?

— C'est ainsi que sont créés tous les Immortels.

— Des serviteurs dociles et sans émotions... Ce concept continue de m'échapper. Chez moi, les dieux choisissent leurs esclaves parmi les populations qui les vénèrent.

— Je n'ai pas envie de devenir un esclave.

— Et avec raison. D'ailleurs, je t'ai promis que tu serais mon bras droit, rappelle-toi. Mieux encore, dès que j'aurai remis la main sur certains objets qui m'appartiennent, tu seras libéré pour toujours de cette horrible condition et tu pourras boire avec moi.

– Qui vous les rendra, ces objets ?

– J'ai encore des alliés dans mon ancien monde, Tayaress. Sois patient. J'attends moi-même mon heure depuis des centaines d'années. Tout est enfin en train de se mettre en place.

– Je ne passerai pas le reste de mon existence à surveiller les enfants de ce château.

– Cela va de soi.

– Tant que mon état n'aura pas changé, je serai également forcé de retourner auprès d'Abussos s'il m'appelle.

– À mon avis, tant qu'il n'arrivera rien à sa petite princesse, il te laissera tranquille. Arrête de t'en faire. Nous nous débarrasserons de lui en même temps que de nos prisonniers.

– Et vous vivrez seul ici pour l'éternité ?

– Certainement pas. L'ancien propriétaire de cette forteresse l'a placée précisément à cet endroit afin de régner sur les habitants qui vivent de chaque côté des montagnes, alors je vais tout bonnement poursuivre son œuvre. En un rien de temps, ils viendront tous manger dans ma main, Tayaress.

– Certains d'entre eux résisteront à votre dictature, comme le propriétaire de ce château, par exemple. Ce n'est pas un homme ordinaire, c'est un dieu, et il n'a pas peur de se servir de ses pouvoirs.

– Je m'en réjouis d'avance.

– Qu'arrivera-t-il s'il vous terrasse ?

– Il ne gagnera pas.

Kimaati se versa une autre coupe de vin et la leva devant ses yeux pour saluer son second.

❋ ❋ ❋

Dans une section secrète de l'ancienne bibliothèque d'Agénor, devenue celle d'An-Anshar, Lyxus se cachait en attendant le retour du maître des lieux.

Puisque Onyx accordait une grande importance à la connaissance et aux livres dans lesquels on pouvait la trouver, avant de partir à la conquête du monde, il avait jeté un sort à cet étage du château, le rendant invisible aux yeux de ceux qui tenteraient de s'emparer de sa forteresse. Le vieil érudit savait qu'il était en sécurité tant et aussi longtemps qu'il ne tentait pas de sortir de là. Les Hokous venaient lui porter ses repas en cachette et ils n'avaient aucune intention de révéler sa présence au dieu-lion. Ils avaient informé Lyxus que l'envahisseur retenait prisonniers la petite princesse, son ami Pardusse, son patient et un nouveau petit garçon.

Alors, depuis l'arrivée de Kimaati, le vieil homme cherchait une façon de communiquer avec Onyx. Il avait tenté de se concentrer très fort pour lui envoyer un message avec sa pensée, mais il dut rapidement en venir à l'évidence qu'il ne possédait aucune faculté magique. Les pigeons-voyageurs n'avaient malheureusement pas suivi le château lors de son déménagement d'Agénor jusque sur les volcans. De toute façon, comment auraient-il pu retrouver l'empereur alors que lui-même ignorait où il était ? La dernière fois qu'il l'avait vu, c'était à Pelecar, où il projetait de se rendre à Hidatsa. Avait-il mis ce projet à exécution ? Avait-il plutôt choisi d'aller ailleurs ?

Lyxus avait songé à utiliser les passages secrets pour sortir du château, mais il ignorait si Onyx les avait également envoûtés et la dernière chose qu'il voulait, c'était périr aux mains de l'envahisseur. Il lui faudrait être patient et attendre que l'empereur revienne de lui-même.

15

UN SAUVETAGE RISQUÉ

Sparwari traversa tout l'océan en transportant son fils entre ses serres. Lorsqu'il se posa finalement sur le long quai des Tanieths, le soleil se levait derrière lui. Le château en pierres noires brillait sous ses rayons. Prudemment, le dieu-épervier scruta les alentours. « Toujours aucun dragon », constata-il, soulagé. Il sonda la forteresse et s'étonna qu'elle ne soit pas encore habitée. Laissant l'enfant endormi au milieu du quai, le rapace s'élança dans le ciel et fit le tour des bâtiments. Personne...

Il revint chercher Lazuli et le déposa dans la cour de dimension moyenne. Il reprit sa forme humaine et cueillit de nouveau le garçon dans ses bras pour entrer dans le palais. Les portes apparemment toutes neuves n'étaient pas verrouillées. Il traversa le vestibule et jeta un coup d'œil dans le hall. Il n'y avait aucun meuble. Il grimpa l'escalier et entra dans les appartements royaux, où il fit la même constatation. Il choisit cette vaste pièce, car c'était la seule qui possédait un balcon. De cette façon, il pourrait y avoir accès en tout temps à partir des airs.

Il mit son fils par terre et prit son envol. Toute la contrée avait changé au point où il douta un instant d'être bel et bien arrivé à Irianeth. Les plages de roc coupant avaient été remplacées par de grandes étendues de fins galets. De belles forêts, d'imposants massifs de fleurs et de vastes plaines entouraient le château abandonné. «Mais que s'est-il passé ici?» se demanda-t-il en arrachant de longues herbes sur le bord d'une petite rivière. En quelques heures, il confectionna un nid au milieu de la chambre avant de s'y coucher avec Lazuli afin de refaire ses forces. Toutefois, il ne dormit que d'une oreille, car il ignorait qui avait fait construire cette place forte et quand il se déciderait à en prendre possession.

Quand il ouvrit l'œil, Lazuli était assis près de lui et regardait partout. Sparwari s'étira et lui sourit pour le rassurer.

– Quel est cet endroit? demanda l'enfant.

– Je n'en sais franchement rien. Tout a changé depuis mon dernier passage ici.

– Y a-t-il quelque chose à manger?

– Non loin du château, j'ai vu dans les arbres des tas de fruits que personne n'a récoltés.

– Nous sommes dans un château?

– Oui, mais il est désert.

– Ses occupants l'ont abandonné?

– Aussi curieux que ça puisse paraître, je pense qu'il n'a jamais été habité.

– Pourquoi faire construire un château, dans ce cas ?

– C'est une excellente question. Je suggère que nous l'explorions avant d'aller chercher le repas.

Au bout de quelques minutes, Lazuli constata qu'il était divisé exactement comme le Château d'Émeraude, sauf qu'il n'y avait pas d'aile pour les Chevaliers. Toutefois, la forge était à la même place que celle de Morrison.

– Les bâtisseurs s'en sont inspiré, c'est sûr, affirma-t-il.

Sparwari emmena son fils jusqu'à la rivière, près de laquelle avaient poussé des pommiers, des poiriers, des pruniers, des abricotiers, des amandiers, des pêchers et des cerisiers.

– Tu ne mourras pas de faim, se réjouit le dieu-épervier en décrochant une pomme pour Lazuli.

– Est-ce que je peux dire à mes parents que je ne suis plus à Espérita ?

– Toute communication télépathique de ta part pourrait être interceptée par tes ennemis. Ils seraient ainsi en mesure de te localiser et je ne pourrais pas te défendre contre eux.

– Je suis en danger parce que je peux me changer en oiseau, n'est-ce pas ?

– C'est exact.

– Alors, ça veut dire que Cyndelle et Aurélys pourraient mourir, elles aussi ? Les mettrez-vous comme moi à l'abri ?

— Ce ne sont pas mes filles.

— Mais ce sont mes meilleures amies.

Sparwari songea aux risques qu'il courait en allant chercher l'effraie et l'aigle noir à Émeraude.

— Je serais forcé de te laisser seul ici.

— Je peux me débrouiller en attendant. Si quelqu'un vient, je me cacherai.

— Laisse-moi y réfléchir.

Lazuli se gava de cerises, de poires et de pêches, puis se désaltéra dans la rivière. Il essuya ses mains sur sa tunique et rejoignit son père, assis à l'ombre d'un grand saule pleureur.

— Est-ce que nous sommes encore à Enkidiev ?

— Non, mais c'est tout ce que je peux affirmer. Dans mes souvenirs, il n'y avait pas de verdure dans ce pays et encore moins de fleurs et d'arbres.

— Et pas de château.

— Pas celui-là, en tout cas.

— Avez-vous décidé d'aider mes amies ?

— J'irai les chercher, à la condition que tu ne fasses rien pour attirer les félidés jusqu'ici. Tu ne pourras donc pas communiquer avec qui que ce soit.

— Même pas avec vous ?

— Avec personne, Lazuli. Ta survie en dépend.

— C'est promis.

— Je vais aussi t'enseigner à te rendre invisible et à scruter les alentours pour t'assurer qu'aucun ennemi n'essaie de s'approcher furtivement.

— Vous allez m'enseigner de la magie ? se réjouit le garçon. Mes parents n'ont jamais voulu qu'on s'en serve à la maison ! Mais ils avaient un peu raison, parce que les seules fois où mon frère et ma sœur s'y sont essayés, ils ont fait des gaffes.

— Si tu suis mes directives à la lettre, tu n'en feras pas.

Sparwari commença donc par lui enseigner à utiliser ses sens invisibles autour de lui pour détecter les obstacles. Il lui banda les yeux et lui demanda ensuite de lui décrire tout ce que lui renvoyaient les échos magiques. Lazuli parvint assez rapidement à distinguer les objets qui l'entouraient.

— Mais comment fait-on pour les gens ?

— Je vais aller me cacher. Ferme les yeux et trouve-moi.

Le garçon balaya toute la forêt environnante, puis perçut comme un courant de chaleur.

— Par là ! cria-t-il en pointant l'endroit du doigt.

– Merveilleux ! le félicita le père en apparaissant entre les arbres.

– Comment se rend-on invisible ?

– Une chose à la fois. Je comprends ton enthousiasme, mais je suggère que tu te reposes un peu avant de passer à l'exercice suivant.

Ils en profitèrent pour faire leur toilette dans la rivière avant de retourner au château. Le dieu-épervier sortit sur le balcon et regarda au loin. Aucun vaisseau ne pourrait approcher sans qu'on le voie à des lieues. Les montagnes à pic qui s'élevaient au nord se poursuivaient très loin vers l'ouest, si bien qu'elles rendaient toute invasion impossible de ce côté. Mais les chats pouvaient tout aussi bien tomber du ciel...

– Si jamais tu es trop effrayé pour devenir invisible, tu peux aussi prendre la fuite en te transformant et en t'envolant par la fenêtre.

– Ça non plus ça ne fonctionne pas très bien quand j'ai peur.

– Alors, je te conseille de t'entraîner à le faire à volonté. Tu n'auras qu'à aller te percher dans un arbre au feuillage dense et à attendre que le danger soit passé.

Lazuli fixa son père avec de grands yeux inquiets.

– Et surtout, ne reprends pas ta forme humaine pendant que tu es sur une branche, le taquina Sparwari.

Il passa le reste de la journée à lui enseigner à s'immobiliser au point de ralentir sa respiration et les battements de son cœur, puis à utiliser son bouclier de défense pour disparaître.

– Où avez-vous appris à faire ça ?

– Il y a fort longtemps, au Château de Zénor, un jeune paysan qui s'appelait Farrell me l'a enseigné. Allez, essaie encore.

Satisfait des performances de son fils, le dieu-épervier partagea un dernier repas avec lui avant de retourner à Enkidiev. Il lui fit répéter encore une fois les consignes, l'embrassa sur le front et sortit sur le balcon avant de s'élancer vers la mer. Lazuli le regarda disparaître au loin. Il restait à peine une heure ou deux de clarté. Comment s'éclairerait-il lorsque l'obscurité envahirait sa nouvelle demeure ? Il se mit donc à la recherche de bougies, mais ne trouva rien nulle part. Il n'y avait même pas de nourriture dans les grands placards de la cuisine et encore moins de casseroles pour faire cuire quoi que ce soit.

Lazuli ! l'appela alors Kira. Le garçon serra les poings pour s'empêcher de répondre. Les ordres de Sparwari étaient sans équivoque : il ne devait pas révéler sa position par télépathie, pas même à ses parents. Pourtant, il aurait tellement aimé rassurer sa mère, qui avait dû apprendre sa disparition d'Espérita. «Elle comprendra lorsque tout sera terminé», se dit-il, même s'il ne savait pas tout à fait quand ni comment se réglerait ce conflit dans le ciel.

– Finalement, ce n'est pas si amusant que ça d'être un dieu, conclut-il.

Il se coucha dans le nid de paille qu'avait confectionné Sparwari et tenta de se convaincre qu'il était en parfaite sécurité. Ses parents continuèrent de l'appeler, mais il demeura muet.

Lorsque le château fut jeté dans la noirceur, le garçon ferma les yeux et pensa aux bons moments de sa vie, afin de chasser sa peur.

Des sifflements le réveillèrent au matin. Il tendit l'oreille en se demandant ce qui se passait, puis s'approcha prudemment du balcon. Pas question d'y mettre le pied avant de savoir d'où émanaient ces sons aigus. Il se servit donc de ses nouvelles facultés de localisation et constata qu'il avait des visiteurs... dans l'océan ! Curieux, il étira le cou à l'extérieur et vit de gros poissons qui effectuaient des vrilles dans la rade.

— Personne ne m'a jamais parlé d'un panthéon aquatique, murmura-t-il.

Si Lassa avait été là, il lui aurait recommandé d'arrêter de voir des dieux dans tous les animaux qu'il rencontrait. Persuadé qu'il ne courait aucun danger, Lazuli sortit du château et courut jusqu'au bout du quai. Il assista aux jeux des dauphins jusqu'à ce qu'ils s'éloignent vers le nord, puis se rendit à la rivière. Il enleva tous ses vêtements et sauta dans l'eau, où il chercha à reproduire les sauts et les vrilles de ces magnifiques mammifères. Il se laissa ensuite sécher au soleil, se rhabilla et alla cueillir son repas du matin. Il transporta son butin jusqu'au château dans un repli de sa tunique et alla s'asseoir sur le balcon pour manger.

– Ce n'est pas si mal que ça, finalement.

Il croqua dans une pomme en profitant de sa liberté provisoire.

16

REINE EN DEVENIR

Le contraste entre la vie chez les Elfes et celle du Château d'Émeraude fut brutal pour la jeune Kaliska. Elle s'était habituée à porter une simple tunique, à dormir sur un tatami au sommet d'un arbre, à se laver dans la rivière, à manger de petits fruits et des noisettes et à passer ses journées à soigner les malades. Elle se retrouva dans un grand lit moelleux des appartements royaux, invitée à se prélasser dans un bassin d'eau chaude odorante, forcée de choisir ses tenues dans un placard rempli de belles robes et d'apprendre les manières de la cour. La souplesse de son caractère lui permettait de s'adapter à toutes les situations, mais cela ne voulait pas forcément dire qu'elle s'y plaisait.

La Reine Swan avait été si heureuse d'apprendre que son fils aîné projetait de marier la douce jeune femme qu'elle avait éprouvé de violentes contractions et avait dû s'aliter. Kaliska était restée près d'elle pour lui tenir la main et calmer les spasmes.

– Je suis contente que tu sois guérisseuse, avoua Swan en se détendant. Tous les Chevaliers qui pratiquaient cet art ont déserté le royaume.

– Ils sont seulement allés chercher fortune ailleurs, Altesse.

– Nous nous connaissons depuis suffisamment longtemps, Kaliska. Je t'en prie, appelle-moi Swan.

– Est-ce vraiment convenable ?

– Nous allons probablement passer le reste de notre vie côte à côte, alors aussi bien laisser tomber les formalités.

– Vous avez raison.

– Le bébé va-t-il bientôt arriver ?

– Je suis habituée à jouer les sages-femmes auprès des Elfes et non des humaines, mais il me semble que sa formation s'achève. Il va bientôt vouloir contempler le visage de sa mère.

– Tu seras là pour m'aider, n'est-ce pas ?

– Je vous en fais la promesse.

Lorsque la reine eut fermé les yeux, Kaliska demanda à ses servantes de veiller sur son sommeil et retourna dans ses appartements. Les conseillers de Nemeroff lui avaient apporté une pile de recueils des formules en usage pour les actes publics ainsi que les lois en vigueur à Émeraude. « Heureusement que j'ai appris à lire la langue moderne et la langue ancienne », se félicita la guérisseuse. Elle n'étudiait que quelques documents le matin, puis rencontrait les servantes chargées de la préparer au mariage. Elles l'avaient mesurée dans tous les sens afin de faire confectionner sa robe, lui faisaient répéter la cérémonie dans le grand hall et lui enseignaient aussi les pas de la danse nuptiale qu'elle devrait exécuter avec Nemeroff. Kaliska ne fréquentait pas souvent son futur mari, mais elle se doutait bien qu'il était soumis au même rituel qu'elle. En fait, elle ne le voyait qu'au repas du soir. Toujours bien mis, il sentait toujours bon. Assis devant elle jusqu'à ce qu'ils soient mariés, il s'intéressait à ce qu'elle avait fait durant la journée et l'écoutait parler avec dévotion. Dès qu'ils seraient unis, ils pourraient manger l'un près de l'autre et Nemeroff lui chuchoterait certainement des mots doux à l'oreille.

Dans la soirée, Kaliska allait marcher sur les passerelles de la forteresse en compagnie de Nemeroff, qui poursuivait son éducation astronomique. Elle commençait à reconnaître les diverses étoiles et constellations sans son aide, ce qui réjouissait beaucoup le roi. Il la reconduisait ensuite à ses appartements et l'embrassait longuement sur le pas de sa porte. Contrairement à ce qu'elle avait imaginé, jamais il n'avait tenté d'entrer avec elle pour lui faire des propositions plus intimes. Il faisait vraiment preuve d'un respect exemplaire envers elle.

Pour passer le temps avant de se mettre au lit, Kaliska se rendait dans la chambre des jeunes princes et leur lisait des histoires. Lorsque le petit Jaspe s'endormait, généralement avant leur dénouement, la future reine s'employait à parfaire l'éducation d'Anoki qui désirait lire et écrire aussi bien qu'elle. Une fois que le garçon était couché, Kaliska retournait dans son petit salon. Parfois, la Princesse Aydine venait lui rendre visite. Les deux femmes prenaient le thé et parlaient de tout et de rien. La grossesse parfaite de la jeune femme rassurait Kaliska, qui se doutait bien que Nemeroff exigerait qu'elle lui donne des héritiers.

– Je trouve dommage que Maximilien soit en train d'accumuler de l'argent pour nous emmener vivre au Royaume de Perle, confia Aydine, les larmes aux yeux. J'aime beaucoup ta compagnie.

– Mais pourquoi partez-vous ?

– Il a peur que son frère s'en prenne au bébé.

– Nemeroff ? Mais jamais il ne ferait une chose pareille.

– C'est ce que je me tue à dire à Maximilien. Atlance, Fabian et lui sont persuadés qu'il ne supportera pas que de futurs rois puissent naître dans cette famille.

– Je croyais que seuls ses enfants à lui avaient le droit d'accéder au trône.

– Ils pensent que parce qu'il est déjà mort une fois, il se pourrait qu'il soit stérile et qu'il essaie d'éliminer ceux qui risqueraient un jour de lui voler sa couronne.

– Mais c'est complètement absurde !

– Je suis aussi de cet avis, mais je n'arrive pas à persuader mon mari que ses frères et lui divaguent. Je sais bien qu'il n'est pas facile d'accepter qu'un homme soit ainsi revenu de la mort, mais ils ont grandi dans un monde de magiciens. Ils devraient savoir que rien n'est impossible.

– Je pourrais tenter de réconcilier Nemeroff avec ses frères.

– Ce sont plutôt ses frères qui auraient besoin d'une bonne claque derrière la tête.

L'image fit sourire Kaliska.

– Je suis sûre que s'ils prenaient le temps de se parler, tout s'arrangerait.

– Encore faudrait-il qu'ils soient capables de le faire honnêtement, sans arrière-pensée et sans pressentir les intentions les uns des autres.

– Ne sois pas pessimiste, Aydine. Espérons plutôt qu'ils finiront par comprendre qu'ils sont reliés par le sang et que la famille, c'est la chose la plus importante qui soit.

– En tout cas, moi, je suis bien contente que tu sois ma belle-sœur. Ça ne t'embête pas que je vive dans tes anciens appartements, en ce moment ?

– Pas du tout. Je suis même contente qu'ils servent à quelqu'un.

– J'espère que tu auras une si bonne influence sur Nemeroff qu'il finira par inviter ses frères à revenir vivre au château.

– Je verrai ce que je peux faire.

Les deux femmes s'embrassèrent sur les joues et se séparèrent. Kaliska alla se réchauffer dans un bain chaud, puis enfila une chemise de nuit en dentelle blanche. Elle s'assit devant le miroir de sa vanité et brossa ses longs cheveux blonds. Jamais elle ne s'était sentie aussi belle et aussi importante. « Je ne dois pas laisser le titre me monter à la tête », se dit-elle.

Elle entendit gronder le tonnerre au loin. Contrairement à bien des gens, elle ne craignait pas les orages. Pourtant, elle savait que la foudre tombait parfois sur les maisons et même sur les gens, mais au fond d'elle-même, elle sentait que cette énergie était proche de la sienne. Elle se rappela ce que Wellan lui avait raconté au sujet de ses origines divines. Tous les enfants des dieux fondateurs avaient été conçus dans des éclairs...

Kaliska alluma les bougies sur sa table de chevet, ramassa un recueil qui traitait du protocole et se cala le dos dans ses oreillers pour lire. La fenêtre de sa chambre était ouverte, alors elle pouvait entendre la tempête qui approchait. Elle parcourut quelques pages et s'arrêta. Il était étrange que Nemeroff insiste pour se marier pendant la saison froide, puisque presque personne ne pourrait assister à la cérémonie. Tous les autres souverains avant lui avaient pris épouse durant les beaux jours et avaient donné une fête dans la grande cour qui pouvait contenir dix fois plus d'invités que le hall...

Elle s'efforça de se concentrer sur sa lecture avant que le tonnerre ne secoue tout le château et que la pluie ne l'oblige à fermer la fenêtre. C'est alors qu'elle entendit un son étrange qui ressemblait à un battement d'ailes. Elle baissa lentement son livre et regarda autour d'elle. La dernière chose qu'elle voulait, c'était une chauve-souris aveuglée qui se cognerait partout avant qu'elle réussisse à l'attraper. Puisqu'elle était assise dans son lit, elle ne pouvait pas encore voir l'oiseau qui marchait sur le plancher dans sa direction. Elle reprit donc là où elle était rendue en s'amusant d'avoir autant d'imagination.

— Je t'en prie, n'aie pas peur.

Kaliska sursauta et étouffa un cri de surprise. Devant elle se tenait le Prince Fabian, tout trempé.

— Mais qu'est-ce que tu fais ici ? s'étonna-t-elle.

— Rassure-toi. Je ne suis pas revenu vivre au palais, mais il fallait que je te voie une dernière fois.

— Ça me ferait bien plus plaisir que tu sois à Émeraude pour faire la paix avec Nemeroff.

— Je ne pourrais jamais me réconcilier avec un homme qui non seulement a failli me tuer, mais qui va maintenant me ravir la femme que j'aime.

— Fabian, c'est mon choix...

— Quelle menace a-t-il utilisée contre toi ?

Kaliska garda un silence coupable.

— Je le savais, grommela le dieu-milan.

— Cette situation ne regarde que lui et moi. Il n'est pas question que je devienne la cause d'une guerre ou de je ne sais quelle autre catastrophe. Il y a des choses comme ça dans la vie qu'on ne peut pas changer.

— Est-ce que tu l'aimes ?

– Oui, bien sûr.

Fabian contourna le lit et vint s'asseoir près d'elle.

– Quels sont tes vrais sentiments pour moi ?

– Je ne veux pas te blesser, répondit-elle, le cœur gros.

– Dis-moi la vérité et je partirai.

Elle baissa la tête, cherchant à rassembler son courage.

– J'avoue que le baiser que nous avons échangé dans la hutte m'a bouleversée, parce que je n'avais jamais rien senti de tel.

– Nemeroff t'a-t-il déjà embrassée ?

– Ne puis-je pas avoir une vie privée comme tout le monde ? s'affola Kaliska.

– Réponds-moi.

– Il m'embrasse souvent.

– Ressens-tu la même chose avec lui qu'avec moi ?

Des larmes se mirent à couler des beaux yeux violets de la déesse-licorne.

– Ce que j'éprouve pour lui ou pour toi ne regarde personne...

– J'essaie seulement de te faire comprendre que tu as fait le mauvais choix, Kaliska.

– Il s'agit d'un mariage politique auquel j'ai consenti. Alors, voilà, maintenant tu sais tout.

Fabian se pencha sur la jeune femme en plaçant ses mains de chaque côté d'elle et, l'empêchant de se lever, il plaqua ses lèvres sur les siennes. Elle se débattit.

– Sais-tu ce qu'il te fera s'il te surprend dans ma chambre ?

– Ignores-tu ce qu'il fait à cette heure-ci ?

– Il se repose.

– C'est exact, mais il n'est pas dans ses appartements.

– Comment le sais-tu ?

– Il dort dans son nid de dragon sous la tour où j'habitais quand j'étais enfant.

– Tu dis n'importe quoi.

– Non, Kaliska. J'essaie de t'ouvrir les yeux. Ton futur mari n'est pas un être humain, c'est une bête qui se transforme en homme quand cela sert ses intérêts. J'ai vu son antre.

– Je...

Fabian ne lui donna pas l'occasion de protester davantage. Il l'embrassa avec de plus en plus de fougue, jusqu'à ce qu'il parvienne à lui faire oublier l'horreur de sa situation.

– Je ne veux pas qu'il te fasse du mal, murmura-t-elle entre deux étreintes.

En un tour de main, Fabian enleva ses vêtements et passa la chemise de nuit par-dessus la tête de sa bien-aimée.

– Mais qu'est-ce...

Les baisers brûlants du jeune dieu eurent raison de Kaliska, qui ne lui opposa plus aucune résistance. Puisqu'elle n'avait aucune expérience de l'amour, elle se laissa guider par ses caresses dans un océan de délices et d'abandon. Mais lorsque leur passion fut assouvie, la jeune fille se rendit compte de ce qu'elle venait de faire et se mit à pleurer.

– Viens avec moi, la supplia Fabian.

– Non... peu importe où nous nous cacherions, il nous retrouverait.

– Alors, je l'affronterais à nouveau.

– Si tu m'aimes, Fabian, pars maintenant et ne reviens plus jamais.

– C'est vraiment ce que tu veux ?

– Je veux que tu restes en vie...

Le visage en larmes de sa bien-aimée fit comprendre au milan qu'elle avait choisi sa raison plutôt que son cœur.

– Très bien... se résigna-t-il en se rhabillant. Mais sache que j'ai l'intention de retrouver mon père dans les volcans et de me réconcilier avec lui. Si tu changes d'idée, c'est là que je serai.

Il recula lentement, se transforma en oiseau de proie et s'envola par la fenêtre. Kaliska se cacha le visage dans les mains, regrettant le jour où elle avait inconsciemment jeté le sort qui l'avait fait vieillir de plusieurs années. « Si j'avais conservé mon âge réel, je ne serais pas dans cette situation impossible », pleura-t-elle intérieurement. Lorsqu'elle arriva enfin à maîtriser ses sanglots, elle enfila sa chemise de nuit et quitta sa chambre. Elle passa devant celle des petits princes, qui dormaient à poings fermés, puis jeta un coup d'œil dans celle de Swan. Elle n'eut pas le cœur de la réveiller, même si elle avait un urgent besoin de réconfort.

La jeune femme sortit dans le couloir qui séparait l'étage en deux et scruta les anciens quartiers où elle avait habité avec ses parents. Le Prince Maximilien et Aydine étaient enlacés et roucoulaient. Ce n'était pas le moment de frapper à leur porte. Kaliska se sentit affreusement seule. Elle allait retourner dans ses appartements lorsque le visage souriant d'Armène apparut dans ses pensées.

Malgré la tempête qui faisait rage à l'extérieur, la future reine sortit du palais et courut dans la boue jusqu'à la tour de la gouvernante.

Armène finissait de ranger la cuisine lorsqu'elle entendit se refermer la porte. Elle se planta devant l'escalier pour voir qui montait chez elle à une heure aussi tardive.

– Kaliska?

La jeune femme grimpa les marches aussi rapidement qu'elle le pouvait dans sa robe trempée qui lui collait sur la peau et se jeta dans les bras de cette femme qui avait aidé tous les Chevaliers à élever leurs enfants.

– Que se passe-t-il, mon lapin?

– Je ne veux plus être une adulte!

– Viens m'expliquer pourquoi.

Armène l'emmena s'asseoir à la table et lui fit chauffer du lait de chèvre.

– Je suis amoureuse d'un homme, mais j'en épouse un autre...

– Tu n'aimes pas le Roi Nemeroff?

– Oui, mais pas de la même façon. En fait, je pense que c'est surtout lui qui éprouve de forts sentiments envers moi.

– Tu ne veux plus te marier avec lui?

– Oui, mais en même temps, je vais briser le cœur d'un autre homme.

– Personne n'a jamais dit que la vie était facile, ma petite chérie.

– Alors, je sais ce que je vais faire. Je vais devenir la première fille moine de Shola. Je vais m'enfermer dans le sanctuaire et je n'en ressortirai plus jamais. Comme ça, je ne serai pas obligée de me marier.

Kaliska avala quelques gorgées de la boisson chaude que lui tendit la gouvernante.

– Le deuxième homme pourrait-il te procurer une aussi belle vie que Nemeroff ?

– Probablement pas, soupira la jeune fille. Il ne lui reste plus rien.

– Si je comprends bien, ton cœur balance entre un roi et un pauvre hère ?

– C'est malheureusement encore plus tragique que cela...

– Je ne vois pas comment ce pourrait l'être.

– Ils sont frères.

– Que Parandar te protège, mon enfant. Ces affaires-là ne finissent jamais bien.

La guérisseuse baissa honteusement la tête.

– Le deuxième homme est donc Atlance, Fabian ou Maximilien. Mais ils sont déjà tous mariés, il me semble.

– Je ne sais plus quoi faire, Mène.

– Tu as un bel avenir ici, mon poussin. Le royaume a besoin d'une reine douce et juste comme toi. Une fois que ton cœur se sera calmé, écoute un peu ce que ta raison a à te dire. Je suis certaine que tu prendras la bonne décision.

Armène caressa les cheveux de la jeune femme pendant qu'elle terminait son lait.

– Tu veux dormir dans ma tour, cette nuit ?

– Non, mais c'est gentil de me l'offrir. Il est préférable que ma conduite demeure irréprochable, du moins pour l'instant.

Kaliska serra une dernière fois la gouvernante dans ses bras et quitta la tour.

17

LA POURSUITE

uisque les vortex ne pouvaient pas emmener leurs possesseurs dans des endroits où ils n'avaient jamais mis les pieds, et puisqu'il n'avait pas la moindre idée des déplacements d'Onyx dans le nouveau monde, Hadrian choisit de se rendre d'abord à Itzaman pour voir s'il pourrait y trouver la piste de son ami. Il sortit du maelström et faillit buter contre une grosse pierre. Reprenant son équilibre juste à temps, il regarda autour de lui et s'étonna de découvrir que l'immense pyramide du soleil avait été réduite en mille morceaux. Intrigué, il contourna les blocs qui en avaient fait partie et qui gisaient maintenant sur le sol, et se dirigea vers le centre de la cité en se demandant si le palais avait subi le même sort.

Hadrian fut soulagé de constater que seul le monument solaire avait été détruit. Que s'était-il passé ? Un tremblement de terre avait-il secoué la région ? Les Tepecoalts ne possédaient certainement pas un arsenal capable de démolir une telle structure. Puisque personne ne s'habillait en noir de la tête aux pieds dans ce pays, la présence du visiteur fut rapidement remarquée et Sévétouaca s'empressa de venir à sa rencontre.

– Bienvenue chez les Nacalts, le salua chaleureusement le guerrier.

– Les Nacalts ?

– Nous sommes retournés à nos origines.

L'air interrogateur d'Hadrian fit comprendre à Sévétouaca qu'Onyx ne l'avait pas mis au courant de ses dernières initiatives.

– Au début des temps, les Itzamans, les Tepecoalts et les Mixilzins ne faisaient qu'un seul peuple.

– Vous n'êtes plus en guerre ?

– Non, grâce à Onyx. Il a rassemblé nos trois peuples, alors nous pourrons vivre en paix pour toujours.

– Qui règne sur les Nacalts ?

– C'est l'Empereur Onyx, bien sûr.

– L'empereur ?

– Il a nommé un régent dans chacun des anciens pays, dont la tâche est de l'administrer pour lui et de s'assurer qu'aucun conflit ne surgisse.

– Je vois... Qui est celui des Itzamans ?

– C'est Féliss.

– Mais il entre à peine dans l'adolescence !

– C'est lui qu'a choisi l'empereur.

– Où puis-je le trouver ?

– Il est allé voir comment se déroulaient les récoltes. Voulez-vous l'attendre chez lui ?

– Non merci, Sévétouaca. Ça me fera du bien de me dégourdir les jambes.

Hadrian marcha jusqu'aux champs où les paysans fauchaient les longues tiges de maïs et ramassaient les pommes de terre et le manioc. Il vit Féliss qui parlait à deux hommes et constata qu'il avait grandi depuis sa dernière visite. Lorsque le régent aperçut l'étranger, il coupa court à sa discussion et courut à sa rencontre.

– Hadrian ! Quel bon vent t'amène ?

L'ancien souverain remercia le ciel que le sort d'interprétation des langues n'ait pas pris fin.

– Je cherche Onyx.

– Il ne t'a pas dit où il allait ? s'étonna Féliss, car il savait que les deux hommes étaient de bons amis.

– Nous ne nous sommes pas parlé depuis longtemps et quand j'ai voulu le revoir, j'ai appris qu'il avait quitté le continent. Est-il à Itzaman ?

– Non, mais si tu veux, je peux te dire tout ce que je sais. Viens.

Féliss ramena Hadrian devant le palais et le fit asseoir sur un tapis de paille tressée, avant de lui présenter un gobelet de chocolat chaud. Cette boisson était réservée aux personnages importants et aux visiteurs de marque.

– C'est quoi cette histoire de Nacalts ?

– Avant que les dieux divisent la nation qui vivait au pied des volcans, nous étions tous des Nacalts. Ce sont nos croyances qui nous ont alors opposés les uns aux autres. Cette séparation s'est produite il y a si longtemps que nous l'avions oubliée. Onyx nous a ouvert les yeux. Il voulait que nous cessions de nous battre et que nous redevenions un seul peuple.

– Vous avez tous renié vos dieux ?

– Oui et, à la demande d'Onyx, nous avons décidé de n'en vénérer qu'un seul : Abussos, celui qui a tout créé. Une excellente décision, si tu veux mon avis, car elle nous a rapprochés des Ipocans.

– Mais comment a-t-il réussi à accomplir ce tour de force chez les Tepecoalts ?

– En les débarrassant des prêtresses qui leur empoisonnaient l'esprit.

– Vous êtes donc des alliés, maintenant ?

— Je sais que c'est difficile à croire, mais c'est vrai. Ils sont désormais gouvernés par Axayaochtli, le régent de l'empereur. Même les Mixilzins, dont la population a été réduite à une poignée d'hommes et de femmes lorsque l'eau du nord a déferlé sur nos terres, ont leur propre représentant. Il s'appelle Hatuncuito.

— Je suis ravi qu'une paix durable règne enfin sur les tiens, Féliss, mais j'avoue être très surpris que mon ami Onyx en soit l'instigateur.

— Ne sais-tu pas déjà qu'il est un homme bon ?

— Depuis sa guérison miraculeuse, son comportement est devenu plutôt imprévisible. Je ne sais plus quoi en penser.

— C'est pour cette raison que tu es à sa recherche ?

— J'ai besoin de lui parler d'une affaire personnelle.

— N'utilisez-vous pas le langage de l'esprit pour communiquer entre vous ?

— J'ai tenté plusieurs fois de le contacter par télépathie, mais il refuse de me répondre.

— Ce qu'il a entrepris ne lui laisse certainement pas beaucoup de temps pour renouer avec ses vieux amis.

— Parle-moi de ses plans, Féliss.

Le jeune homme ramassa un bout de bois et dessina dans la poussière une carte rudimentaire du continent d'Enlilkisar.

– Onyx poursuit sa mission de paix vers l'est, expliqua-t-il. Ici, c'est le pays des féroces Hidatsas et juste après, celui des Anasazis.

– Je me rappelle avoir traversé ces territoires avec lui lorsque nous étions à la recherche de sa fille. Ces guerriers sont en effet assez féroces.

– Si ton ami est venu à bout des Tepecoalts, il est certain qu'il les amadouera sans difficulté.

– C'est ce que je découvrirai bientôt, n'est-ce pas ?

– Tu ne vas pas partir tout de suite ? se chagrina Féliss.

Pour ne pas le décevoir, Hadrian accepta de rester quelques jours. Un grand festin fut organisé en l'honneur de « l'ami de l'empereur », un titre dont l'ancien roi se serait volontiers passé. Il mangea, but et écouta les discours de Féliss et de Hatuncuito sur l'avenir glorieux des Nacalts. Puis de belles femmes vinrent exécuter les danses folkloriques itzamanes. La musique des flûtes et des tambours, combinée aux effets grisants de la chicha, une boisson alcoolisée à base de maïs, fit oublier à Hadrian tous ses soucis. Il se laissa bercer par le balancement des hanches des danseuses et les mouvements ondoyants des longues plumes de leurs coiffes.

Le visage d'une des filles rappela alors à Hadrian celui de sa défunte épouse. Il ne la lâcha plus des yeux, et lorsque le spectacle fut terminé, il réussit à se rendre jusqu'à elle en titubant.

— Éléna ? demanda-t-il, éberlué.

Assise parmi ses amies, la jeune femme se tourna vers lui. Elle avait de longs cheveux noirs et des yeux de velours.

— Je m'appelle Meyah, le corrigea-t-elle. Je ne connais pas Éléna.

— Meyah... Tu lui ressembles tellement que j'en perds mes moyens.

— C'est l'alcool. Il fait voir beaucoup de choses qui ne sont pas là.

— Je ne suis pas intoxiqué au point de ne pas reconnaître les traits d'une personne que j'ai beaucoup aimée.

— Après l'exaltation vient le sommeil et après, c'est le mal de tête, l'avertit-elle en riant.

— On ne m'abat pas aussi facilement que ça, mademoiselle. Puis-je m'asseoir avec toi ?

— Oui, mais pas ici. Ce ne serait pas convenable.

— Même si j'ai passé plusieurs jours auprès des tiens, il y a quelque temps, je n'ai malheureusement pas eu le temps de m'informer de toutes vos coutumes.

Meyah prit la main du roi et l'emmena s'asseoir plus près du grand feu, là où tout le monde pouvait les voir, et surtout ses parents.

– Pourquoi ne t'avais-je jamais remarquée ? voulut savoir Hadrian.

– C'est la première fois que nous dansons depuis des années. Nous n'avions pas souvent l'occasion de nous réjouir auparavant.

– Parle-moi de toi.

– Il n'y a pas beaucoup à dire. J'habite à l'autre bout de la piazza avec ma famille. Des fois, je m'occupe de mes petits frères, d'autres fois je travaille aux champs. Quand mes parents me le permettent, j'apprends à danser avec les aînées pour que la tradition ne se perde pas.

– Tu dois être très jeune.

– J'ai seize printemps. L'année prochaine, je pourrai me marier.

– Tu as un fiancé ?

– Non... mais mon père connaît des hommes qui sont en train de bâtir leur maison pour attirer une femme.

« Comme certains oiseaux », se surprit à penser Hadrian. Sa tête commençait à tourner et il se demanda combien de temps il lui restait avant que l'alcool ne l'assomme.

– Ton père est-il ouvert à la possibilité que tu partages la vie d'un étranger ?

– Je ne sais pas, mais moi, ça me plairait beaucoup, surtout si cet étranger m'emmenait dans son pays. J'aimerais voir des choses différentes.

– C'est très, très bien.

Encouragée par le sourire enjôleur de l'ancien monarque, Meyah se leva et se mit à danser devant lui. Le silence tomba sur l'assemblée et seul un flûtiste osa le briser afin d'accompagner la jeune intrépide. Lorsqu'elle enleva le collier de perles multicolores qu'elle portait, des protestations s'élevèrent plus loin dans la foule. Un homme se leva en vociférant et se fraya un chemin entre les convives.

– Meyah, c'est assez ! lança-t-il.

Avant qu'il puisse se rendre jusqu'à la jeune femme, celle-ci passa le collier autour du cou d'Hadrian, qui souriait de toutes ses dents. L'homme s'immobilisa à deux pas du visiteur, son visage décomposé par la terreur.

– C'est trop tard, papa, lui dit Meyah avec un air effronté.

Une dizaine d'Itzamans vinrent alors chercher le père, paralysé par l'audace de sa fille. Au même moment, les autres danseuses se précipitèrent sur cette dernière en riant et en caquetant toutes en même temps. Féliss apparut alors aux côtés d'Hadrian.

— Peux-tu me dire ce qui se passe ? s'étonna l'ancien roi.

— Toutes mes félicitations. Tu viens de te marier.

— Quoi ?

— J'imagine que ça ne se passe pas ainsi chez toi.

— Même dans les mariages arrangés, les futurs époux se courtisent un peu, puis ils échangent leurs vœux devant un représentant du culte...

— Ici, c'est plus rapide.

— Je viens juste de rencontrer cette fille.

— Tu auras l'occasion d'apprendre à la connaître, puisque nos lois t'obligent à rester avec elle au moins jusqu'à la prochaine lune avant de pouvoir construire ta propre maison.

— Féliss, c'est insensé...

— C'est ce que disent tous les hommes qui se font avoir quand ils ont trop bu. Mais n'aie aucune inquiétude, tu es bien tombé. Meyah est fière et hardie, mais c'est une bonne fille. Elle est travaillante et dévouée. Elle te donnera beaucoup d'enfants.

Hadrian fixa le régent droit dans les yeux pendant quelques instants, puis tomba à la renverse. Féliss ordonna à deux guerriers de le transporter dans le palais et de l'installer sur de la paille, dans un coin tranquille. Docilement, Meyah les suivit.

Quand l'ancien roi se réveilla le lendemain, tard dans la journée, il eut l'impression que quelqu'un lui frappait sur le crâne avec un marteau. Il battit des paupières et finit par discerner les traits de la jeune femme assise près de lui.

– Meyah, c'est bien ça?

– Non, c'est Éléna, le taquina-t-elle.

Elle éclata de rire, amplifiant son mal de crâne.

Tout comme il avait l'habitude de le faire lors de la première invasion, lorsqu'il avait trop bu avec Onyx, Hadrian appliqua ses mains sur ses tempes et se débarrassa de la migraine grâce à sa magie.

Libéré de la douleur, il parvint à s'asseoir. Le sourire avait disparu sur le visage de Meyah, qui l'observait maintenant avec surprise.

– Quoi? grommela-t-il.

– Tu fais de la magie comme l'empereur?

– Eh oui. Il n'est pas le seul à posséder des facultés surnaturelles, en ce monde.

– Nos enfants en auront-ils aussi?

– Je pense que nous allons un peu trop vite, ici.

– Lorsqu'un homme et une femme sont ensemble, il arrive qu'elle devienne grosse.

– J'ai passé toute la nuit en état catatonique.

– Pas toute la nuit...

L'air hébété de l'ancien souverain provoqua l'hilarité des autres habitants du palais.

– Quand pourrai-je me remettre en route ? demanda-t-il à Féliss, assis plus loin.

– Tu n'as qu'à surveiller l'ascension de la lune. Quand elle sera pleine, tu pourras partir... mais avec elle.

– Ce n'est pas sérieux ? Ne puis-je pas la laisser avec toi et la reprendre en revenant ?

– Tu insulterais sa famille et son père aurait le droit de la mettre à mort.

– Je serai utile, promit Meyah.

Féliss et les membres de sa famille s'esclaffèrent.

– Je vais aller me purifier et j'aimerais le faire seul, maugréa Hadrian en se levant.

– C'est en effet le seul endroit où elle n'a pas le droit de t'accompagner, précisa le régent, qui commençait à trouver la situation de plus en plus drôle.

— Je te ferai manger à ton retour, affirma la nouvelle mariée.

Hadrian quitta la maison en pierre en faisant claquer le tapis qui en protégeait l'entrée.

18

UNE IMMENSE CACHETTE

M̀ême si Kira avait demandé à Dinath et Dylan d'aller veiller sur ses jumeaux lorsqu'ils avaient découvert la disparition de Lazuli, ceux-ci avaient décidé de localiser l'adolescent avant de se rendre à Shola. Tout comme Mahito, ils avaient capté son énergie au-dessus du grand océan. À l'ouest se trouvaient plusieurs contrées, dont Irianeth. Pourtant, personne n'habitait la portion orientale de ce continent, même si ses grandes étendues de pierre avaient été remplacées par de vastes champs de fleurs. Les seules façons de traverser cet immense détroit, c'était sur la mer ou dans les airs. Or le ravisseur de Lazuli se déplaçait trop rapidement pour se trouver à bord d'une embarcation. La terrifiante image du sorcier Asbeth, qui ressemblait à un homme-corbeau, était apparue dans l'esprit de Dinath et de Dylan.

— Ça ne peut pas être lui, tenta de se rassurer la jeune femme. Le Chevalier Kevin a affirmé l'avoir éliminé une fois pour toutes.

— Si ce n'est pas lui, c'est assurément une autre créature volante, conclut Dylan.

— Un dieu aviaire ?

– Lazuli est lui-même à demi oiseau.

– Alors, c'est une bonne nouvelle, se réjouit Dinath. Seul un rapace peut l'avoir enlevé et il est certain qu'il ne lui fera aucun mal.

– Il y a fort à parier qu'il a agi ainsi pour soustraire l'enfant à ses ennemis félins.

– Ce n'est pas impossible.

– Allons voir si on l'a emmené à Irianeth.

– Mais les jumeaux ?

– Nous n'y serons que quelques minutes à peine.

Les deux Immortels se prirent par la main et se transportèrent sur le quai d'Irianeth. Il n'y pleuvait pas autant qu'à Enkidiev. Le château noir s'élevait devant eux, immuable dans la tempête. Il n'y avait aucune lumière dans ses nombreuses fenêtres.

– Ressens-tu une présence quelconque ? s'enquit Dylan.

Dinath se concentra profondément afin de scruter chaque recoin de la forteresse. Pendant ce temps, dans la chambre royale où Sparwari avait construit son nid, Lazuli avait senti l'approche des demi-dieux, ce qui n'était pas difficile, même pour un néophyte, car il se dégageait d'eux une incroyable énergie. Le garçon fit immédiatement ce que lui avait recommandé son père : il s'immobilisa et se rendit invisible. « Comment ont-il su que Sparwari m'emmènerait ici ? » s'inquiéta-t-il. « Que va-t-il m'arriver s'ils me trouvent ? » Lazuli ne voulait pas retourner à Shola, car il mettrait sûrement les jumeaux et la famille de Myrialuna en danger. Il ferma les yeux et s'efforça de respirer le plus lentement possible afin de faire tenir son bouclier invisible jusqu'à ce qu'il soit de nouveau seul.

Dinath et Dylan marchèrent vers le nouveau château construit pour un roi qui ne savait même pas qu'il existait. Ils allaient ouvrir les grandes portes lorsqu'un dragon se posa lourdement sur le quai. Les Immortels firent volte-face pour voir Nartrach descendre sur le sol et s'approcher d'eux à grands pas.

— Vous aimez ? lança l'homme-Fée.

Il faisait référence aux tuiles qu'il avait ajoutées sur les toits.

— Il est absolument parfait, mais désert, soupira Dinath.

— Onyx finira bien par se lasser de ses aventures et il sera content d'avoir un plus beau pied-à-terre.

— Nous ne sommes pas venus jusqu'ici pour admirer l'immeuble, lui dit Dylan. Nous cherchons notre neveu.

— Le petit Lazuli ?

— Il a disparu de sa chambre à Espérita et nous avons trouvé son lit labouré par de puissantes griffes.

— Ce n'est pas très rassurant...

– Nous pensons qu'un dieu rapace est venu le chercher juste avant l'agression, car il n'y avait pas de sang dans les draps.

– Et vous pensez que son sauveteur l'aurait caché ici ?

– Nous avons perçu sa présence au-dessus de l'océan, expliqua Dinath. Il n'y a pas beaucoup d'autres endroits où il aurait pu le déposer.

– Irianeth s'étend beaucoup plus loin que ce petit bout de terre en bordure de la mer, répliqua Nartrach. Au-delà des montagnes de l'ouest, il y a des paysages époustouflants et même de la vie. Rien ne prouve que le ravisseur se soit arrêté ici.

– Il est vrai que nous ne ressentons aucune présence, ni humaine, ni magique, dans les environs.

– Malheureusement, nos vortex ne peuvent pas nous emmener plus loin qu'ici, déplora Dylan.

– Alors, montez avec moi sur Nacarat et je vous montrerai jusqu'où s'étend ce continent. Vous pourrez en profiter pour chercher Lazuli avec vos pouvoirs magiques.

– C'est une excellente idée.

Le trio grimpa sur le dos du dragon, qui s'envola aussitôt vers le ciel. Dans sa cachette, Lazuli sentit les Immortels s'éloigner, mais il attendit qu'ils soient rendus à une grande distance du château avant de quitter le nid. Il se risqua sur le balcon et vit la créature volante s'élever au-dessus des montagnes en dents de scie à l'horizon. C'était le moment ou jamais d'aller chercher de la nourriture, car ils allaient probablement revenir de ce côté une fois qu'ils auraient constaté que leur neveu ne s'y trouvait pas.

N'ayant pas une minute à perdre, au lieu de se précipiter dans l'escalier, Lazuli se transforma en gerfaut et piqua vers les vergers. Toutefois, il ne pourrait pas rapporter sa ration de fruits sous cette forme. Il redevint donc humain et cueillit tout ce qu'il put en un temps record, puis il courut de toutes ses forces vers son refuge. Trempé de la tête aux pieds, il s'assit au milieu de la grande chambre royale et dévora son repas. Il aurait vraiment aimé allumer un feu pour se réchauffer, mais la fumée aurait tout de suite attiré les Immortels.

Dès qu'il fut rassasié, il se coucha en boule dans le nid, où il se frictionna les bras jusqu'à ce que ses vêtements finissent par sécher. Il continua de scruter les alentours, craignant de voir réapparaître le dragon, mais rien ne se produisit. Cette attente était insupportable. Il aurait probablement trouvé un moyen de s'occuper, s'il n'avait pas fait l'objet d'une telle recherche. «Sparwari, où es-tu?» se désespéra-t-il.

L'épervier était retourné à Émeraude et bravait l'orage, juché sur le toit du palais, appuyé contre une cheminée pour se protéger des bourrasques. Il n'allait pas être facile de se saisir d'une petite fille dans une température pareille, car ses parents ne la laisseraient probablement pas sortir avant une accalmie. Au mieux, Sparwari attendrait que tous s'endorment après la tombée de la nuit et s'infiltrerait dans la maison du forgeron pour s'emparer de la jeune effraie.

Il secoua encore une fois ses plumes pour en chasser l'eau et se résigna à faire le guet. Il ferma les yeux à quelques reprises pour refaire ses forces, puis crut entendre un bruit insolite. Il tendit le cou et examina la cour à la lueur des éclairs. C'est alors qu'il vit un énorme chat raser la muraille en direction de la chaumière de Morrison. Sparwari reconnut aussitôt son énergie : ce n'était pas un animal ordinaire, mais un dieu félidé. Étanna avait donc dépêché un de ses enfants pour assassiner la fille de Lycaon.

Ne perdant pas une seconde, l'épervier prit son envol et alla barrer la route au caracal. Les deux divinités reprirent leur apparence humaine en même temps.

– Ôte-toi de mon chemin, rapace ! tonna Corindon, qui n'entendait pas manquer sa deuxième victime.

– Retourne d'où tu viens, assassin d'enfants, sinon je ne donne pas cher de ta peau, l'avisa Sparwari.

Le caracal continua d'avancer en faisant fi de l'avertissement. En devenant un dieu aviaire, Sparwari n'avait pas tout oublié de sa première vie à Émeraude. Il chargea rapidement ses paumes et lança un rayon brûlant sur Corindon, le blessant à l'épaule. Celui-ci écarquilla les yeux, étonné par ce qui venait de se produire. Le choc passé, il se transforma en félin et bondit sur l'homme qui le séparait de sa proie. Le dieu-épervier n'eut pas le temps de s'esquiver et il fut durement plaqué dans la boue. Il se retourna vivement et agrippa le félin par sa courte queue. Ce dernier poussa un miaulement rauque et balaya l'air de sa patte griffue, à quelques centimètres du visage de son assaillant.

— Mais qu'est-ce qui se passe dehors ? fit la voix agacée du forgeron, à la porte.

Puisque Sparwari ne lâchait pas prise, Corindon se rua sur lui, la gueule ouverte, afin de lui trancher la gorge avec ses crocs aiguisés.

— Allez vous battre ailleurs ! hurla Morrison.

Il s'immobilisa en apercevant un gros chat qui s'en prenait à un humain.

— Par tous les dieux ! s'écria-t-il en se portant au secours de l'étranger.

Sparwari lâcha le caracal, se transforma en épervier et s'envola vers le toit. Cela ne surprit nullement Morrison qui avait souvent vu Fabian et Shvara se changer en oiseau de proie. En position d'attaque, le félin regardait le forgeron dans les yeux.

— Cyndelle, apporte-moi ma hache ! ordonna-t-il.

La fillette sortit en traînant l'arme sur le sol. Sans perdre le gros chat des yeux, Morrison tendit la main pour qu'elle y appuie le manche. Sparwari comprit que ce serait sa seule chance de ravir Cyndelle. Il augmenta considérablement sa taille et piqua sur elle, la saisit par les épaules et fonça vers le ciel.

— Papa ! cria l'enfant, terrorisée.

– Non ! rugit le forgeron en levant les yeux vers le rapace géant.

Mais il devait d'abord régler le cas du caracal. Il baissa les yeux et s'aperçut qu'il avait mystérieusement disparu. Il se laissa tomber sur les genoux en poussant un hurlement de douleur qui attira aussitôt sa femme et son fils.

– Que se passe-t-il ? s'alarma Jahonne. Es-tu blessé ?

– Il a pris Cyndelle !

– Qui ça ?

– Un oiseau énorme ! Un dieu aviaire !

Jahonne le serra par derrière et se mit à pleurer avec lui.

– Je pense que vous vous énervez pour rien, fit alors Elrick, debout sous la pluie.

Les parents se tournèrent vers lui en même temps avec l'intention de lui ordonner de rentrer dans la maison.

– La pierre d'Abussos nous protège contre Azcatchi, alors ce n'est pas lui qui l'a enlevée.

– Allons voir le roi pour lui dire ce qui vient de se passer, exigea Jahonne. On dit qu'il a de grands pouvoirs magiques. Il pourra certainement nous aider.

– Jamais de la vie ! C'est le pire d'entre tous ! Et ne viens pas me dire que s'il était méchant, il ne pourrait pas habiter au palais, Elrick ! Il est bien évident que cette foutue pierre a perdu sa magie depuis longtemps !

– Alors, qu'est-ce que tu vas faire, papa ?

– Tais-toi et retourne dans la maison.

– Tu ne peux pas te lancer à la poursuite d'un oiseau, parce que tu n'as pas d'ailes.

– Je t'ai dit de rentrer !

En voyant le visage de son père s'empourprer, le garçon tourna les talons et fonça dans la chaumière.

– Tu es toi aussi une créature magique, Jahonne, supplia Morrison.

– Mais je ne me transforme pas comme tous ces dieux. Je pourrais le pourchasser à pied, mais on n'y voit rien avec toute cette pluie. Si tu ne veux pas implorer le Roi Nemeroff de faire quelque chose, alors j'irai moi-même.

– Non ! C'est peut-être lui qui a commandé ce rapt !

– C'en est assez de toutes tes théories de conspiration, Morrison. Notre fille est en danger. Mets ton orgueil de côté. Nous avons besoin d'aide.

Malgré sa petite taille, Jahonne réussit à remettre son mari sur ses pieds, puis à le tirer en direction du palais. Les serviteurs adressèrent un regard découragé au couple qui demandait audience au roi, à la porte de son hall, en formant une mare d'eau sur le plancher.

– Faites-les entrer, fit la voix de Nemeroff.

Jahonne poussa son mari dans la grande pièce. Ils aperçurent alors le roi, seul devant l'âtre où s'élevaient de longues flammes. Il se retourna lentement, visiblement agacé d'être ainsi importuné, et arqua un sourcil en apercevant le forgeron et sa femme mauve trempés jusqu'aux os.

– Notre fille vient d'être enlevée sous nos yeux ! s'écria Jahonne.

– Avez-vous vu son ravisseur ? demanda Nemeroff, très calme.

– C'était un gros rapace noir et blanc !

À côté de l'hybride, Morrison ne disait rien, mais son visage exprimait la colère. Toutefois, le souverain n'était pas sûr si elle était dirigée contre le malfaiteur ou contre lui.

– Pouvez-vous nous aider ? insista Jahonne.

– J'ai bien peur que nous devions attendre la fin de la tempête. Sous cette pluie, mes meilleurs chasseurs seraient incapables de pister même un volatile géant.

– Ne possédez-vous pas de puissantes facultés magiques, comme votre père ?

– Oui, bien sûr, mais pas celle de me transformer en oiseau, Lady Jahonne. Et d'ailleurs, comment pourrais-je le traquer alors qu'on n'y voit rien dehors ?

– Que pouvons-nous faire ?

– Rien, pour l'instant.

– Mais vous êtes un dieu ! laissa finalement tomber le forgeron.

– Mes pouvoirs ont des limites.

– Sortons d'ici, Jahonne, grommela Morrison. Il est bien évident qu'il n'a pas l'intention de lever le petit doigt pour nous.

Il saisit sa femme par le bras et l'entraîna vers la sortie. La pauvre femme continua de fixer Nemeroff avec un regard suppliant jusqu'à ce qu'elle ait quitté la salle.

– Comptez-vous chanceux que je ne lève pas le petit doigt, murmura le roi, irrité.

✳ ✳ ✳

Le trajet de retour de Sparwari vers Irianeth ne fut pas très plaisant pour la jeune Cyndelle, qui se faisait fouetter par la pluie et le vent et qui voyait passer les éclairs tout près d'elle lorsqu'ils fonçaient vers la terre. Elle tenta de se libérer des serres de l'oiseau de proie, puis s'immobilisa, car elle ne savait pas à quelle altitude elle se trouvait. Une chute aurait pu lui être fatale.

Dans la tourmente, Sparwari ne ressentit pas la présence du dragon qui volait en sens inverse, se hâtant de retourner à Enkidiev. Il demeurait fixé sur son but, infatigable malgré la fureur des éléments. Lorsqu'il déposa enfin sa captive sur le balcon du Château d'Irianeth, celle-ci était à bout de force. Elle s'écroula sur le sol, incapable de faire un seul pas. Lazuli, qui avait entendu des battements d'ailes au milieu des roulements de tonnerre, courut aux devants de son père.

– Cyndelle ?

Elle gisait sur le plancher, ses longs cheveux noirs collés sur sa tête et son visage. Derrière elle, Sparwari venait de reprendre sa forme humaine. Il prit Cyndelle dans ses bras et la porta à l'intérieur.

– Elle est dans un état épouvantable ! lâcha Lazuli, effrayé.

– Ce n'est pas ma faute si tu m'as demandé de la sauver durant les premières tempêtes de la saison des pluies.

Le dieu-épervier se pencha pour examiner la petite.

– Il lui faudrait des vêtements secs, conclut-il.

– Le problème, c'est qu'il n'y a absolument rien dans ce château, répliqua Lazuli. Je l'ai fouillé de fond en comble.

Sparwari alluma donc un feu magique dans l'âtre de la chambre et coucha Cyndelle devant les flammes.

– Ils devront donc sécher sur elle. As-tu mangé ?

– Oui, mais il s'en est fallu de peu que mon oncle et ma tante me repèrent. Ils sont venus ici et Nartrach est arrivé ensuite avec son dragon.

– Tu as suivi mes conseils ?

– Oui et grâce à eux, ils ne m'ont pas trouvé.

– C'est bien.

– Il ne manque plus qu'Aurélys.

– Si tu n'y vois pas d'inconvénients, ce sauvetage attendra à demain.

Épuisé, Sparwari alla s'allonger dans le nid de paille.

– Était-elle en danger, comme nous le craignions ? demanda son fils.

– Elle aurait pu mourir...

Le dieu-épervier ferma les yeux. Alors, Lazuli alla s'asseoir près de Cyndelle en attendant qu'elle revienne à elle.

19

L'AIGLE NOIR

Même s'ils vivaient isolés de la majorité des habitants du Royaume d'Émeraude, Falcon et Wanda n'auraient jamais échangé leur place avec qui que ce soit. Les fermes se situaient au sud et à l'ouest du château. À l'est et au nord s'étendaient de grandes forêts et de rares prairies. C'était sur l'une d'elles que les deux Chevaliers avaient établi leur ranch. Les chevaux-dragons avaient l'apparence des chevaux ordinaires, mais ils avaient des besoins différents. Ils aimaient bien sûr brouter, galoper et se sentir libres. Cependant, leur intelligence supérieure les poussait à entretenir des liens particuliers entre eux et avec les humains. À l'âge adulte, ils n'avaient aucun ennemi. Même les grands chats de Rubis se contentaient de les observer de loin. Mais à leur naissance, les poulains étaient aussi vulnérables que de petits poussins. C'était là qu'intervenaient les deux éleveurs. Au moment de mettre bas, les juments rentraient d'elles-mêmes à l'écurie, où elles se sentaient davantage en sécurité.

Falcon adorait ces nobles bêtes et, au fil du temps, il avait appris à communiquer avec elles grâce à son langage corporel. Il comprenait également le leur. Ayant constaté que les chevaux-dragons raffolaient des aubergines, il en faisait pousser dans son jardin, aux côtés des tomates, des concombres, des oignons, des carottes, des pommes de terre et des pastèques. Les humains ne les auraient pas consommées crues, mais c'était ainsi que son troupeau les aimait, avec la peau et tout. Les Chevaliers voyaient donc à remplir d'aubergines de grands baquets en bois aussi souvent que possible.

Durant la saison chaude, les chevaux-dragons se dispersaient jusqu'aux frontières de Diamant et de Rubis, puis quand les gros nuages noirs commençaient à rouler dans le ciel, ils se rapprochaient progressivement de la ferme. Falcon et Wanda avaient construit une immense écurie, mais sans aucune stalle. Leurs animaux aimaient se coller les uns contre les autres pour dormir. Ils y entraient et en sortaient à leur guise et, comme les chats, ils ne faisaient aucun de leurs besoins à l'intérieur. Lorsqu'ils éprouvaient l'envie de se soulager, ils quittaient la chaleur du bâtiment et allaient dehors.

La pluie n'importunait pas vraiment ces créatures dont la peau avait la même texture que celle des grenouilles, même si, à première vue, elle ressemblait à la robe des chevaux normaux. Imperméable, elle les protégeait aussi du froid. Mais le tonnerre et les éclairs les rendaient nerveux. Chaque fois qu'un orage se préparait, les Chevaliers les voyaient revenir au galop vers les abris.

En ce début de la saison froide, Falcon, Wanda et leur fille Aurélys ne sortaient que pour faire une courte ronde et s'assurer que leurs pensionnaires avaient tout ce qu'il leur fallait. Ils passaient le plus clair de leur temps à l'intérieur à préparer des conserves, à repriser des vêtements, à réparer des outils et à lire. C'était habituellement l'époque de l'année où la proximité quotidienne aidait la famille à resserrer ses liens, mais depuis la visite d'Anyaguara, quelque chose avait changé. Wanda, d'ordinaire joyeuse et bavarde, vaquait à ses corvées dans un silence inquiétant. Elle aurait préféré que personne ne sache que son contact avec Mann l'avait changée.

Depuis ce jour fatidique où elle avait trouvé son compagnon d'armes sous le Château d'Émeraude, en proie à de grandes douleurs, elle avait commencé à faire d'étranges rêves. Au début, elle n'y avait pas prêté attention, car ils étaient des plus farfelus, mais au fil des ans, ils étaient devenus un peu trop clairs à son goût.

Certains événements que Wanda avait vus la nuit avaient commencé à se produire quelques jours ou quelques semaines plus tard. Étonnée davantage qu'effrayée, elle n'en avait pas parlé tout de suite à son mari, jusqu'au jour où elle avait vu à l'avance se produire un accident. Ce matin-là, elle avait demandé à Falcon de ne pas aller à la rivière. Quand il avait insisté pour connaître la motivation de son avertissement, elle s'était décidée à lui raconter son rêve.

Comme tous les autres Chevaliers, Falcon avait appris que les rêves n'étaient que l'expression de désirs refoulés ou de craintes injustifiées. Il avait donc rassuré sa femme comme il le pouvait et lui avait promis d'être extrêmement prudent. Malgré toutes ses précautions, il avait tout de même fait une chute à l'endroit décrit par Wanda et s'était entaillé un genou tout comme elle le lui avait prédit. Il avait pris le temps de soigner sa blessure, car c'était un pouvoir qu'avaient conservé les Chevaliers après la guerre, mais il avait dû rentrer à pied, sa monture ne l'ayant pas attendu.

Une fois Aurélys endormie, le couple avait discuté tout bas de cette étrange coïncidence et Wanda avait dû avouer à son mari qu'elle rêvait de plus en plus à des choses qui ne s'étaient pas encore produites.

Les mois passèrent, puis surgirent les cauchemars. Dans la plupart, elle se retrouvait assise sur le bord d'une rivière avec ses compagnons d'armes, dans l'esprit de camaraderie qui lui avait tant plu. Soudain, un immense nuage noir se formait juste au-dessus des volcans pendant que des milliers de créatures hostiles se mettaient à en descendre comme une marée de fourmis. Les Chevaliers n'avaient jamais le temps de sortir leur épée ni d'utiliser leurs pouvoirs magiques : ils étaient écrasés. Chaque fois, la pauvre femme se réveillait en étouffant un cri d'horreur. Falcon la rassurait de son mieux en affirmant que ce ne pouvait pas être une prémonition, puisque les Chevaliers n'avaient plus d'ennemis.

Ses rêves les plus récents étaient cependant les plus troublants. Ils avaient tous lieu dans les couloirs d'un château qu'elle ne reconnaissait pas. Pourtant, elle avait visité tous ceux d'Enkidiev durant sa carrière militaire et, à sa connaissance, il ne s'en était pas construit d'autres. Dans l'ombre, elle apercevait une silhouette immobile et menaçante. Elle ne pouvait pas distinguer ses traits, mais elle tremblait de peur. Le mauvais rêve s'arrêtait d'abord à cet endroit, mais depuis peu, il avait commencé à se rendre plus loin. Elle avait vu clairement qu'il s'agissait d'un homme de forte stature qui se déplaçait avec beaucoup d'assurance. Elle l'avait même suivi dans les corridors et dans un grand escalier, jusqu'à ce qu'un autre homme, dont le corps illuminé était aveuglant, se présente devant lui.

Un duel s'ensuivait et c'était toujours l'ombre qui gagnait sur la lumière.

Tout comme elle l'avait raconté à Anyaguara, elle avait aussi commencé à rêver à une fillette de deux ans, habillée en rouge. Elle se tenait debout sur la berge opposée d'une rivière et lui souriait, tout à fait inconsciente que derrière elle une armée composée de milliers de soldats arrivait au galop. Wanda ouvrait toujours les yeux au moment où la petite était sur le point d'être écrasée par les guerriers. Wanda avait repassé dans son esprit tous les bébés qu'elle connaissait, mais aucun ne correspondait à cette enfant, qui semblait avoir des traits qu'on ne retrouvait pas à Enkidiev.

Cette nuit-là, l'orage l'ayant empêchée de dormir, Wanda se crut à l'abri de ses terribles cauchemars, mais quelques heures avant l'aube, elle finit tout de même par s'assoupir. Elle reçut alors une terrible vision de l'avenir et se réveilla en hurlant. Falcon l'attira dans ses bras et la serra jusqu'à ce qu'elle finisse par se calmer. Tirée de son sommeil par les cris de sa mère, Aurélys accourut.

— Est-ce que ça va ? s'alarma l'adolescente.

— C'est juste un rêve, la rassura Falcon.

— Elle semble plus effrayée qu'à l'habitude.

— Nous allons tous mourir, pleura Wanda.

— Cette fois-ci, j'ai vraiment peur, papa.

Falcon força sa femme à s'asseoir et caressa tendrement son visage.

– Raconte-nous ce que tu as vu.

– Une énorme vague s'est abattue sur Enkidiev.

– Sur tout le continent ?

Elle hocha vivement la tête.

– Il a été complètement englouti, puis le torrent s'est mis à tourbillonner, comme lorsque tu enlèves le bouchon dans le fond de l'auge des chevaux. L'eau a tout emporté dans le trou !

– Mais tu vois bien qu'une telle catastrophe est impossible, tenta de la raisonner Falcon. Aucune lame déferlante ne pourrait recouvrir entièrement Enkidiev. C'est inconcevable.

– Et il n'y a pas de trou suffisamment grand où que ce soit pour avaler tous les gens avec leurs maisons, ajouta Aurélys. S'il y en avait un, vous l'auriez vu, papa et toi, quand vous alliez à la guerre. Vous êtes passés partout, non ?

– Ma chérie, je veux bien croire que certains de tes rêves ont été prémonitoires, mais celui-là...

Rien de ce que purent lui dire son mari et sa fille n'apaisa Wanda. Ce jour-là, au lieu de s'acquitter de ses tâches, elle se recroquevilla devant l'âtre sans cesser de trembler de tous ses membres. À voix basse, Aurélys finit par avouer ses craintes à son père.

– Je sais bien que ce qu'elle a vu est impensable, mais si nous ne faisons rien pour elle, j'ai peur qu'elle finisse par perdre la raison... chuchota l'adolescente.

– Je suis d'accord avec toi, mais je ne sais pas très bien quoi faire. Je suis plus un homme d'action qu'un homme d'esprit.

– Tes anciens compagnons ne pourraient-ils pas nous venir en aide ?

– J'y pensais justement. Il ne fait pas très beau, mais avec de bonnes capes imperméables, nous pourrions nous rendre chez Dempsey et Chloé. Je suis certain qu'ils trouveront une solution. Les chevaux ont tout ce qu'il leur faut. Il suffit seulement que je leur explique que nous ne serons partis que quelques jours.

– C'est une bonne idée.

Falcon se rendit donc à l'écurie. Ce qui était vraiment pratique avec les chevaux-dragons, c'était qu'ils pouvaient communiquer entre eux avec leur esprit. Alors, ce qu'on disait à quelques-uns était aussitôt connu du reste du troupeau. Le Chevalier expliqua donc aux juments devant lui que sa femme nécessitait des soins que seuls ses anciens compagnons pouvaient lui prodiguer et qu'ils devaient se rendre chez eux. Des sifflements aigus s'élevèrent dans l'écurie jusqu'à ce que trois solides bêtes s'approchent de lui, offrant de les transporter là où ils voulaient aller. Pas question de les harnacher. Les brides et les selles conventionnelles étaient trop petites pour ces animaux et, de toute façon, ils détestaient ce type de contrainte.

Sous de longues pèlerines de fourrure, la petite famille se mit en route sur le sentier le plus court qui menait à la ferme de Dempsey et Chloé. La pluie tombait sans discontinuer, mais le tonnerre avait arrêté de gronder, du moins pour le moment.

Falcon songeait à la façon d'expliquer à ses amis ce qui rongeait sa femme lorsqu'il fut ramené à la réalité par les cris aigus d'une jument-dragon derrière lui. Il se retourna et même à travers le dense rideau de pluie, il vit que sa fille n'était plus sur le dos de la bête qui se cabrait en regardant le ciel.

— Aurélys ! appela Falcon.

Il n'eut pas besoin de dire à sa monture de faire demi-tour : elle savait déjà qu'il y avait un problème.

— Où est-elle ? hurla Wanda.

Falcon leva les yeux, mais ne vit que des nuages. Le visage ruisselant, il répondit :

— Le cheval semble dire qu'elle est quelque part là-haut.

— Ce n'est pas la première fois qu'elle nous accompagne chez nos compagnons d'armes. Elle ne se serait jamais arrêtée pour grimper sur une branche.

Les parents voulurent rebrousser chemin, mais les juments-dragons refusèrent d'aller plus loin que la bête qu'avait montée Aurélys. Ils sondèrent donc la région jusqu'à la cime des arbres, mais ne la trouvèrent nulle part.

– Est-ce qu'elle aurait appris à former un vortex, par hasard ? commença à se fâcher Falcon.

– Elle m'en aurait parlé.

– Je me demande si elle n'a pas voulu nous jouer un tour en arrivant à destination avant nous.

– Il n'y a qu'une façon de le savoir.

Ils appelèrent leurs amis par télépathie. *Non, ta fille n'est pas ici,* leur apprit Chloé. Falcon leur raconta qu'ils étaient en route pour leur ferme lorsqu'elle s'était tout simplement volatilisée. *Poursuivez vos recherches,* leur recommanda Dempsey. *Nous arrivons.* Falcon mit pied à terre, se débarrassa de sa cape et grimpa dans un chêne pour avoir un meilleur point de vue. Les nuages étaient si bas qu'ils frôlaient la cime des arbres.

– Aurélys !

Sa voix se répercuta sur les pans rocheux de la montagne de Cristal à quelques kilomètres de là, au sud. Refusant de céder à la panique, Wanda choisit d'appeler sa fille par voie télépathique. *Maman !* lui répondit l'enfant. *Où es-tu ?* fit aussitôt Falcon. *Je n'en sais rien !* Il lui demanda de décrire ce qu'elle voyait. *Rien ! Il pleut trop ! On dirait que je suis suspendue à une branche !*

Falcon avait beau regarder, il ne distinguait rien dans les hauteurs. Il se demanda si le vent ne l'avait pas tout simplement projetée plus loin et agrandit son cercle de recherche. Les chevaux demeurèrent groupés sur le sentier, refusant de bouger.

«Elle est peut-être partie de cet endroit, mais maintenant, elle pourrait être n'importe où», se dit le père. *Surtout, reste calme!* Le silence qui suivit glaça le sang dans les veines des parents.

– Tu n'as pas fait de rêve sur ce qui vient d'arriver? s'enquit Falcon en revenant vers Wanda.

– Rien qui concernait Aurélys. Je suis désolée. Je ne comprends pas plus que toi ce qui se passe.

Refusant de se décourager, ils fouillèrent la forêt dans un rayon de plusieurs mètres, jusqu'à l'arrivée de leurs compagnons. Grâce à Dempsey et Chloé, ils purent étendre leurs recherches plus loin, mais elles demeurèrent vaines.

✳ ✳ ✳

Constatant que l'adolescente dont il venait de s'emparer sur son cheval en pleine forêt était suffisamment consciente pour appeler à l'aide, Sparwari avait resserré son emprise sur ses épaules et lui avait fait perdre connaissance. Il lui expliquerait une fois à Irianeth pourquoi elle ne pouvait plus avoir de contact avec qui que ce soit. Il ignorait si le caracal s'était caché quelque part sur le sentier qu'elle suivait avec ses parents. Il n'avait pas eu le temps de le vérifier.

Après une interminable bataille contre le vent et la pluie, le dieu-épervier se posa sur le balcon du Château d'Irianeth, soulagé que Lycaon n'ait eu que deux enfants avec des femmes humaines. Il n'aurait plus eu le courage de repartir dans la tempête pour en secourir d'autres. Changeant de forme, il transporta Aurélys à l'intérieur. Lazuli et Cyndelle se précipitèrent à sa rencontre.

– Elle reviendra à elle dans quelques minutes, leur promit Sparwari. Il est important qu'elle ne sache pas où elle est et qu'elle ne communique avec personne.

– Nous ne savons même pas nous-mêmes où nous sommes, lui rappela Lazuli.

– Je vais aller chercher à manger. Soyez prudents.

Les deux enfants s'assirent de chaque côté du petit aigle noir allongé près du feu.

– Es-tu bien certain qu'il a de bonnes intentions ? chuchota Cyndelle.

– C'est mon père. Il est normal qu'il essaie de nous soustraire à nos ennemis.

Aurélys commença à s'agiter.

– Du calme, fit Cyndelle pour la rassurer.

– Où suis-je ?

– En sûreté, répondit Lazuli.

– Est-ce qu'on nous a encore enfermés dans la tour d'Armène ?

– Non, dans un endroit encore plus difficile d'accès.

— Pourquoi ? s'étonna Aurélys en s'assoyant.

— Comme je l'ai déjà expliqué à Cyndelle, nous sommes tous les trois en danger, parce que nous avons du sang d'oiseau.

— Oh non... Pas encore...

— Cette fois, ce n'est pas notre panthéon qui essaie de nous reprendre, mais les dieux félins qui tentent de nous tuer, parce qu'ils sont en guerre contre les rapaces.

— Il dit la vérité, l'appuya Cyndelle. Un gros chat a essayé de s'en prendre à moi.

— Qui nous a emmenés ici ?

— Sparwari.

— Ton père ?

— Oui, et je pense qu'il restera avec nous jusqu'à ce que nous puissions enfin rentrer chez nous.

— Quand ? Dans deux jours, deux semaines, deux mois ?

— Il ne le sait pas lui-même, soupira Lazuli. Mais ce qui est important, c'est que nous ne communiquions pas par télépathie, même pas entre nous. Ceux qui nous cherchent sont des dieux. Ils pourraient nous entendre et fondre sur nous.

— Je n'aime pas être loin de mes parents et ne pas pouvoir leur dire que je vais bien. Ils doivent être morts d'inquiétude.

– Imagine dans quel état ils seraient s'ils t'avaient retrouvée morte.

Aurélys regarda autour d'elle avec découragement.

– On dirait un cachot...

– C'est juste parce qu'il n'y a aucun meuble, ici.

– Sommes-nous seuls ?

– Oui. J'ai vérifié.

Lazuli lui répéta les recommandations que lui avait faites Sparwari et lui promit de lui enseigner à sonder son environnement et à se rendre invisible.

– Je ferai ce qu'il faut pour survivre, mais j'avoue que j'ai très peur, cette fois.

– Nous sommes là, la rassura Cyndelle en lui enlevant sa cape de fourrure.

Sparwari revint quelques minutes plus tard avec un festin dans les plis de sa chemise. Il déposa les fruits devant les enfants et alla s'allonger dans le nid.

– Je pense que c'est à notre tour de veiller, chuchota Lazuli aux filles.

Tout en mordant dans les fruits, elles hochèrent la tête pour dire qu'elles étaient d'accord.

20

L'ETHNOLOGUE

'est dans un climat de bonne entente qu'Onyx, Napashni et Wellan s'apprêtèrent à quitter les Hidatsas après avoir passé quelque temps avec eux. Cidadagi avait été nommé régent de l'empire d'An-Anshar avec l'approbation de toute la nation. Onyx avait juré aux chefs que si les dieux-rapaces ou les dieux-félins devaient revenir sur le continent, il le saurait et reviendrait les chasser une fois de plus.

Cidadagi ayant longuement parlé des mœurs de ses voisins Anasazis aux trois compagnons, ceux-ci ne jugèrent pas nécessaire de faire un saut dans la rotonde de Pelecar afin d'y faire apparaître Lyxus et de le questionner à ce sujet. S'ils l'avaient fait, par contre, ils auraient appris plus rapidement que Kimaati avait établi sa propre loi dans la forteresse...

Ils grimpèrent donc sur les chevaux que leur avaient offerts leurs hôtes et se dirigèrent vers l'est.

Onyx était plutôt satisfait des résultats de ses efforts de paix jusqu'à présent. Six des pays du nouveau monde avaient prêté serment d'allégeance à son empire, soit Ipoca, Agénor, Itzaman, Mixilzin, Tepecoalt et Hidatsa. Il en restait encore sept selon la carte d'Enlilkisar que leur avait fournie Lyxus. À cette vitesse, il serait de retour chez lui avant la fin de l'année. Son but, très louable, était d'instaurer une paix permanente autant à l'est qu'à l'ouest des volcans, mais son dernier geste d'éclat serait de rendre An-Anshar habitable pour tous ceux qui désiraient en devenir citoyens. Onyx leur allouerait un lopin de terre et leur garantirait la prospérité.

Un autre projet lui trottait également dans la tête. Depuis qu'il avait appris que Nemeroff était de retour du royaume des morts grâce à son intervention magique, il rêvait du jour où il irait le chercher, ainsi que Cornéliane, Anoki et Jaspe, pour les ramener dans son nouveau domaine. Avec Ayarcoutec et le bébé qui naîtrait bientôt de sa compagne, il serait entouré de cinq beaux enfants.

En chevauchant entre Wellan et Napashni, Onyx respirait l'air frais en s'efforçant de prévoir ce qui l'attendait chez les Anasazis. À sa droite, la prêtresse était aussi silencieuse que lui. Sans doute se demandait-elle comment se débrouillait leur fille qui veillait sur le château en compagnie de son fidèle Pardusse et d'Azcatchi. À sa gauche, depuis leur départ, Wellan n'avait pas cessé d'écrire dans son journal sans regarder où il allait.

– Heureusement que ton cheval nous suit, laissa tomber Onyx pour le déconcentrer.

Absorbé par son travail, l'ancien commandant ne l'entendit même pas.

– Qu'es-tu en train d'écrire, Wellan ?

Puisqu'il ne réagissait toujours pas, Onyx fit apparaître une petite flamme au milieu de la page qu'il noircissait méthodiquement. Wellan étouffa un cri de surprise et se mit à taper sur le papier pour éteindre le feu.

– Maintenant que j'ai ton attention, dis-moi ce qui te préoccupe à ce point, fit l'empereur.

– Ce sont des notes, mes observations sur les Hidatsas et ce que ces derniers nous ont dit au sujet des Anasazis.

– Que fais-tu des Mixilzins, des Ipocans, des Itzamans et des Tepecoalts ?

– J'ai déjà beaucoup de matériel sur les trois derniers.

– Tu as rencontré des Ipocans ? s'étonna Onyx.

– Bien sûr, quand nous étions à la recherche de la fleur bleue qui devait te guérir. Shapal s'est avérée une mine d'or de renseignements.

– Ah oui, la fameuse fleur bleue...

– Je vais rédiger plusieurs manuels de géographie et d'histoire sur Enlilkisar et après, je réécrirai ceux qui concernent Enkidiev, car ils sont vraiment incomplets.

– Le grand commandant se transformerait-il en érudit ?

– C'est l'érudit qu'on a obligé à devenir soldat, précisa Wellan. Je vais utiliser ton journal, ainsi que ceux de tes anciens compagnons d'armes, pour raconter aux enfants ce qui s'est vraiment passé durant la première invasion. Pour avoir fouillé toute la bibliothèque d'Émeraude, je sais pertinemment que seules quelques bribes d'information se sont rendues jusqu'à nous.

– Ton courage est toujours aussi exemplaire, mon ami, car c'est une tâche colossale qui t'attend.

– Ce qu'on aime faire n'est jamais un fardeau.

– Tu n'as jamais aussi bien dit.

Wellan se remit à écrire, ce qui fit sourire Onyx. En temps et lieu, il persuaderait son lieutenant de raconter également comment un seul homme avait réussi à unifier en un seul peuple des millions de personnes de différentes races.

Ils arrivèrent en vue d'une rivière vers la tombée de la nuit et établirent leur campement sur la berge. Onyx alluma un feu pendant que Wellan s'occupait des chevaux.

– Je vais aller chasser, annonça Napashni.

– Pour quoi faire ? la taquina son amant.

Du poulet rôti, des pommes de terre grillées, du pain frais et du fromage apparurent devant l'empereur.

– Le commun des mortels fait des efforts pour obtenir ce dont il a envie, lui reprocha la prêtresse.

– Quand on possède d'aussi puissants pouvoirs que les miens, il faut les utiliser.

– Tu es étrangement de bonne humeur depuis notre départ, fit-elle en s'assoyant devant les victuailles.

Avec le bébé qui grandissait en elle, son appétit avait décuplé.

– Je suis content de moi, avoua Onyx avec un sourire de béatitude.

Wellan s'approcha après avoir attaché les chevaux à de longues cordes qui leur permettraient de paître sans s'éloigner. Il déposa son journal près de lui et huma l'air.

– J'avais oublié que j'avais faim.

– Mangez et si ce n'est pas suffisant, je sais où trouver d'autres mets succulents, déclara Onyx en découpant une tranche de volaille avec son poignard.

Napashni dévora les cuisses du poulet jusqu'aux os, puis se gava de pommes de terre et de fromage.

– Pas de vin ? s'étonna Wellan.

– Ce n'est pas bon pour le bébé, répondit Onyx. Alors, remplissez vos gourdes.

– Que feras-tu s'il naît au beau milieu de ta mission ?

– Je reconduirai la maman et l'enfant à An-Anshar pour qu'ils se reposent pendant quelque temps.

– C'est hors de question, se rebella Napashni. Le bébé viendra avec nous.

– De toute façon, j'aurai probablement visité tous les peuples d'Enlilkisar avant sa naissance.

– C'est un immense continent, lui rappela Wellan.

– Si nous ne perdons pas trop de temps, nous y arriverons.

– Ce qui me fait penser à une question que je voulais te poser juste avant que Cidadagi nous propose ses chevaux. Pourquoi ne pas avoir utilisé un vortex ?

– Parce qu'il nous aurait transportés beaucoup trop loin des villages des Anasazis et que nous aurions été obligés de faire le reste du chemin à pied.

Après le repas, Onyx fit disparaître les restes et s'allongea sur sa couverture pour regarder les étoiles. Wellan avait allumé une de ses paumes pour s'éclairer tandis qu'il écrivait dans son livre.

– Il y a une façon plus simple de faire ça, lui dit Onyx.

Le journal s'illumina aussitôt de l'intérieur, ce qui permit à Wellan d'utiliser ses deux mains pour travailler.

– La prochaine fois, ce sera à toi d'utiliser cette magie.

– J'y compte bien.

Napashni, incommodée par la brise fraîche, déposa sa couverture sur ses épaules.

– Qu'as-tu écrit sur les Mixilzins ? demanda-t-elle à l'érudit.

– Que c'est un peuple dominé par les femmes, même si elles ont un roi. Que les arts martiaux y occupaient une place importante. J'ignore toutefois si ces gens avaient une forme quelconque d'écriture.

– Oui, mais pas comme la vôtre. Les messages entre les villages étaient échangés à l'aide de quipous. C'étaient des faisceaux de cordelettes dont les couleurs, les combinaisons et les nœuds avaient plusieurs significations précises.

– En existe-t-il encore ?

– J'en avais commencé un lorsque j'habitais dans la forêt à Émeraude afin de transmettre cet art à ma fille. J'imagine qu'il doit encore s'y trouver.

– J'aimerais vraiment apprendre à l'utiliser.

– Pour échanger des messages secrets avec ma femme ? le taquina Onyx.

– Ou d'autres Mixilzins qui voudront bien communiquer avec moi, répliqua Wellan.

– Je t'en enseignerai les codes, quand nous reviendrons à An-Anshar, promit Napashni.

– Parle-moi des divisions sociales de ce peuple vivant sur le flanc des volcans.

– Tout en bas, on retrouvait les paysans et les artisans. Les premiers cultivaient la terre et les seconds fabriquaient tout ce dont nous pouvions avoir besoin, même les épées doubles. Suivaient les médecins sorciers, qui fabriquaient des remèdes à partir des plantes. Ensuite venaient les guerriers, en majorité des femmes, c'est vrai, mais cette caste comprenait aussi des hommes de mérite. Tout en haut se trouvaient les dirigeants. Il y avait un chef par village et un roi pour tout le pays, même si c'était surtout sa femme qui prenait les décisions.

– Combien de villages y avait-il ?

– Plusieurs centaines, qui rassemblaient chacun un ou plusieurs milliers de personnes.

– Décris-moi une maison typique.

– Il n'y avait des arbres qu'au pied des volcans. En abattre un et le tirer jusqu'au village aurait pris trop de temps et aurait attiré les Scorpenas, alors nous avons appris à bâtir des maisons en pierre recouverte de crépi blanc, avec des toits de chaume.

– Imperméables ?

– Pas du tout. Il ne pleuvait presque jamais et les rares fois où cela se produisait, nous accueillions la pluie avec beaucoup de plaisir, même dans les maisons. On la récoltait dans de grands bols en bois pour la boire ou pour arroser les plantes comestibles.

– Quel était le mobilier habituel d'une maison ?

– Chaque famille possédait un coffre en bois où elle remisait ses objets précieux et un cadre de lit surmonté d'un matelas rempli de paille.

– Pas de table ni de chaises ?

– Non. Des tapis de laine uniquement, pour s'asseoir et pour manger.

– Et la nourriture ?

– Surtout végétarienne, sauf les rares fois où des parties de chasse étaient organisées en forêt. Les Mixilzins cultivaient les pommes de terre et le maïs. Ils les cuisinaient de toutes sortes de façons.

– Mais s'il était dangereux de couper du bois, avec quoi alimentiez-vous les feux ?

– Avec du bois mort et des arbustes desséchés que nous trouvions en bordure de la forêt.

– Parle-moi du cycle de vie des Mixilzins.

– Les enfants étaient traités à peu près tous de la même façon jusqu'à la puberté. À l'âge de quatorze ans, les garçons étaient soumis à des épreuves physiques et recevaient leur premier pagne ainsi que leur premier tatouage. C'était la même chose pour les filles, mais il n'y avait pas d'âge précis. Le rituel se faisait lors de leurs premières règles. Les Mixilzins étaient polyandres. Les femmes pouvaient avoir plusieurs maris.

– Et les hommes ne pouvaient pas avoir plusieurs femmes ?

– Non, jamais. Aussi, les femmes pouvaient se marier plus jeunes qu'eux.

– Et que faisiez-vous des morts ?

– Ils les mangeaient, plaisanta Onyx.

– C'est faux ! protesta Napashni. Ils étaient revêtus de leurs plus beaux vêtements et placés dans un trou, puis recouverts de pierres. Les Mixilzins croyaient que même dans l'autre monde, ils continuaient de veiller sur leur famille.

– Quels dieux adoraient-ils ?

– Le panthéon reptilien, tout comme vous. C'est ce qui a divisé les Nacalts en trois civilisations distinctes. Les autres ont choisi les félins et les rapaces.

– Et la culture ?

– Est-ce que ça pourrait attendre à demain ? soupira Onyx, qui n'arrivait pas à fermer l'œil.

– Oui, bien sûr, acquiesça Wellan.

Il possédait déjà suffisamment de renseignements pour noircir plusieurs pages de son journal. C'est d'ailleurs ce qu'il commença à faire pendant que Napashni allait se blottir contre son amant. Il écrivit une partie de la nuit, puis déposa à côté de lui le grand cahier, qui conserva sa luminosité. Sans oser réveiller l'empereur pour qu'il mette fin au sortilège, il ferma les yeux.

Le lendemain matin, après un premier repas composé d'œufs brouillés et de thé, le trio se remit en route. Grâce à ses facultés magiques, Onyx repéra facilement l'endroit où la rivière se traversait à gué. La frontière entre le pays des Hidatsas et celui des Anasazis se situait quelque part entre le cours d'eau et les hautes montagnes qu'ils pouvaient déjà apercevoir à l'est, mais puisque c'était un terrain de chasse que se partageaient les deux nations, il n'était pas gardé.

– Selon Cidadagi, une fois que nous aurons franchi le col entre les deux plus hauts pics, nous verrons un très grand lac avec une île en plein centre, se rappela Wellan en levant la tête de son journal. Il nous faudra alors piquer vers le sud pour trouver les villages.

– Si tu veux écrire un jour des traités de géographie, ne serait-il pas préférable que tu arrêtes d'écrire et que tu observes le paysage ? fit Onyx. Il y a déjà des centaines de livres sur l'histoire d'Enlilkisar dans la bibliothèque de mon château.

– Mais ils ne contiennent pas ma perception de ses civilisations et ils ont sans doute été écrits il y a des lustres. Ce que je propose est une vision plus contemporaine.

– Il faut toujours que tu aies le dernier mot, n'est-ce pas ?

– C'est une vieille manie que j'ai contractée durant ma première vie. Je tiens à te faire remarquer qu'à l'époque, personne n'osait la contester.

Ils n'arrivèrent dans la gorge que plusieurs jours plus tard, même si les montagnes leur avaient semblé plus proches. Des boucs grimpèrent précipitamment vers les hauteurs en apercevant les cavaliers, d'où ils les regardèrent passer en bêlant pour avertir les autres habitants du canyon.

Onyx suivit un sentier creusé par une longue utilisation, sans doute par les chasseurs Anasazis. Il n'avait pas vraiment envie de camper dans cet endroit un peu trop à découvert à son goût, alors il ne s'arrêta que deux fois pour faire boire les bêtes. Puis, voyant qu'ils n'atteindraient jamais l'extrémité du col avant la noirceur, il ne cacha pas sa contrariété.

– Je connais une façon d'accélérer les choses, lui dit alors Wellan.

– Tu vas nous écrire un raccourci ?

– Mieux que ça.

Wellan descendit de cheval, s'empara de sa couverture et l'étendit sur le sol. Onyx arqua un sourcil, intrigué. L'ancien commandant prononça une incantation qui allongea considérablement la pièce de laine, qui sembla en même temps devenir plus rigide.

— Placez-vous au centre, indiqua Wellan en allant chercher sa monture. Et je vous conseille de vous tenir debout près de la tête de votre cheval.

Impatient de voir ce qu'il allait faire, Onyx s'exécuta. Napashni l'imita sans cacher son appréhension.

— Cramponnez-vous, leur recommanda le Chevalier. Je vais y aller doucement pour commencer.

Onyx sentit la plate-forme improvisée se soulever de terre, ce qui affola les bêtes. Une petite vague d'apaisement suffit à les calmer. La couverture volante se mit à avancer comme si elle flottait sur une rivière.

— Jusqu'à présent, tout va bien ? demanda Wellan.

— Oui, pourquoi ? s'inquiéta Napashni.

Le curieux moyen de locomotion prit alors de la vitesse jusqu'à ce le vent emmêle cheveux humains et crinières.

— Pourquoi n'ai-je jamais pensé à ça ? s'exclama joyeusement Onyx.

Il ne remarqua pas que sa compagne pâlissait de plus en plus. Tout comme lors de son périple sur l'océan du sud dans une barque agitée par les vagues, Napashni sentait son estomac se nouer, mais afin de ne pas retarder leurs progrès, elle n'émit aucune plainte.

En une heure à peine, les aventuriers avaient franchi la gorge. Wellan fit atterrir sa couverture. Elle ne s'était pas encore complètement immobilisée que Napashni courait jusqu'à un massif d'arbrisseaux pour vomir. Onyx l'observa tout en faisant descendre son cheval et celui de sa compagne de la plateforme.

– Est-ce que ça va ? cria-t-il.

– Maintenant, oui... haleta la prêtresse.

Ce soir-là, ils n'allèrent pas plus loin. Encore une fois, Wellan s'occupa des bêtes pendant que l'empereur sondait le continent avec son esprit, à la recherche de leur repas.

– Pourquoi ne pas varier un peu, murmura-t-il en faisant apparaître un grand bol de riz, des côtes de porc, des légumes cuits à la vapeur et de la bière de gingembre.

– Ça sent les mets de Jade, se réjouit Wellan en approchant.

Napashni commença par boire afin de remettre son estomac d'aplomb, puis mangea un peu de riz en enviant les deux hommes qui se gavaient gaiement.

Tandis qu'ils commençaient à s'assoupir, ils entendirent les chevaux pousser des hennissements d'alarme. Onyx scruta immédiatement les alentours et découvrit une présence dans la boulaie sur leur gauche. Il fit signe à Wellan et Napashni de continuer à parler et se leva sans faire de bruit. Il n'était pas difficile pour un homme entièrement vêtu de noir de se fondre dans l'obscurité.

– Le bijou à ton cou a-t-il été fabriqué par des artisans de ton peuple ? demanda Wellan.

– Non, celui-ci m'a été offert par Abussos, mais tant les femmes que les hommes mixilzins aiment les parures. Ils portent des boucles d'oreilles, des bracelets et des colliers faits de centaines de petites billes de verre comme on en trouve près des cratères des volcans. Il y en a de toutes les couleurs et elles sont naturellement percées en leur centre, ce qui les rend facile à enfiler sur des cordons végétaux.

Ils entendirent des craquements dans la forêt, un cri étouffé, puis une jeune femme atterrit brutalement sur le sol devant eux.

– Pas une autre Aydine, ne put s'empêcher de soupirer Napashni.

Onyx apparut derrière l'étrangère et la força à se relever en l'agrippant par le col de sa tunique en suède.

– Qui êtes-vous ? gronda-t-il.

Grâce au sort d'interprétation des langues, la jeune femme comprit ce qu'il disait.

– Kayenta, siffla-t-elle entre ses dents comme un serpent irrité.

– Qu'est-ce que vous faisiez là ?

– Je fais partie des guetteurs.

Onyx la laissa retomber sur le sol. Elle portait ses cheveux noirs en une longue natte dans son dos et un bandeau décoré de petites pierres colorées lui ceignait le front. Napashni remarqua, à la lumière des flammes, que ses traits étaient très similaires à ceux de son peuple, ainsi que de tous ceux qu'elle avait rencontrés depuis le début de la campagne d'Onyx. Elle commença à croire qu'au début des temps, même les Nacalts avaient appartenu à un groupe encore plus grand, dont les Hidatsas et les Anasazis étaient issus.

– Pourquoi êtes-vous sur ces terres ? fit Kayenta en relevant fièrement la tête.

– Nous cherchons votre chef, répondit Wellan.

Malgré le manque d'éclairage, la jeune fille discernait les traits étrangers de l'ancien commandant des Chevaliers d'Émeraude et surtout ses cheveux blonds.

– Quelles sont vos intentions ?

– Nous désirons lui parler de paix.

Voyant que son lieutenant exerçait une influence apaisante sur leur captive, Onyx se croisa les bras sur la poitrine, mais ne s'en mêla pas.

– Croyez-vous qu'il nous accordera un entretien ?

– La vénérable matriarche Ankti ne parle pas à n'importe qui. Êtes-vous un homme important ?

– Moi non, mais lui, oui.

Onyx s'accroupit pour être à la hauteur de sa prisonnière. Lorsqu'elle vit enfin son visage à la lueur du feu, elle tressaillit, comme si elle l'avait reconnu, puis se prosterna, front contre terre. « Quoi encore ? » soupira intérieurement l'empereur.

– Je vous conduirai jusqu'à elle quand vous voudrez, affirma-t-elle.

Wellan et Onyx échangèrent un regard étonné.

– Si nous partons maintenant, nous serons au village à la tombée du prochain jour.

Es-tu trop fatiguée pour chevaucher toute la nuit ? demanda Onyx à sa compagne. *Tant que nous ne fonçons pas au galop, ça devrait aller,* répondit-elle. Wellan, lui, n'attendait qu'un mot de la part du renégat pour remballer ses affaires.

– Alors, soit, décida Onyx. As-tu un cheval ?

– Non.

– Elle peut monter derrière moi, offrit aussitôt Wellan.

Onyx réprima un sourire amusé. L'attirance entre ces deux-là était donc mutuelle.

– Préparez-vous à partir.

Wellan lança ses affaires dans sa sacoche de cuir et alla chercher les chevaux.

21

L'ÉTAU SE RESSERRE

Ayant échoué dans toutes ses tentatives d'assassiner les trois oisillons qui vivaient à Enkidiev, Corindon n'osa pas retourner à Adoradéa, où sa maîtresse l'attendait. Sparwari n'était pourtant pas le plus puissant magicien de son panthéon, mais il savait se trouver au bon endroit, au bon moment.

Le caracal quitta Émeraude et retourna à son refuge préféré : l'arbre géant au milieu de l'île des Araignées. Cet endroit ensoleillé était si élevé qu'il y faisait toujours froid. Assis sur une large branche, Corindon se jura de tuer le rapace qui l'avait privé de ses proies et, mieux encore, de le tuer devant les trois bâtards de Lycaon. Prisonniers du monde des humains, ceux-ci ne pourraient pas lui échapper éternellement.

Dès qu'il se fut calmé, Corindon se remit à penser plus clairement. Il ne restait plus qu'une poignée de dieux aviaires et de dieux félins. Il ne serait pas difficile de tous les éliminer d'un seul coup et Moérie savait exactement comment s'y prendre. Bannie du Royaume des Elfes, elle ne pourrait pas utiliser le cromlech où elle avait appris sa magie. Toutefois, celui qu'elle avait découvert dans la Forêt interdite en fuyant la justice du Roi Cameron ferait également l'affaire.

Corindon en avait plus qu'assez de tous ces complots et de toutes ces intrigues. Ce qu'il désirait à présent, c'était de s'exiler dans un coin reculé de la planète avec l'enchanteresse, quelque part où plus personne ne le détesterait. Il se voyait déjà nager dans le bonheur pour l'éternité. Le temps était donc venu d'amorcer le piège.

Il retourna dans le monde des félins, plus déterminé que jamais à en finir avec sa famille. Toute sa vie, en raison de sa petite taille, il avait été maltraité par les membres de son panthéon, surtout Étanna. Elle lui avait confié plusieurs missions dans le passé et, même s'il s'en était acquitté à la perfection, il n'avait jamais reçu la reconnaissance qu'il méritait.

Le caracal s'arrêta d'abord dans son propre terrier pour faire sa toilette en se répétant plusieurs fois qu'il avait pris la bonne décision. Puis il se rendit au palais de la déesse-jaguar en ralentissant sa respiration de son mieux, afin de ne pas laisser paraître sa nervosité. Dès qu'il mit le pied dans l'antre d'Étanna, celle-ci se lança sur lui comme s'il avait été une antilope égarée. En l'espace de quelques secondes, elle avait écrasé le caracal sur le sol, ses crocs appuyés sur sa gorge.

– Tu n'as pas peur ?

– Je me suis habitué à la brutalité de mon panthéon, vénérable Étanna, répliqua Corindon en maîtrisant son irritation.

Elle le libéra et le repoussa plus loin d'un coup de patte.

– Où es-tu encore allé ?

– Vous m'avez envoyé chercher des informations et je les ai trouvées.

– Comment réussis-tu à obtenir tout ce que tu veux ?

– Quand on sait à qui s'adresser et qu'on a un minimum d'entregent, c'est un jeu d'enfant.

– Qu'as-tu appris ?

– Il ne reste plus que six rapaces dans le monde céleste : Aquilée, Orlare, Izana, Métarassou, Ninoushi et Séléna. Toutefois, quatre des leurs ont déserté, soit Azcatchi, Shvara, Albalys et Sparwari, qui sont quelque part sur la terre des humains, ainsi que trois oisillons conçus avec des femmes humaines.

– Comment pourrons-nous tous les faire disparaître ?

– En commençant par les plus dangereux, pour ensuite traquer ceux qui ne leur sont plus fidèles. J'ai aussi trouvé la façon la plus efficace de massacrer les premiers.

– Je t'écoute.

– Une enchanteresse Elfe est prête à nous aider.

– Quoi ? gronda Étanna en montrant les dents. Ces femmes sont des mortelles qui n'ont qu'une connaissance rudimentaire de la magie ! C'est ça, ton plan ?

– Moérie maîtrise l'énergie des cercles de pierres.

— Seuls les concepteurs de ces monuments possèdent cette science, Corindon.

— Je ne mens pas.

Étanna se mit à arpenter son terrier devant le caracal immobile.

— Les cromlechs sont de puissants entonnoirs et cette enchanteresse sait comment les utiliser tant pour se déplacer que pour piéger quelqu'un. Si nous réussissons à y attirer les oiseaux, ils ne pourront pas s'échapper et nous les éliminerons sans aucune difficulté.

— Si ton plan échoue, je te saignerai devant tout le monde, tu m'entends ?

— Je ne m'attends à rien de moins de votre grandeur, cracha le caracal, qui était sur le point d'éclater.

— Exécution !

Corindon s'inclina vivement et quitta les lieux à la course. Il lui fallait maintenant attirer les rapaces et les félins dans le même cercle de pierres, où Moérie les exterminerait tous jusqu'au dernier. Afin de faire savoir à Orlare que le temps était venu pour lui de rencontrer sa belliqueuse sœur, il quitta le monde céleste et pénétra dans celui des humains, faute de quoi elle n'aurait pas pu entendre son appel.

Au lieu de se rendre chez les Araignées, Corindon choisit de s'arrêter sur l'île de Pélécar. Il l'avait brièvement visitée jadis et avait découvert que personne n'y vivait. C'était donc l'endroit parfait pour discuter avec la déesse-harfang. Il y apparut et se retrouva face à une rotonde de marbre blanc qui n'était pas là auparavant. Il scruta aussitôt les lieux, mais ne capta aucun signe de vie. Il flaira l'édifice circulaire pour s'assurer que ce n'était pas un piège posé à cet endroit par les oiseaux pour capturer les chats trop curieux. Rien...

Le dieu-caracal s'aventura entre les colonnes et marcha sur les coussins colorés. Au milieu se trouvait une table ronde en pierre. Il prit place sur l'un des bancs en forme de demi-lune et ferma les yeux. *Orlare, je suis prêt à rencontrer Aquilée.*

Entièrement vêtue de blanc, la déesse-harfang se matérialisa devant lui.

— Je vous en prie, assoyez-vous.

D'une démarche gracieuse, elle s'avança et s'installa sur le siège opposé. Corindon se demanda s'il était aussi pénible de vivre sous le règne de terreur de la déesse-aigle que sous celui d'Étanna.

— Quelque chose vous ronge, Corindon.

Il était parfaitement inutile de mentir à une femme aux perceptions aussi aiguisées.

— Il me tarde de me libérer du despotisme de ma grand-mère.

— Les tyrans ne sont que des gens qui souffrent d'une grande insécurité, vous savez. Il suffit de presque rien pour les rassurer.

– Chez les rapaces, sans doute, mais certainement pas chez les félidés.

– Je sens aussi en vous une profonde tristesse.

– Je ne vous ai pas fait venir pour que vous pansiez mes blessures, Orlare. De toute façon, elles sont trop anciennes et trop profondes. Je suis condamné à vivre avec cette amertume jusqu'à la fin des temps.

– Vous pourriez aussi vous en débarrasser en vous confiant à une oreille attentive.

– Un jour, peut-être, mais pas aujourd'hui. Dites à votre sœur que je serai à l'agora au coucher du soleil.

– Elle en sera ravie.

Orlare pencha doucement la tête sur le côté avec compassion.

– Je suis là si vous voulez en parler, ne l'oubliez pas.

Elle se dématérialisa sous les yeux du caracal, qui ne pouvait s'empêcher de penser que dans peu de temps, elle basculerait dans le hall des disparus avec tous ceux de sa race. Il resta quelques heures à contempler l'océan, puis se rendit à l'agora avec de l'avance. Sur la façade de l'édifice réservé aux félins coulait une fontaine dont l'eau cristalline avait la propriété de régénérer l'énergie des dieux. Une fois que sa force vitale fut redevenue rayonnante, Corindon s'assit sur la balustrade pour attendre la déesse-aigle.

En rentrant dans le domaine des oiseaux de proie, Orlare n'avait pas perdu une seconde. Tout comme le dieu-caracal, elle voulait en finir une fois pour toutes avec ces guerres incessantes, même si tous les félidés devaient pour cela disparaître.

Les dieux-dragons avaient levé l'obligation de conserver les triades, alors, même s'il ne restait que deux panthéons dans le ciel, l'univers ne serait pas détruit. Sans doute les oiseaux arriveraient-ils à s'entendre avec les reptiliens, qui étaient beaucoup plus pacifiques que les félins.

C'est avec beaucoup de difficulté qu'Aquilée parvint à se redresser dans son nid pour écouter ce que sa sœur avait à lui dire.

— Corindon est prêt à te rencontrer, annonça la déesse-harfang.

— Enfin...

— Tu es blessée, Aquilée. Veux-tu que je m'occupe de ce raid à ta place ?

— Non, surtout pas toi. Tu aurais tôt fait de négocier une trêve ou quelque autre cessation des combats plus permanente. Il faut en finir maintenant.

— Tu n'es certainement pas en état de te battre.

— Ne te fie pas à tes yeux. Je conserve mes forces depuis le dernier affrontement.

– Alors, soit. Il t'attendra à l'agora lorsque le soleil se couchera dans le monde des humains.

– Je vais me préparer.

– Désires-tu que je t'accompagne ?

– Non. Va écouter ce qui se passe dans l'Éther. Je te demanderai de m'en faire un court résumé à mon retour.

Orlare n'avait pas vraiment le choix. Elle retourna donc dans son nid afin de sonder l'Éther. Dès qu'elle fut partie, Aquilée convoqua Métarassou.

– Le lâche qui te sert de mari est-il revenu ?

– Je ne l'ai pas revu depuis notre défaite chez les Hidatsas, avoua la déesse-faucon.

– Notre attaque s'est soldée par un revers à cause du dieu-loup, mais ça n'arrivera plus.

– Veux-tu que je retrouve Sparwari ?

– Non, j'ai besoin de toi. Aide-moi à sortir de mon nid.

Malgré les bons soins que sa mère lui avait prodigués, Aquilée continuait de ressentir d'horribles douleurs au milieu du dos. Elle craignait même de ne pas pouvoir voler avant longtemps. Mais de nature combative, elle n'allait certainement pas manquer le dernier assaut, même si elle devait se faire porter par un autre dieu rapace jusque sur le champ de bataille.

Métarassou n'avait jamais vu la déesse-aigle dans un état aussi pitoyable, mais elle se retint d'en faire la remarque.

– Emmène-moi à l'agora et, une fois là-bas, lâche-moi. Je ne veux pas que Corindon pense que je suis impotente.

La déesse-faucon ne posa aucune question et la transporta jusqu'à la jonction des trois univers célestes. Dès que les rapaces apparurent sur leur grande terrasse, Métarassou recula comme si elle avait suivi Aquilée au lieu de l'avoir soutenue. Corindon était toujours assis sur la balustrade, les jambes pendant dans le vide.

– As-tu un plan infaillible, cette fois, félon ?

– Ce n'est pas moi qui en ai eu l'idée, mais à mon avis, il est parfait.

– Explique-toi.

– Une enchanteresse a accepté de tendre un piège aux félins.

– Quel est son intérêt dans cette guerre qui oppose deux panthéons ?

– Disons qu'elle m'aime bien.

– Tu l'as séduite, c'est ça ?

Un sourire ensorceleur apparut sur les lèvres du dieu-caracal.

— Cela me plaît, avoua Aquilée. Continue.

— Il existe, sur la terre des humains, des cercles de pierres qui sont chargés d'une incroyable énergie et qui ne demandent qu'à être utilisés. Toutefois, ceux qui les ont dressés n'ont pas jugé utile de transmettre leur science aux humains. Ceux-ci s'en sont désintéressés au fil des siècles, mais les magiciennes Elfes se sont penchées sur leurs mystères et quelques-unes d'entre elles les ont percés.

— C'est là-dedans que vous allez capturer les félins ?

— Notre but n'est pas de les prendre, mais de les inviter à vous attendre dans le cromlech, accroupis dans la poussière. Ils croiront que vous tombez dans le piège, alors que c'est vous qui fondrez sur eux pour les détruire jusqu'au dernier.

— Et s'ils s'enfuient ?

— La beauté des cercles de pierres, c'est qu'une fois armés, ils ne laissent plus personne s'échapper. Ce sera votre dernier combat contre Étanna.

— Mais les rapaces pourront-ils en sortir une fois vainqueurs ?

— Oui, bien sûr. J'y verrai personnellement.

Aquilée demeura silencieuse quelques minutes, imaginant la scène.

— Tu me jures que nous n'y resterons pas piégés ?

— Sur ma vie, répondit solennellement Corindon.

— Je ne veux pas que Nashoba ait vent de ce que tu prépares.

— Il n'en saura pas un mot.

— S'il vient encore une fois se mêler de nos affaires, je ne donne pas cher de ta peau, caracal.

— Je te donne ma parole qu'il n'en fera rien.

— Combien de chats reste-t-il ?

— Six, en m'excluant. Il ne devrait pas être difficile pour de puissants rapaces de les occire une fois pour toutes.

— Quand le massacre aura-t-il lieu ?

— Je donnerai le signal à Orlare.

— Tu seras grassement récompensé pour cette noble faveur.

— Je suis votre humble serviteur.

Corindon salua la déesse-aigle de la tête et se dématérialisa. Il réapparut quelques secondes plus tard à l'intérieur du cromlech d'Adoradéa. La force qui en émanait était si grande qu'elle ne laissait même pas passer la pluie.

— Te voilà enfin, laissa tomber Moérie, debout au centre du cercle de pierres.

Le caracal s'approcha d'elle et alla chercher un baiser sur ses lèvres. L'enchanteresse se laissa d'abord séduire, puis se rappela pourquoi il s'était absenté.

— Les enfants sont-ils morts ?

— Non, soupira-t-il.

Elle le repoussa violemment, les yeux chargés de colère.

— Ce n'est pas ma faute, s'excusa Corindon. Sparwari, le dieu-épervier, est intervenu les trois fois, comme s'il avait la faculté de lire mes pensées.

— As-tu dévoilé tes plans à quelqu'un d'autre que moi ?

— Non...

— Où sont les oisillons ?

— Je n'en sais rien, mais je les traquerai une fois que nous nous serons débarrassés des deux panthéons, puis je tuerai l'épervier qui les protège.

— Si tu n'as pas réussi la première fois, rien ne prouve que tu y arriveras plus tard.

— Tu ne me fais plus confiance tout à coup, Moérie ?

— En fait, je m'étonne que tu n'aies même pas été capable de nous débarrasser de trois enfants sans défense.

– Le premier n'était plus dans son lit quand je suis arrivé. Quand j'ai voulu tuer le deuxième, l'épervier m'a attaqué.

– Et le troisième ? demanda Moérie avec agacement.

– Il l'a enlevé juste au moment où j'arrivais à la hauteur de son cheval.

– Moi, j'appelle ça de l'incompétence, mon beau chat.

Corindon se rembrunit.

– Mais tu auras l'occasion de te rattraper, ajouta l'enchanteresse avec un sourire cruel. J'ai finalement compris le fonctionnement de ce précieux cromlech. Une fois que les chats y seront, je mettrai en branle son énergie, qui créera un vortex capable d'aspirer les dieux rapaces jusque dans leur monde. Malheureusement, j'ai besoin de quelque chose en provenance de cet univers pour le diriger au bon endroit. Je comptais sur le sang des oisillons pour armer le maelström.

– En plus de Sparwari, trois autres dieux ont déserté Aquilée : Azcatchi, Albalys et Shvara.

– Alors, si tu ne peux pas me rapporter leur cadavre, obtiens au moins un petit morceau de l'un d'eux. Le temps presse, mon amour.

La magicienne se rapprocha de son amant et l'embrassa.

– Pense à tout le bonheur qui nous attend...

Le dieu-caracal se transporta donc sur la montagne de Cristal afin de localiser les oiseaux insoumis. La pluie qui s'abattait sur le continent n'empêcha pas Corindon d'utiliser ses sens invisibles pour en scruter tous les royaumes. Tout comme il s'y attendait, il ne trouva aucune trace de Sparwari. Le terrible dieu-crave ne s'y cachait pas non plus. Toutefois, il capta la présence du dieu-milan et du dieu-busard. Mieux encore, ils étaient ensemble... chez les Elfes !

Corindon fonça vers ce pays et réapparut dans la forêt où il avait séduit Moérie. Chassant ces agréables souvenirs, il se concentra sur sa nouvelle mission. Il ne voulait pas décevoir sa maîtresse cette fois. Il suivit la piste des dieux rapaces et s'arrêta au pied d'un grand séquoia. Albalys et Shvara s'y trouvaient en compagnie d'une jeune déesse féline... « Cornéliane », devina-t-il. Si la vie d'Étanna n'avait pas été sur le point de prendre fin, il lui aurait ramené sa petite-fille chérie.

Ne sachant pas comment isoler l'un des deux oiseaux de proie, le caracal décida de risquer le tout pour le tout. Il ne serait pas facile d'arracher une main ou un pied à ces jeunes dieux, mais sans un morceau de l'un des deux, le piège ne fonctionnerait pas... Corindon prit une profonde inspiration et se déplaça magiquement à l'intérieur de la hutte. Il n'eut qu'une fraction de seconde pour prendre une décision et fonça sur le jeune homme blond qui, appuyé contre le mur, était en train de manger du potage. Le caracal planta ses crocs dans le mollet de Fabian, qui poussa un cri de douleur en projetant son écuelle dans les airs. À la grande surprise du félin, sa proie portait ses bottes de cuir ce soir-là pour se réchauffer les pieds. Il arracha donc une partie du cuir imbibé de sang et disparut.

Personne n'avait eu le temps de réagir. Cornéliane se précipita au secours de son frère. Elle lui enleva sa botte en tirant de toutes ses forces, puis appliqua ses paumes lumineuses au-dessus de la large plaie qui saignait abondamment.

– Mais par où est-il entré ? s'étonna le prince. Tous les volets sont fermés !

– Ce n'était pas un simple animal, leur apprit Shvara. C'était un dieu félin.

– Pourquoi n'a-t-il pas visé ta gorge ? s'étonna Cornéliane.

– Peut-être qu'il aimait ses bottes.

– Au lieu de dire des bêtises, tu pourrais commencer à nettoyer le plancher.

Les petits dragons avaient pris de l'avance et léchaient les éclaboussures de soupe.

22

POSSÉDÉE

Durant la saison des pluies, que ce soit au château ou sur les fermes, les habitants d'Enkidiev passaient la plus grande partie de leurs journées à l'intérieur, sauf pour aller soigner les animaux et s'assurer qu'ils n'avaient pas de l'eau jusqu'aux jarrets. C'était le cas du Chevalier Nogait qui, après avoir vécu avec la famille de sa femme chez les Elfes pendant plusieurs années, était revenu à Émeraude. Ayant vendu tout ce qu'il possédait sauf sa terre et sa maison, il avait dû acheter des poules, des chèvres et des chevaux, et embaucher des paysans pour l'aider à remettre les champs en état de produire des céréales. Il avait également arraché toutes les mauvaises herbes de son jardin avec sa femme et ses enfants. Ces longues semaines de travail acharné avait permis à la famille de retrouver son ancien style de vie.

Nogait avait mis à profit les derniers jours de la saison chaude pour colmater les brèches dans les murs et le toit de sa chaumière et pour ramoner la cheminée. Lorsque la pluie s'était abattue sur la région, il n'avait eu qu'à jeter des bûches dans l'âtre afin de se reposer jusqu'à la fin de la saison froide. Il lui fallait bien sûr nourrir les animaux, recueillir les œufs et tirer le lait des chèvres pour fabriquer du fromage, mais ses champs étaient inondés, alors il ne pouvait faire aucune culture.

Sa principale activité tandis qu'il était enfermé à l'intérieur était la préparation de petits plats pour sa famille, une passion qu'il partageait avec sa fille Malika. Après avoir été soumis à un régime de noisettes, de petits fruits et de racines étranges chez les Elfes, il savourait avec délice les pâtés de légumes, les tartes, le pain chaud, les omelettes et les pâtisseries qu'il cuisinait lui-même. Pendant ce temps, Amayelle tissait les vêtements de la prochaine saison en surveillant les jeux de son petit Alkar, maintenant âgé de quatre ans. Il grandissait rapidement et il promettait déjà d'avoir plus de caractère que sa sœur. Il savait exactement ce qu'il voulait et il n'était pas très porté aux compromis, tout comme son père, disait sa mère. Quant à lui, Nogait était plutôt d'avis qu'en vieillissant, il ressemblerait à son grand-père, le Roi Hamil. D'ailleurs, l'enfant proclamait à qui voulait l'entendre que lorsqu'il serait adulte, il retournerait vivre chez les Elfes comme son frère Cameron.

Lorsque l'orage fut enfin passé, Nogait annonça qu'il allait chercher du bois pour alimenter le feu. Sous une pluie moins soutenue, il se rendit à l'appentis où il avait entassé les bûches qu'il avait coupées durant les beaux jours. Il fit quelques allers-retours, puis alla puiser de l'eau au puits afin de préparer du thé. Il le sirota, assis dans son fauteuil préféré, en face de sa femme. Son fils grimpa alors dans ses bras pour lui soutirer une gorgée de la boisson chaude.

– Tu en veux ? Je peux t'en préparer un gobelet juste pour toi.

– Non.

— Tu es aussi beau que ta mère, mais malcommode comme Hamil, chuchota-t-il dans l'oreille d'Alkar.

Tout comme sa sœur, il avait les cheveux blonds et les yeux bleus.

— J'ai appris une nouvelle chanson ! s'exclama le gamin.

Nogait, qui ne refusait presque rien à ses enfants, écouta patiemment l'interminable complainte en elfique.

— Tu veux m'aider à préparer le repas ? demanda le père lorsqu'il eut terminé.

— Non.

— Malika, ma chérie ! Viens me donner un coup de main !

Ne recevant aucune réponse de sa fille, Nogait alla jeter un œil dans sa chambre. Elle n'y était pas. Il fit donc le tour de la maison, sans la trouver.

— Sais-tu où est passée notre fille ? demanda-t-il à Amayelle.

— N'est-elle pas sortie avec toi tout à l'heure pour aller chercher du bois ?

— Pas à ma connaissance. J'ai tout transporté moi-même.

— Elle est peut-être allée voir les chevaux.

— Pourtant, elle ne sort jamais sans nous avertir.

Nogait inspecta tous les bâtiments, puis se rendit jusqu'au cercle de pierres miniature que l'adolescente avait construit au milieu de la forêt, sur son domaine. Aucune trace d'elle. Le Chevalier se résolut à utiliser ses facultés magiques pour la localiser, en vain. Lorsqu'il rentra à la maison, Amayelle l'attendait, debout sur le seuil, les mains cachées dans les longues manches de sa tunique.

– Elle n'est pas sur nos terres, annonça Nogait, à moins qu'elle soit en train de pratiquer un enchantement d'invisibilité.

– Ce que nous lui avons formellement défendu.

– Tu sais comment sont les adolescents. Ils ne comprennent pas que les interdictions de leurs parents sont fondées... enfin, la plupart du temps.

– Elle est sans doute allée chez ses amies.

Il allait communiquer avec Maïwen et Kevin lorsqu'il entendit les appels désespérés de Wanda, qui demandait à tous ses compagnons d'armes s'ils avaient vu sa fille. Nogait voulut savoir dans quelles circonstances elle avait disparu. *Nous nous rendions chez Dempsey*, expliqua Wanda. *Aurélys nous suivait à cheval, puis d'un seul coup, elle s'est volatilisée.* Nogait lui raconta ce qui venait de se passer chez lui. *Quelqu'un est-il en train d'enlever tous nos enfants ?* s'alarma la femme Chevalier. Falcon apprit à Nogait que Cyndelle et Lazuli manquaient aussi à l'appel. Quant à Marek, c'était une toute autre histoire. Les trois anciens soldats se promirent mutuellement de faire enquête, puis Nogait communiqua avec Maïwen. Ses deux filles étaient à la maison et n'avaient pas vu Malika depuis des semaines. Il se tourna donc vers sa femme.

– S'il s'agissait seulement des trois enfants-oiseaux, je serais porté à croire que ce sont les dieux-rapaces qui tentent encore une fois de les reprendre. Mais Malika ?

– Je commence à penser qu'elle est retournée dans mon village, malgré nos tentatives de dissuasion. Nous devons aller la chercher tout de suite.

– En pleine saison des pluies ?

– Il est malheureux que tu n'aies jamais appris à te déplacer magiquement d'un endroit à l'autre comme tes amis. Cela nous aurait évité de nous faire tremper.

– Le problème, c'est que le ciel n'a pas accordé cette faculté à tout le monde.

– Apparemment, notre fille, elle, en a hérité.

– Si tu veux que nous la ramenions à la maison, nous devrons chevaucher pendant des jours sous la pluie et dans la boue.

– Pas si nous utilisons une embarcation quelconque pour remonter la rivière Wawki jusqu'à la rivière Mardall.

– Contre le courant ?

– As-tu aussi perdu ton pouvoir de lévitation ?

— Pas à ce que je sache.

— En te servant un peu de ton imagination, penses-tu pouvoir propulser une pirogue grâce à ta magie ?

— Mais Alkar ?

— Il ne nous quittera pas d'une semelle, sois-en sûr.

— N'avions-nous pas convenu de ne faire aucun usage de la magie devant les enfants ?

— Nogait, es-tu incapable de faire la différence entre une situation anodine et une urgence ?

— J'ai toujours été sous les ordres de quelqu'un, ma chérie, alors je n'ai pas l'habitude de réfléchir par moi-même, plaisanta-t-il.

— Dans ce cas, voici ce que tu vas faire. Éteins le feu pendant que je rassemble la nourriture périssable, puis essaie de trouver nos capes dans le plus grand coffre. Nous allons nous arrêter chez Bergeau pour lui demander de s'occuper de nos animaux en notre absence, car nous devrons passer devant sa maison pour nous rendre à la rivière. Dépêche-toi.

Nogait s'acquitta de ses tâches, après quoi il revint se planter devant sa femme, qui avait fini de remplir la besace.

— Qu'est-ce que je dois transporter : le sac ou le petit ? demanda-t-il.

– Les provisions, qui sont très certainement plus lourdes qu'Alkar. D'ailleurs, il va marcher comme nous jusqu'à ce qu'il soit fatigué.

– Marcher ? Nous ne prenons pas les chevaux ?

– À moins de trouver un radeau suffisamment grand pour les emmener avec nous, je nous vois mal les abandonner à leur sort sur le bord de la rivière.

Ils se mirent en route sous la bruine, espérant qu'un autre orage n'éclaterait pas avant qu'ils atteignent le cours d'eau. Ils frappèrent d'abord à la porte de Bergeau. Catania leur ouvrit, étonnée de recevoir des visiteurs à cette époque de l'année. Elle vit entrer Nogait, Amayelle et leur fils et leur offrit des serviettes pour se sécher un peu devant le feu. En apprenant ce qui venait de se passer, Bergeau fit seller des chevaux par ses fils plus âgés pour conduire la famille à l'endroit où les commerçants débarquaient leurs produits pendant la saison chaude. Ayant trouvé plusieurs barques retournées sur la berge, ils en remirent une à l'eau.

– Veux-tu que je t'accompagne ? demanda le Chevalier à son frère d'armes.

– Si je partais à la guerre, je dirais oui sans hésiter, mais puisque je m'en vais chercher ma fille désobéissante, je crois que je peux y arriver seul.

Amayelle prit place sur l'un des deux bancs. Elle assit Alkar dans le fond de l'embarcation, dans les plis de sa robe, avant de refermer sa cape sur lui pour le protéger de la pluie.

Nogait déposa la besace entre eux, prit place sur l'autre banc et retroussa ses manches.

– Voyons si je me souviens comment me servir de mes pouvoirs...

– Je te conseille de faire un effort, sinon tu vas ramer pendant des jours, répliqua Amayelle.

Nogait se concentra et laissa partir une première impulsion qui fit bouger la barque en sens contraire du courant.

– Faites bonne route ! Que les dieux soient avec vous ! lança Bergeau, resté sur la rive en compagnie de ses deux garçons.

Encouragé par cet heureux résultat, Nogait continua de propulser l'embarcation de plus en plus rapidement vers le nord. Toutefois, à la jonction des deux rivières, il demanda grâce. La famille s'arrêta donc pendant une heure, le temps qu'il reprenne des forces. Amayelle fit manger son fils et son mari, puis leva les yeux vers le ciel.

– Une autre tempête se prépare, annonça-t-elle.

– Alors, partons.

Redoublant d'ardeur, Nogait ne parvint pourtant pas à devancer les éléments. Lorsqu'il arriva enfin à proximité de l'ancien village du Roi Hamil, le ciel était déchaîné. Les parents tirèrent la barque sur la berge, la retournèrent et se tinrent l'un devant l'autre. En réunissant leurs capes pour en faire une petite tente, ils arrivèrent à se protéger tant bien que mal du déluge.

Coincé entre son père et sa mère, Alkar gardait le silence, mais son petit cœur battait à tout rompre et il sursautait chaque fois que le tonnerre éclatait au-dessus d'eux.

Nogait croyait devoir passer toute la nuit à cet endroit, mais soudain, il sentit une pression sur son épaule. Il risqua un œil sous son capuchon et aperçut le regard inquiet d'un Elfe.

– Ne restez pas là, leur recommanda-t-il. Si la rivière sort de son lit, vous serez emportés.

C'est avec le plus grand soulagement que les voyageurs suivirent le jeune homme dans la forêt.

– Où sont les huttes ? demanda Nogait, inquiet, lorsqu'ils atteignirent enfin le village.

L'Elfe pointa la cime des arbres. Nogait y distingua le plancher d'une des nouvelles habitations du royaume.

– J'aurai tout vu...

– Vous devez grimper l'échelle de corde pour vous y rendre, expliqua leur guide. Puisque vous n'en avez pas l'habitude, je transporterai l'enfant.

Alkar s'accrocha solidement à son cou et se laissa hisser jusqu'à la trappe. En regardant sous lui, il vit que sa mère et son père le suivaient. Une fois à l'intérieur, l'Elfe libéra l'enfant, aida ses parents à gravir les derniers échelons, puis ressortit dans la tempête. Nogait pivota sur lui-même, étonné de la taille du logis.

— Mais en quel honneur avez-vous bravé la tourmente pour venir jusqu'ici ? s'exclama Cameron en serrant son père dans ses bras.

Tandis que le roi embrassait sa mère sur les joues, celle-ci lui expliqua en quelques mots que sa sœur avait disparu et que, persuadés qu'elle était revenue au village, ils étaient venus la chercher.

— Mêmes les enchanteresses s'abritent pendant la saison des pluies, leur dit Danitza.

— Alors je fouillerai leurs huttes une à une, annonça Nogait. Il n'est pas question qu'elles s'emparent de Malika.

Ce que Nogait ignorait, c'est que Malika n'avait pas dirigé ses pas vers le village de ses ancêtres Elfes. Elle avait plutôt obéi à l'appel télépathique de Moérie. Comme une somnambule, elle s'était rendue jusqu'à son cercle de pierres pendant que son père transportait des bûches. De là, elle avait été transportée au milieu de la Forêt interdite.

— Bienvenue dans ta nouvelle vie, ma belle enfant.

Malika regardait Moérie sans vraiment la voir, car le sortilège qu'elle lui avait jeté subjuguait sa volonté.

— Les choses ont pris une tournure différente de celle que j'avais anticipée, poursuivit l'enchanteresse, mais ça ne change rien pour nous. Je me suis adaptée à un nouvel environnement et toi, tu devras t'acquitter de ton importante mission plus tôt que prévu.

Moérie détacha une petite pochette de sa ceinture.

— Puisqu'il n'est pas question que tu échoues, je t'ai préparé plusieurs façons de tuer la Reine des Elfes.

Elle retira de la pochette un petit flacon transparent dans lequel remuait un liquide doré.

— Voici un puissant poison que tu peux verser dans son eau ou dans sa nourriture. Il n'a aucune odeur ni aucune saveur.

Suivit un athamé triangulaire très bien affilé.

— Tu utiliseras cette arme si tu arrives à t'approcher de la reine. Vise le cœur.

La magicienne lui montra ensuite un petit tube en bambou dans lequel se trouvait une fléchette.

— Mon amant a réussi à me procurer cette sarbacane avant que le détestable dieu-loup ne détruise tous ces tubes chez les Tepecoalts. Il a toutefois fallu que je prépare mon propre poison, mais cette contrée regorge de plantes qui s'y prêtent très bien.

Moérie remit les objets dans le sac de cuir et l'attacha à la taille de sa protégée.

— Ce soir, nous allons procéder au dernier rituel avant que tu ne rendes aux Elfes le plus grand service de toute leur histoire. Ils méritent une reine et un roi dignes d'eux. Il est fort possible que les archers te criblent de flèches une fois que tu auras commis ton crime, mais c'est un sacrifice héroïque qui te fera passer dans la légende. Quand ce sera fait, je mettrai personnellement fin à la vie de son mari et je lui ferai regretter toutes les méchantes choses qu'il a dites à mon sujet.

Moérie dépouilla Malika de ses vêtements humains et lui fit enfiler une tunique grise qui la ferait passer inaperçue dans la forêt. Elle la fit ensuite asseoir en tailleur et planta une centaine de bâtons d'encens en cercle autour d'elle. En les allumant un par un, elle prononça des paroles magiques destinées à graver dans l'esprit de l'assassine le seul but qu'elle devait poursuivre et à chasser tout le reste. « Quand j'en aurai fini avec toi, tu ne sauras même plus ton nom. Mais le reste de l'univers s'en souviendra à jamais », jubila la magicienne.

Dès que l'orage eut pris fin, Cameron dépêcha tous les archers dans la forêt afin de trouver Malika. Il leur ordonna de fouiller les abris des enchanteresses, même si, en théorie, personne ne devait y entrer.

— Je ne peux m'empêcher de penser que Moérie s'est peut-être emparée d'elle pour se venger, marmonna Danitza.

— Pourtant, cette abominable sorcière n'est plus sur notre territoire, lui rappela Cameron.

— Et pourquoi s'en prendrait-elle à notre fille ? s'étonna Amayelle.

— Tout comme Sélène avant elle, Moérie croit au potentiel magique de la petite, expliqua le roi.

– Elle n'a pourtant pas tenté de la retenir lorsque nous avons quitté le royaume, observa Nogait.

– Ne devrions-nous pas participer aussi aux recherches ? suggéra Danitza.

– Les archers sont rapides et efficaces, mon adorée, répondit Cameron. Ils ont déjà communiqué mes ordres à tous les villages. D'ici quelques heures, nous saurons si ma petite sœur se trouve par ici.

– Sinon ? osa demander Nogait.

– Il faudra la chercher ailleurs.

Danitza fit asseoir ses beaux-parents et leur servit des boissons chaudes. Quant au petit Alkar, il ne comprenait pas tout à fait le drame qui se jouait, mais il ressentait les émotions des adultes et cela le rendait très triste. Assis sur sa mère, il observait en silence ce qui se passait autour de lui, refusant tout ce qu'on lui offrait.

Telemniel, le chef des archers, ne revint vers Cameron qu'au matin. Il grimpa l'échelle de corde et glissa la tête dans l'ouverture, afin de s'assurer que le couple royal était réveillé. Il trouva tout le monde assis autour d'un grand plat de baies sauvages.

– Puis-je entrer, Altesse ?

– Bien sûr, Telemniel, le pria Cameron.

L'Elfe s'accroupit près du souverain.

– Nous avons ratissé le royaume et nous ne l'avons vue nulle part.

– Ça, c'est une mauvaise nouvelle, laissa tomber Nogait.

– Elle est peut-être rentrée chez vous ? suggéra Danitza.

– Le Chevalier Bergeau s'occupe de mes bêtes. Il est certain qu'il m'en aviserait s'il apercevait ma fille. Il sait que nous sommes partis à sa recherche.

– Je suis profondément désolé, fit Telemniel.

– Vous avez fait du bon travail. Merci, mon ami.

– Nous orienterons nos recherches ailleurs, décida Nogait.

– Si vous comptez partir, il y aura une accalmie aujourd'hui, l'informa Telemniel. Il est même possible que nous ayons quelques rayons de soleil avant les prochains orages.

L'Elfe les salua et quitta la hutte royale.

– Où comptez-vous aller ? demanda Cameron.

– Nous commencerons par rentrer à la maison, puis je demanderai à mes compagnons d'armes de scruter le continent en même temps que moi, répondit Nogait. Il est certain que l'un de nous finira par trouver quelque chose.

Le couple royal accompagna donc Nogait, Amayelle et Alkar jusqu'à la rivière dès les premières lueurs du jour. Ils s'étreignirent en silence, puis la famille remonta dans la barque et se laissa porter par le courant en direction d'Émeraude.

Cameron prit la main de sa femme pendant qu'ils marchaient en direction du village. Il y avait longtemps qu'ils n'avaient pas eu un peu de temps à eux.

– Je n'ai pas osé en parler devant tes parents, mais il est possible que Moérie ait tué Malika, avoua tristement Danitza.

– J'y ai songé aussi, mais tant que nous n'aurons aucune preuve, essayons de croire qu'elle est toujours en vie. Il ne faut pas perdre espoir, mon adorée.

– Nous devrions prier Parandar de nous la rendre saine et sauve.

– C'est une excellente idée.

En arrivant au pied des grands séquoias, Danitza et Cameron découvrirent que la plupart des Elfes étaient descendus de leurs maisons. Ils entouraient une grosse charrette qui était mystérieusement apparue au milieu du village.

– De quoi s'agit-il ? demanda le roi en s'approchant.

– Un présent de Lady Kaliska, l'informa Telemniel en lui tendant le petit mot qui accompagnait le véhicule chargé de victuailles.

– Divisez la nourriture entre toutes les familles, ordonna Cameron.

– Il en sera fait ainsi.

– Oh ! s'exclama Danitza. Des pommes de Zénor !

Elle en prit une dans un panier d'osier et mordit à belles dents dans le fruit. Se sentant en parfaite sécurité depuis que le chef des archers les avait assurés que Moérie se trouvait désormais très loin des forêts elfiques, Danitza s'engagea sur le sentier qui menait à l'étang où Sélène avait perdu la vie. Tous les jours, elle allait y prier pour le salut de l'âme de la grande enchanteresse. Depuis le début de la saison froide, elle l'avait fait dans son logis, mais elle voulait profiter de l'accalmie passagère pour poursuivre son rituel.

En arrivant près de la mare, Danitza aperçut une jeune enchanteresse agenouillée sur la mousse verte.

– Lirelha ? fit la reine en reconnaissant l'apprentie de Maayan. Que fais-tu ici ?

– J'essaie de comprendre ce qui s'est passé lorsque Sélène a perdu la vie.

– Nous suspectons qu'elle a été noyée par Moérie.

– C'est ce que tout le monde raconte, mais en avons-nous la preuve ?

– Pas tout à fait.

Danitza s'avança et faillit perdre pied en s'accrochant le bout du pied dans une racine qui sortait du sol. Lirelha s'élança pour l'empêcher de tomber, mais en arrivant devant la reine, elle s'immobilisa en écarquillant les yeux avant de s'écrouler devant elle.

— Lirelha ? s'alarma Danitza.

Elle se pencha sur l'adolescente, dont la peau blanchissait à vue d'œil.

— Lirelha !

La reine lui tapota les joues sans arriver à la sortir de sa torpeur. Elle appuya l'oreille sur sa poitrine et n'entendit pas son cœur. Elle commença donc à se redresser afin d'aller chercher des secours, maudissant son absence de pouvoirs magiques. Elle sentit alors qu'on l'agrippait par les épaules et crut qu'on venait à son aide. On la fit violemment pivoter.

— Malika ? s'étonna Danitza. Tout le monde te cherche !

Alors qu'elle tentait de reprendre son équilibre, une douleur violente lui déchira le côté. Elle vit alors le petit couteau sanglant dans la main de l'adolescente : sa belle-sœur venait de la poignarder !

— Mais qu'est-ce qui te prend ?

La reine tituba vers l'arrière, en état de choc. Constatant qu'elle avait manqué le cœur, Malika frappa de nouveau mais, dans un geste désespéré, Danitza releva le bras pour se protéger. La lame s'y enfonça une fois, deux fois, trois fois ! L'adolescente semblait dotée d'une force surhumaine. Elle la frappait à répétition, sachant très bien qu'elle finirait par abaisser le bras.

Danitza tomba à la renverse, mais ne resta pas là. Elle se retourna sur le ventre et rampa pour échapper à son assaillante.

Un cri aigu résonna dans la forêt. Danitza protégea sa tête et sa nuque en repliant les bras, mais les coups cessèrent. Étonnée, elle se retourna et vit un énorme oiseau de proie qui battait des ailes en tenant Malika entre ses serres. Il la secoua violemment jusqu'à ce que l'athamé lui échappe, puis la laissa tomber dans l'étang de Sélène. Il se posa près de la reine en reprenant sa forme humaine.

– Shvara... murmura Danitza, qui se sentait de plus en plus faible.

Le dieu-busard vit qu'elle était couverte de sang et que ses forces l'abandonnaient. Il se transforma une fois de plus en oiseau de proie pour la transporter jusqu'à la clairière entre les séquoias. Il la déposa sur le sol au milieu des Elfes affolés.

– Occupez-vous d'elle ! ordonna-t-il avant de reprendre son envol.

Shvara retourna dans la forêt, où Malika était en train de sortir de la mare. Battant des ailes sur place, il s'empara d'elle. À sa grande surprise, elle ne chercha même pas à se débattre. Au contraire, elle demeura tout à fait immobile jusqu'à ce qu'il la ramène au village.

Toutefois, lorsque l'adolescente aperçut Danitza, sur qui étaient penchés le roi, le Prince Fabian et plusieurs Elfes, elle voulut foncer sur sa proie. Le dieu-busard, qui avait repris sa forme humaine, lui agrippa solidement les bras.

— Malika ? lança Cameron en reconnaissant sa sœur.

— Ne vous approchez pas d'elle, l'avertit Shvara. Elle est possédée.

À peine remis de ses propres blessures, Fabian s'employait à refermer les innombrables plaies de la reine, car elle perdait beaucoup trop de sang. Il ne vit pas les enchanteresses sortir de la forêt et marcher en direction de l'oiseau de proie géant qui maîtrisait de son mieux la jeune furie déchaînée entre ses pattes.

— Laissez-la-nous, ordonna Maayan.

— Qu'allez-vous en faire ? s'alarma Cameron en quittant le chevet de sa femme pour se porter au secours de sa sœur.

— Nous allons la débarrasser du sortilège qui lui enlève sa volonté.

Le roi n'avait pas vraiment le choix, car il n'avait pas la moindre idée de la façon de calmer Malika.

— Soit.

Tandis que les magiciennes s'emparaient de la jeune possédée, Shvara fonça de nouveau dans la forêt pour aller chercher l'autre jeune fille qu'il avait aperçue sur le sol. Dès son retour, ce fut Cornéliane qui se pencha sur cette nouvelle victime, pendant que le busard redevenait homme.

– Il est trop tard pour elle, constata la princesse.

Elle retira un petit dard planté dans son cou.

– Je pense que c'est la cause de son décès, dit-elle à Shvara en lui montrant la fléchette.

Il la flaira et le confirma en hochant énergiquement la tête.

– C'est un poison violent.

Dès que toutes les lacérations causées par le petit couteau sur le torse et les bras de Danitza furent refermées, les Elfes l'enveloppèrent dans une couverture grisâtre pour la protéger du froid.

Debout entre sa femme et le groupe de magiciennes qui emmenaient sa sœur, Cameron sentit qu'il n'était peut-être pas fait pour être roi. Hamil aurait su quoi faire dans une telle situation. Quant à lui, il n'en avait pas la moindre idée. Au loin, le tonnerre se remit à gronder.

– Dépêchez-vous de rentrer chez vous ! lança Telemniel.

Les Elfes regagnèrent leurs huttes avec leurs provisions pendant que les archers soulevaient Danitza pour la hisser chez elle. Cameron assista à la scène comme s'il avait été au beau milieu d'un cauchemar. Il aurait voulu suivre sa femme, mais ses muscles refusaient de lui obéir. La pluie s'abattit d'un seul coup sur la forêt, flagellant le souverain dépassé. Voyant qu'il ne suivait pas les autres, Fabian s'empressa de revenir vers lui.

— Il ne faut pas rester là, fit-il en lui saisissant le bras.

Il tira Cameron jusqu'au pied du séquoia royal et l'incita à grimper. Il aperçut alors le regard interrogateur de Cornéliane, qui n'était pas montée non plus.

— Tu peux aller m'attendre dans notre hutte. Je ne serai pas long.

Démoralisée, elle lui obéit sans discuter. Shvara la suivit avec leur part de victuailles, même s'il n'avait pas le cœur à manger.

Fabian suivit Cameron jusqu'à l'intérieur de sa hutte pour s'assurer qu'il n'allait pas s'effondrer sous le coup de l'émotion. Une fois en haut, cependant, il sembla reprendre ses esprits. Sans perdre une seconde, il alla s'agenouiller près du tatami où Danitza reposait, les yeux fermés.

— Elle a perdu connaissance, expliqua Telemniel, mais je ne crois pas qu'elle soit en danger de mort.

— Il dit vrai, l'appuya Fabian. Lorsqu'elle se réveillera, faites-la boire et si elle a faim, faites-la manger. Elle a besoin de refaire ses forces.

— Merci, s'étrangla Cameron en regardant tour à tour les archers et le dieu-milan.

Telemniel renvoya ses hommes dans leurs huttes, mais lui-même resta assis près de la trappe afin de surveiller le rétablissement de la reine. Fabian lui dit de ne pas hésiter à venir le chercher si sa condition devait se détériorer.

Après le départ de Fabian, Cameron prit la main de sa reine et l'appuya contre sa joue. Il ne bougea pas d'un poil jusqu'à ce qu'elle ouvre finalement les yeux.

– Mon amour... murmura-t-elle.

– Tu es sauve.

Il embrassa sa main avec soulagement.

– Lirelha...

– Nous avons trouvé son corps, mais nous n'avons rien pu faire pour elle. Je suis désolé... Tu dois te reposer. Nous reparlerons plus tard de ce qui s'est passé.

Danitza battit des paupières, luttant pour rester éveillée, mais elle succomba bientôt au sommeil.

23

LES ADIEUX

Pendant que l'orage éclatait à l'extérieur, Shvara, Fabian, Cornéliane et les petits dragons étaient assis en rond autour des fruits et des gâteaux qu'avait apportés le dieu-busard dans leur hutte. Les éclairs illuminaient leurs visages affligés et les roulements de tonnerre faisaient vibrer leur logis.

Urulocé et Ramalocé regardaient les humains à tour de rôle en se demandant s'ils allaient se décider à manger. Fabian aperçut leur manège.

– Servez-vous, leur dit-il.

Ils saisirent chacun un fruit dans lequel ils plantèrent leurs dents pointues.

– À moins de vouloir devenir citoyens du Royaume des Elfes, je pense qu'il est temps pour nous de partir, ajouta Fabian à l'intention de ses amis.

– Mais Moérie ? s'opposa Cornéliane.

– Elle est très certainement loin d'ici, à cette heure.

– On dirait qu'elle fait faire son sale travail par personne interposée, fit remarquer Shvara.

– Je pense que les Elfes l'ont compris aujourd'hui, mon ami. Ce qui est arrivé est vraiment regrettable, mais parfois, il faut une tragédie pour réveiller les gens. À mon avis, sans Moérie, les enchanteresses vont enfin recommencer à jouer leur véritable rôle auprès de la population, soit celui de guérisseuses et de protectrices.

– Et Malika ? s'entêta Cornéliane.

– C'est à Cameron de décider de son sort, pas à nous.

– Tu veux toujours aller voir ton frère à Émeraude ? s'enquit Shvara.

– J'aimerais en effet m'entretenir avec Maximilien de ses plans d'avenir. Ensuite, je partirai à la recherche de mon père.

Fabian se tourna vers Cornéliane, cherchant à deviner ses intentions dans ses yeux bleus.

– Je ferais mieux de retourner auprès de papa. Lui voudra certainement de moi.

– Maman ne nous a pas reniés, petite sœur, la rassura aussitôt Fabian. Elle est sous le charme du dragon et elle ne sait plus ce qu'elle fait. Demain, nous ferons nos adieux à nos hôtes et nous volerons vers notre destin.

— Puis-je vous rappeler, messieurs, que je n'ai pas d'ailes, moi ?

— Nous non plus, ajouta Ramalocé.

— Nous pourrions les transporter dans nos serres, suggéra Shvara.

— Je n'ai jamais vraiment aimé les hauteurs, s'effraya Cornéliane.

— Si tu préfères courir dans la boue jusqu'à Émeraude, c'est toi que ça regarde, la taquina Fabian.

— On pourrait faire un petit essai ? demanda la princesse en se tournant vers les dragons.

— Tant que nous sommes dans un grand sac sur votre dos, nous sommes partants ! déclara bravement Urulocé.

Ramalocé, moins téméraire que son compagnon rouge, se contenta de déglutir bruyamment.

— Demain, nous en profiterons pour faire nos adieux, indiqua Fabian.

— Ne pourrions-nous pas partir entre deux tempêtes ? fit alors Ramalocé d'une voix faible.

— C'est justement ce que j'allais proposer, le rassura Shvara.

Il fut très difficile pour tous les habitants d'Enkidiev de dormir cette nuit-là, car les orages se succédèrent jusqu'au matin.

– Ce serait un excellent moment pour quitter les Elfes, fit alors Shvara en regardant dehors. Je vois même des parcelles de ciel bleu.

Ils avalèrent les restes du repas de la veille, mirent la hutte en ordre et descendirent par l'ouverture. Les petits dragons en profitèrent pour courir autour des arbres, afin de se délier les pattes avant qu'on les enferme dans une besace. Cornéliane se frotta les bras, car la température avait chuté durant la nuit. « Je vais certainement mourir congelée, dans les airs ! » songea-t-elle.

Fabian vit Cameron descendre son échelle de corde et s'approcha de lui.

– Ma femme va beaucoup mieux, l'informa-t-il avec un sourire. Merci encore mille fois.

– Et Malika ?

– Je me rendais justement aux nouvelles. Vous apprêtiez-vous à partir ?

– Oui, avant le retour de la tourmente, surtout que nous volerons jusqu'à Émeraude.

– Vous retournez là-bas après ce qui s'est passé ?

– Nous n'irons pas au château, mais nous tenons à bavarder avec notre frère Maximilien avant de nous mettre à la recherche d'Onyx.

– Je vous souhaite la meilleure des chances dans toutes vos futures entreprises, Prince Fabian. Ne vous inquiétez surtout pas pour nous. Nous apprenons à nous débrouiller sans Hamil.

– Je ne serai jamais roi, mais j'imagine que ce n'est pas une sinécure. J'espère que nos chemins se croiseront dans un proche avenir. Je vous en prie, transmettez nos meilleurs vœux de rétablissement à Danitza et prenez bien soin de votre sœur. Je suis persuadée qu'elle ne sait même pas ce qu'elle a fait.

– Si jamais vous rencontrez Moérie lors de vos prochaines aventures...

– Nous lui règlerons son compte, ne vous inquiétez pas. Et si nous sommes en compagnie de mon père, cela risque d'être de façon permanente, car il ne fait jamais les choses à moitié.

– Je vous en remercie à l'avance.

Les deux hommes se serrèrent les avant-bras à la manière des Chevaliers d'Émeraude, puis se séparèrent. Cameron s'enfonça dans la forêt, immédiatement suivi de Telemniel et de ses archers, tandis que Fabian revenait vers sa sœur, son ami busard et les deux petits dragons.

– Prêts à décoller?

– Ne vole pas trop haut et si le moindre éclair sillonne le ciel, trouve-nous un abri, l'avertit Cornéliane.

Elle fit entrer ses petits amis dans son sac de toile, passa la bandoulière par-dessus sa tête et les serra contre son ventre, car dans son dos, elle ne pourrait pas le sentir si l'un d'eux se mettait à glisser.

— Nous préférons aussi cette position, chuchota Ramalocé en se collant contre Urulocé.

Cornéliane s'enveloppa ensuite dans une cape que lui avait remise les Elfes et prit une profonde inspiration.

— C'est maintenant ou jamais.

— Allonge-toi sur le sol, lui recommanda le prince.

Fabian et Shvara se métamorphosèrent en rapaces géants. Avec beaucoup de précaution, le milan royal referma ses serres sur la princesse et battit des ailes, s'élevant vers le ciel. Le busard le suivit aussitôt et les deux oiseaux de proie foncèrent vers le sud-est.

— Les vents nous sont favorables, se réjouit Shvara. Nous serons là-bas plus rapidement. Comment approcheras-tu ton frère si tu ne veux pas remettre les pieds au château ?

— Je n'en sais rien encore. Laisse-moi y penser.

Lorsqu'ils furent en vue de la forteresse, Fabian scruta le royaume. C'est avec plaisir qu'il découvrit que son jeune frère se trouvait sur une ferme à plusieurs lieues du palais. Il communiqua l'information à son ami et piqua vers le sol. L'arrivée des rapaces affola les chevaux que Bailey et Maximilien avaient fait sortir avant que la pluie reprenne de plus belle. Pour mettre fin à la panique, les deux dieux reprirent leur forme humaine. Cornéliane grelottait.

— Fabian ? s'étonna Maximilien.

La princesse émergea de sa cape et s'assit en tailleur en cherchant à se réchauffer avec sa magie.

— Cornéliane ? Mais qu'est-ce que vous faites ici ?

— Nous sommes venus te voir avant de poursuivre notre route, répondit Fabian.

— Dites-moi que vous n'avez pas l'intention de provoquer Nemeroff en duel !

— Une fois suffit, répondit Shvara.

— Nous allons tenter de retrouver père, expliqua Fabian. Il n'y a plus rien pour nous à Émeraude.

— C'est un dangereux périple.

— Certes, admit Shvara, mais certainement moins périlleux que de rester dans le coin.

— Laissez-moi rentrer les chevaux et nous en parlerons plus longuement.

Fabian décida de lui donner un coup de main. Il sauta dans l'enclos à la suite de Maximilien et serra la main de Bailey.

– Pas un autre prince qui vient travailler pour moi ? s'étonna-t-il.

– Non, fit Fabian en riant. Nous sommes seulement de passage.

En peu de temps, ils conduisirent toutes les bêtes dans leur stalle. En revenant vers la maison, Bailey convia ses visiteurs à l'intérieur.

– Nous ne pouvons pas rester, s'excusa Fabian. Nous voulons profiter de l'accalmie pour filer vers les volcans.

Un terrible coup de tonnerre fit trembler le sol sous leurs pieds.

– C'est raté, laissa tomber Shvara.

Bailey poussa tout le monde vers la porte et la referma juste à temps. Une pluie diluvienne s'abattit sur le Royaume d'Émeraude. Cornéliane fila tout droit vers l'âtre et s'assit devant en laissant sortir ses dragons de la besace. Tout comme elle, ils ne demandaient qu'à se réchauffer.

– Prince Fabian, le salua Volpel en sortant d'une chambre. Shvara. Oh ! Et la princesse.

Il ne vit pas tout de suite Urulocé et Ramalocé, qui s'étaient cachés sous les jambes repliées de la jeune fille.

– Nous sommes venus dire au revoir à Maximilien, expliqua-t-elle.

— Vous n'allez pas repartir pendant l'orage, j'espère.

— Nous attendrons qu'il passe, décida Fabian.

— Prenez place à table, je vous sers à boire.

Les dieux rapaces ne se firent pas prier, mais Cornéliane préféra rester près du feu pour siroter son vin.

— En fait, ce que j'aimerais vraiment savoir, c'est si tu as l'intention de rester ici, avoua Fabian à son frère.

— Rassure-toi, dès que je le pourrai, je m'éloignerai de Nemeroff, lui dit Maximilien. Je veux m'acheter une terre au Royaume de Perle pour y bâtir mon propre petit château et y élever des chevaux.

— Père a mis de l'argent de côté pour chacun de nous. Tu devrais demander ta part à mère. C'est ainsi qu'Atlance a pu s'établir aussi vite ailleurs.

— Je l'ignorais...

— Évidemment. À l'époque, tu étais en train de te faire battre par ton oncle, lui rappela Shvara.

— Je préférerais qu'on ne reparle pas de cela, d'accord ?

— Je sais où on peut trouver beaucoup de pièces d'or, fit le busard en jetant un regard entendu à son ami milan.

— C'est bien trop dangereux ! protesta Cornéliane.

– Il plaisante, voyons, tenta de l'apaiser Fabian.

– Au lieu de dire des bêtises, les arrêta Maximilien, parlez-moi plutôt de vos desseins.

– Cornéliane va nous conduire jusqu'au nouveau château de père, révéla Fabian.

– Je ne sais même pas où il est ! s'exclama l'adolescente.

– Mais tu y as séjourné.

– C'est lui qui m'y a emmenée dans son vortex et qui m'a ensuite transportée à Émeraude de la même façon. Je sais seulement que c'est dans les volcans.

– Ça ne devrait pas être trop difficile de repérer une forteresse parmi tous ces pics, les encouragea Maximilien. Mais après ?

– Nous ignorons la suite, soupira Fabian. Je ne sais même pas si père voudra me parler, mais si ça ne fonctionne pas, je me mettrai à la recherche d'un pays qui voudra bien de moi. Pour Cornéliane, je ne suis pas inquiet. Elle est la prunelle des yeux d'Onyx.

Ils entendirent alors pleurer un bébé.

– Veuillez m'excuser, fit Volpel en se levant. Notre petit homme a beaucoup de difficulté à faire ses siestes depuis le début de la saison des pluies.

Lorsque Volpel revint avec son fils Izsak, il s'installa dans la chaise à bascule. Les petits dragons captivèrent tout de suite le bébé qui, rassuré, écouta sagement la conversation des grands. Puisque la tempête s'intensifiait, les Chevaliers décidèrent de garder les membres de la famille royale et leurs amis à coucher. Ils confectionnèrent des lits devant l'âtre et leur souhaitèrent une bonne nuit. Malgré les éclairs incessants et les roulements de tonnerre, tous parvinrent à trouver le sommeil, mais au milieu de la nuit, les dieux rapaces sortirent de la maison sur la pointe des pieds. Pourtant, au matin, lorsque Cornéliane ouvrit les yeux, les deux amis étaient couchés non loin d'elle, enroulés dans leurs couvertures.

Ce furent les cris d'Izsak qui acheva de réveiller tout le monde. Volpel confia le bébé à Shvara, qui se mit à faire des pitreries pour l'amuser, et prépara le premier repas de la journée pendant que Bailey ouvrait les volets de la cuisine pour jeter un œil dehors.

– Je ne sais pas comment vous avez prévu de vous rendre à votre destination, mais à mon avis, vous avez quelques heures de temps sec devant vous, annonça-t-il.

Ils prirent rapidement place à table et mangèrent en un rien de temps. Maximilien serra ensuite sa sœur et son frère dans ses bras comme s'il ne croyait plus jamais les revoir.

– Faites bien attention, leur conseilla-t-il.

– Nous avons un petit présent pour toi, chuchota Fabian dans son oreille.

Il déposa dans la main de Maximilien une lourde boursette.

– Est-ce que c'est ce que je pense ? s'étonna le plus jeune en reculant.

– Je te conseille de partir pour le Royaume de Perle avant qu'il ne s'aperçoive qu'il lui manque quelques pièces d'or.

– Vous n'avez pas fait ça...

– Nous avions besoin d'une petite poussée d'adrénaline, plaisanta Fabian.

– C'était en effet très stimulant, renchérit Shvara avec un large sourire. Jamais je n'aurais pensé avoir le courage de m'approcher d'un dragon endormi.

– Vous êtes complètement fous.

– Ce qu'on ne ferait pas pour son frère, soupira Fabian. Dès que j'aurai une nouvelle vie, je reviendrai pour faire la connaissance de ma nièce ou de mon neveu, qui sera certainement né à ce moment-là.

– Tu vas me manquer...

Une dernière étreinte, puis les oiseaux de proie repartirent comme ils étaient arrivés, le milan royal tenant la princesse et ses dragons entre ses serres. Maximilien les regarda s'élever vers le ciel en priant les dieux de les protéger.

24

ANKTI

es villages des Anasazis se situaient beaucoup plus loin qu'Onyx l'avait imaginé. En compagnie de Wellan, Napashni et Kayenta, il chevaucha jusqu'au lac qui lui apparut immensément plus grand que sur la carte fournie par Lyxus. Il ressemblait davantage à un petit océan. À partir de là, ils suivirent une rivière aussi large que celles créées par Onyx de chaque côté d'An-Anshar. En aucun endroit elle ne pouvait être franchie à gué, ce qui protégeait la nation contre toute incursion en provenance d'Agénor.

Le trajet dura plusieurs jours, mais Onyx calma son impatience en se disant que la prochaine fois, il pourrait utiliser son vortex pour y retourner. Assise derrière Wellan, la jeune sentinelle Anasazi n'arrêtait pas de lui fournir de précieux renseignements sur son peuple. En tête du groupe, Onyx faisait semblant de ne pas s'intéresser à ses propos, afin qu'elle se confie sans entrave à son lieutenant, mais il prêtait tout de même une oreille attentive.

– Pourquoi vous a-t-on postée aussi loin de chez vous ? demanda Wellan.

– Il y a des guetteurs un peu partout sur nos terres, répondit Kayenta. Vous en rencontrerez sûrement d'autres avant que nous atteignions le village. C'est Ahoté, le chef des guerriers, qui nous attribue nos postes de guet.

– Même les femmes ?

– Mais la moitié des guerriers sont des femmes, affirma-t-elle en s'étonnant que Wellan ne le sache pas.

– Chez nous, elles peuvent aussi être dans l'armée, mais elles ne sont pas aussi nombreuses.

– Notre société est dirigée par Ankti, la matriarche, alors il est juste normal que nous puissions occuper toutes les fonctions de notre choix.

– C'est une bonne chose, approuva Wellan, qui ne voulait pas qu'elle se referme comme une huître. Vous êtes-vous rendue à votre poste à pied ?

– Bien sûr. Les Anasazis ne vénèrent pas le cheval comme les Hidatsas. Seuls les chasseurs en possèdent, pour des raisons évidentes. Nous vivons surtout de la pêche et de la culture du sol.

En observant le fleuve à sa gauche, Wellan n'avait pas de difficulté à le croire. À l'aide d'un bon système d'irrigation, ces gens pouvaient faire pousser n'importe quoi.

— Comment arrivez-vous à faire apparaître votre nourriture sans aller la chercher où que ce soit ? demanda à son tour la jeune femme.

— Ça s'appelle de la magie. Curieusement, elle ne semble pas exister de ce côté des volcans, alors que là d'où je viens, des centaines de personnes s'en servent.

— Des centaines ? Vous permet-elle de faire autre chose ?

Ne lui révèle pas tout, Wellan, l'avertit alors Onyx par voie télépathique.

— Grâce à elle, nous avons le pouvoir de maîtriser notre environnement.

Onyx et Napashni ne purent s'empêcher de sourire devant la généralité de sa réponse.

— Me montrerez-vous ce que vous savez faire ?

— En temps et lieu. Mais je ne suis pas venu jusqu'ici pour faire l'étalage de mes talents.

Toutes les nuits, Kayenta dormait près de l'ancien chef des Chevaliers. Au début, Napashni s'était sentie menacée par la présence d'une autre femme avec eux, mais au bout d'un moment, elle avait compris que ce n'était pas Onyx qui intéressait la nouvelle venue. Celle-ci faisait pratiquement la cour à Wellan, qui ne semblait pas s'en rendre compte. En érudit qu'il était, il ne pensait qu'à satisfaire sa curiosité et ne voyait pas toutes les tentatives de la jeune femme pour le séduire.

Ils chevauchèrent près de grands pâturages où paissaient d'étranges bovins dont la moitié du corps était recouverte de laine brune. Leur large tête était surmontée de cornes courtes et pointues, mais ils ne semblaient pas agressifs. La plupart tournaient la tête pour voir passer les cavaliers, puis continuaient de brouter. Onyx vit aussi des troupeaux de chevaux sauvages, mais beaucoup moins importants que ceux des Hidatsas. Suivirent des champs démesurés où poussaient du maïs et d'autres céréales que Wellan ne connaissait pas.

– Nous faisons pousser ce que nous mangeons, expliqua Kayenta.

– Quelles sont ces grandes fleurs et à quoi servent-elles ?

– Ce sont des tournesols et nous en extrayons l'huile qui sert à la cuisson. Nous cultivons des courges, des calebasses, des haricots, des oignons et des pommes de terre, en plus du blé et de l'orge. Je suis certaine que vous pourrez y goûter lorsque nous serons au village.

– C'est encore loin ?

– Après les champs.

Tandis qu'ils approchaient enfin des premières maisons qui s'élevaient sur le bord de la rivière, Kayenta se montra plus audacieuse.

– Êtes-vous marié ? demanda-t-elle à Wellan.

– Non.

– Avez-vous une promise ?

– Non plus.

Encore une fois, le grand commandant ne comprit pas qu'elle lui faisait des avances et Onyx n'allait certainement pas le lui faire remarquer. Il trouvait leurs conversations plutôt divertissantes. Quant à elle, Napashni gardait un œil protecteur sur Wellan. Même s'il possédait désormais un corps adulte, elle le voyait toujours comme un jeune adolescent sans expérience qui avait besoin de prendre de la maturité. Elle s'attendait à ce que Kayenta lui fasse ouvertement une demande en mariage, mais la jeune femme n'en fit rien.

– Pourquoi vos maisons sont-elles construites sur de hautes poutres ? s'enquit Wellan.

– Ce sont des pilotis. Ils sont enfoncés dans la terre et leur but est de supporter les fondations. Ils nous permettent de rester au sec lors des grandes crues.

– Quelle merveilleuse idée...

Wellan aperçut aussi les filets qui pendaient le long des galeries qui couraient autour des bâtiments, sans doute utilisés pour la pêche. Il remarqua ensuite les pirogues attachées à des pieux plantés dans la rivière. Les habitants les observaient de loin, avec plus de curiosité que d'agressivité. Ils portaient des tuniques courtes dans les tons de beige ou de brun, sans doute en suède comme celle de Kayenta. Leurs longs cheveux noirs étaient attachés dans leur dos et leur peau était tannée par le soleil.

À l'instar d'Onyx et de Napashni, Wellan se mit à sonder les lieux avec ses sens magiques. Il découvrit que les Anasazis formaient un peuple pacifique, qui ne devenait agressif que lorsqu'il était attaqué. «Nous n'aurons pas besoin de démonstrations de force pour les impressionner», songea l'ancien Chevalier.

Lorsqu'ils arrivèrent enfin à l'endroit où se trouvaient un nombre important de maisons, un homme vint à leur rencontre en compagnie d'un groupe de jeunes gens. Kayenta avait dit vrai : il y avait parmi eux autant de femmes que d'hommes.

– C'est Ahoté, indiqua la sentinelle. Il voudra savoir qui vous êtes et ce que vous voulez.

Les cavaliers mirent pied à terre.

– Ce sont des chevaux Hidatsas, mais vous n'êtes pas Hidatsas, laissa tomber Ahoté d'une voix grave.

– Ils nous les ont offerts pour que nous puissions nous rendre jusqu'ici, répondit Onyx.

– Êtes-vous Ressakans ?

– Non. Nous habitons de l'autre côté des volcans.

Un murmure s'éleva parmi les guerriers. Ahoté leva la main pour les faire taire.

— Alors, Ankti voudra faire votre connaissance. Vous pouvez laisser les bêtes ici. Nous les soignerons.

Ils remirent les rênes de leurs montures aux jeunes Anasazis.

— Venez, fit Ahoté en tournant les talons.

En regardant tout autour, Onyx, Napashni et Wellan suivirent cet homme dont la foulée était impressionnante. Celui-ci les conduisit jusqu'à une maison plus longue que toutes les autres, dont le toit courbé en arc était recouvert d'écorce. Il grimpa une échelle en bois qui menait à l'entrée. Les aventuriers l'imitèrent et se retrouvèrent dans une immense pièce d'une dizaine de mètres de large et de presque cent mètres de long. De chaque côté se trouvaient des bancs en bois au-dessus desquels s'élevaient une quantité impressionnante de lits superposés. Aux murs étaient accrochées des peaux de bêtes et du plafond pendaient différentes sortes de plantes en train de sécher. Au centre brûlait un feu dont la fumée sortait par un trou pratiqué dans le plafond.

Une femme aux longs cheveux argentés était assise en tailleur devant le feu, qu'elle taquinait avec une branche.

— Les voici, vénérable Ankti, annonça Ahoté.

— Approchez, fit la matriarche. Assoyez-vous devant moi.

Onyx, Napashni et Wellan firent ce qu'elle demandait, tandis que Kayenta contournait les flammes pour s'agenouiller près de celle qui dirigeait toute la nation.

— Les guetteurs m'ont prévenue de votre arrivée, mais ils ne savent pas pourquoi vous êtes ici.

— Je suis l'empereur d'An-Anshar et je parcours Enlilkisar pour rallier tous ses peuples sous mon égide.

— Une conquête pacifique, si je comprends bien ?

— Je pense qu'il est temps que cessent les guerres et les rivalités et que tous agissent pour le bien et la survie de la collectivité.

— Avez-vous expliqué ce projet chimérique aux voisins sanguinaires des Hidatsas, qui coupent la tête et qui arrachent le cœur de leurs prisonniers de guerre ?

— Oui, vénérable Ankti, répondit Onyx en imitant Ahoté. J'ai détruit leur pyramide et j'ai mis fin aux sacrifices.

La matriarche ne cacha pas son étonnement.

— Vraiment ? Avec quelle armée avez-vous réussi un tel exploit ?

— Celle que voici, fit l'empereur en montrant ses deux compagnons.

– Quelle terrible force détenez-vous pour inciter de tels sauvages à changer leurs mœurs ?

– C'est de la magie, grand-mère, murmura Kayenta.

– Qu'est-ce que c'est ?

– L'art de produire à partir de rien des phénomènes extra-ordinaires, répondit Wellan.

«J'ai bien fait de l'emmener», se félicita Onyx.

– Quel en serait un exemple concret ?

– Tous les soirs, ils font apparaître leur nourriture, répondit Kayenta.

– À partir de rien ? répéta Ankti, incrédule.

Onyx, qui n'aimait pas les explications sans fin, fit apparaître une magnifique coupe en or, sertie de pierres précieuses, et la tendit à la vieille femme par-dessus les flammes. Elle commença par la toucher du bout des doigts pour s'assurer que ce n'était pas une illusion, puis la prit et l'examina attentivement.

– D'où sort-elle ?

– Je l'ai fait voyager d'un endroit lointain jusqu'ici.

– Mais comment ?

– Avec de la magie.

Ankti n'arrivait pas à le croire.

— Est-ce plus difficile pour un gros objet ?

— Si j'en déplace un plus gros, il serait préférable que ce ne soit pas dans cette maison. Si vous voulez, je vous en ferai une démonstration lorsque nous serons dehors.

La matriarche se redonna une contenance.

— Lorsque vous parlez de conquête, je suppose que vous vous voyez à la tête des peuples que vous soumettez ?

— En effet, mais je ne les administre pas personnellement. Pour chacun, je nomme un régent qui le fait pour moi.

— Imposez-vous à vos représentants votre conception du monde ?

— Uniquement mes grands principes de paix et de justice, ainsi que le culte d'Abussos, le dieu fondateur de toutes choses.

— Je n'en ai pourtant jamais entendu parler...

— Au début des temps, Abussos et Lessien Idril, les principes masculin et féminin, ont donné naissance à huit enfants, à qui ils ont confié des missions différentes. Deux d'entre eux ont créé ce monde. Sans eux, vous ne seriez pas ici à me parler aujourd'hui.

— Vous non plus, d'ailleurs.

– Pas tout à fait, car je suis l'un de ces enfants et ma compagne Napashni également.

Ankti plissa le front, incertaine.

– Êtes-vous un de ces sorciers qui fument des plantes dangereuses ?

– Je suis un sorcier, mais je ne fume pas.

– Alors, si je comprends bien, vous êtes venu jusqu'ici pour me convaincre de faire partie de votre empire et de renier mes croyances.

– Je ne vous demande pas de les rejeter, mais d'en adopter d'autres.

– Mon peuple adore le même dieu depuis de nombreuses générations. Il ne sera pas facile de lui faire abandonner la confiance qu'il accorde à Azcatchi.

– Azcatchi ? répétèrent en chœur les trois étrangers.

– Pourquoi cela semble-t-il vous étonner ? Le dieu-crave est un exemple de sagesse pour les Anasazis.

– De sagesse ? reprirent-ils de plus belle.

– Il entend nos prières et il exauce nos vœux les plus chers.

– On ne doit pas connaître le même Azcatchi, laissa tomber Onyx, découragé. Celui que nous connaissons a assassiné son père, le dieu-condor Lycaon, ainsi que plusieurs autres membres de son panthéon. Pour le punir, Abussos lui a enlevé tous ses pouvoirs et l'a condamné à vivre en mortel.

— Comment savez-vous tout ceci ?

— Parce qu'en ce moment même, il est en train de soigner ses blessures dans ma forteresse.

— Vous l'avez vu ?

— À plusieurs reprises, vénérable Ankti. Nos combats sont passés dans la légende.

La pauvre femme était décontenancée.

— Quelle était sa place au ciel ?

— Il est l'arrière-petit-fils d'Abussos, répondit Wellan pour éviter qu'Onyx s'emmêle dans la hiérarchie divine. Son père Lycaon était le fils du dieu-dragon Aiapaec, lui-même fils d'Abussos.

— Azcatchi a-t-il déjà visité votre peuple ? demanda Napashni.

— Je me demandais si vous aviez une langue, répliqua Ankti. Les femmes ont le premier droit de parole ici, rappelez-vous-en.

— Oui, bien sûr.

– Un de mes lointains ancêtres prétend l'avoir vu. Venez, je vais vous montrer.

Les visiteurs suivirent la matriarche et sa petite-fille à l'extérieur de la longue maison et marchèrent avec elle jusqu'à la seule structure en pierre de tout le village. De plus, elle était circulaire et semblait creusée dans le sol, puisqu'il fallait descendre plusieurs marches pour y entrer.

– Je vais faire chercher des torches, fit la vieille femme.

– Ce ne sera pas nécessaire, annonça Onyx en allumant ses paumes.

– Éteignez ce feu avant de brûler vos mains jusqu'aux os ! s'exclama Ankti.

Onyx les lui présenta avec un sourire moqueur. Tout comme elle l'avait fait pour la coupe, elle toucha la lumière du bout d'un doigt.

– Ce n'est pas chaud ! s'étonna-t-elle.

– Mais ce peut le devenir.

L'empereur recula de quelques pas et fit jaillir une grande flamme vers le ciel.

– Vos pouvoirs sont étonnants.

– Je ne suis pas le seul à les posséder.

Napashni et Wellan imitèrent Onyx et produisirent aussi de la lumière dans leurs mains.

— Vous êtes vraiment des dieux...

Onyx descendit avec Ankti dans la kiva afin d'éclairer ses pas. Une fois à l'intérieur, sa compagne et son lieutenant achevèrent d'illuminer l'endroit. C'était une grande pièce circulaire qui devait probablement servir de salle de rituel ou de rencontre. La matriarche s'approcha d'un des murs recouverts de plâtre où apparaissaient de nombreux dessins. Onyx les parcourut rapidement, mais même s'il avait déjà compris ce qu'ils représentaient, il écouta Ankti raconter la première visite du crave sur la terre des Anasazis, qui, éblouis par sa puissance, lui avaient tout de suite voué un culte.

— Maintenant que j'y pense, il a fait à peu près la même chose que vous, lâcha la vieille femme.

— Sauf que moi, je ne vous demande pas de me vénérer, mais de rendre hommage à mon père, Abussos, le dieu fondateur.

— Est-ce un oiseau ?

D'un mouvement du poignet, Onyx dessina une créature à demi-poisson et à demi-homme à la fin des pictogrammes qui racontait l'histoire d'Azcatchi.

— C'est un hippocampe, un poisson.

— Et vous ?

– Pourrait-on répondre à cette question dehors ? murmura Wellan, embarrassé.

– Sortons, décida Onyx.

Curieuse, Ankti laissa sa petite-fille l'aider à remonter à la surface.

– Je suis un loup, annonça alors l'empereur d'An-Anshar en se transformant en un énorme carnassier tout noir pendant quelques secondes.

– Je ne l'aurais jamais cru si je ne l'avais pas vu de mes propres yeux, s'étrangla la matriarche en prenant appui sur sa petite-fille.

– Vous feriez peut-être mieux de vous asseoir, lui conseilla Onyx.

Kayenta l'obligea à le faire, certaine que cet homme ne plaisantait pas.

– Je suis un griffon, déclara Napashni.

Elle se métamorphosa en un animal à moitié lion et à moitié aigle, au moins cinq fois plus gros que son compagnon loup, puis reprit son apparence humaine.

– Je ne savais même pas qu'une telle bête pouvait exister... souffla-t-elle en se tournant vers Wellan.

– Peut-être que ce n'est pas une bonne idée, marmonna-t-il, espérant s'en tirer.

– Que fais-tu de la belle solidarité des Chevaliers d'Émeraude ? le piqua Onyx.

– Écoutez, je vais le faire uniquement pour vous faire plaisir, mais de grâce, ne vous affolez pas.

Le grand commandant, qui était le seul homme blond de tout le village, s'écarta de ses amis et se changea en une espèce de reptile ailé dont le long bec était pourvu d'une bonne centaine de dents pointues. Pire encore, il était dix fois plus gros que le griffon. Lorsqu'il redevint lui-même, Ankti avait les yeux écarquillés et faisait de gros efforts pour dompter sa terreur. À côté d'elle, Kayenta jubilait. Son admiration pour cet étranger n'avait plus de bornes.

– Accepterez-vous de manger avec les gens de mon village, ce soir ? réussit à articuler la matriarche.

– Avec plaisir, répondit Onyx.

– À moins que vous ne requériez des accommodements particuliers, je vous offre de partager ma maison, cette nuit.

– Sous notre forme humaine, nous pouvons absorber la même nourriture que les mortels et nous nécessitons beaucoup moins d'espace pour dormir, affirma Onyx avec un sourire moqueur.

– Je vous aime bien, empereur d'An-Anshar, mais avez-vous un nom ?

– J'en ai plusieurs, mais vous pouvez m'appeler Nashoba.

Tout le village fut réuni sur la grande place entre la kiva et les maisons sur pilotis et du gibier fut rôti dans des foyers creusés dans le sol. On servit aux trois dieux de la viande de bison en ragoût avec un assortiment de légumes tout aussi délicieux les uns que les autres. Wellan se régala. Il y avait bien longtemps qu'il n'avait aussi bien mangé. Toutefois, lorsqu'il constata que le maïs était de différentes couleurs, il voulut savoir pourquoi.

– Nous faisons bouillir le jaune pour le manger tel quel, expliqua Kayenta. Le bleu est utilisé dans les petits gâteaux, alors que nous mettons les grains du blanc dans les soupes et les ragoûts. Le rouge sert à faire le pain.

– C'est vraiment intéressant.

– Vous ne mangez pas de maïs, chez vous ?

– Non. Cette céréale ne pousse pas dans nos royaumes. Je veux que vous sachiez que votre cuisine est vraiment excellente.

Pendant ce temps, Onyx et Napashni discutaient des coutumes des Anasazis avec Ankti, mais cette fois le dieu-loup laissait sa compagne lui poser toutes ses questions sur les rôles respectifs des hommes et des femmes, l'éducation des enfants, les techniques de poterie et les artisans qui les décoraient avec beaucoup de talent. Ankti la félicita en apprenant qu'elle était enceinte.

– Mais à quoi ressemblera le petit d'un loup et d'un griffon ? s'inquiéta la matriarche.

– Nous n'osons même pas y penser.

Parfaitement détendu, Onyx écouta ensuite l'histoire du plus âgé des conteurs sur l'un de leurs ancêtres, puis assista aux simagrées du sorcier qui, lui, avait certainement fumé la moitié des herbes de la prairie. Il se laissa ensuite bercer par le rythme régulier des tambours et des chants traditionnels de la tribu. Lorsqu'il s'allongea contre Napashni cette nuit-là, sur l'un des lits plutôt étroits de la longue maison, Onyx sut que les Anasazis lui étaient acquis.

25

DÉTERMINATION

orsqu'il avait enfin atteint la base des volcans, Rami était éreinté et surtout affamé. Il avait rapidement épuisé ses provisions, car il avait mal calculé la distance qu'il devait parcourir pour retourner à Enlilkisar. Au lieu d'escalader et de descendre chacune des montagnes qui le séparait de son but, il avait plutôt cherché à franchir les défilés entre les volcans, ce qui avait allongé sa route. Toutefois, en arrivant au pied du dernier pic, il s'était retrouvé devant un fleuve impétueux qui coulait vers le sud. Le pays qu'il cherchait à atteindre se trouvait de ce côté, alors il décida de le traverser en se laissant emporter par le courant.

Heureusement, Rami avait appris à nager dans les cours d'eau plus tranquilles et moins profonds des Madidjins. Il réussit donc à garder la tête à flot pendant qu'il se faisait malmener par le torrent. Au début, l'eau froide lui fouetta le sang, mais au bout de quelques minutes, il sentit ses membres s'engourdir. Il commença à nager vers l'autre rive avec toute l'énergie qui lui restait et parvint finalement à s'accrocher à la cime d'un arbre qui avait été submergé, comme plusieurs autres, par l'apparition de cette nouvelle rivière. Haletant, il s'accrocha de branche en branche jusqu'à ce qu'il arrive enfin sur la terre ferme. Il se laissa tomber à plat ventre, exténué, et ferma les yeux.

Rami se réveilla en sursaut quelques heures plus tard et chercha à s'orienter. Il se trouvait à l'orée d'une forêt, le domaine des Scorpenas... Armé uniquement d'un couteau, il s'aventura courageusement entre les carajurus plutôt serrés les uns contre les autres en tendant l'oreille. La nuit venait et il n'avait pas du tout envie de servir de repas à ces créatures immondes. Quand l'obscurité commença à envelopper Enlilkisar, Rami grimpa dans un lapacho et se reposa. Ce fut l'odeur du feu qui le réveilla d'un seul coup au matin. Il vit de la fumée s'élever dans le ciel, mais ce n'était pas celle d'un incendie de forêt. Curieux, il sauta sur le sol et se rapprocha du phénomène. Il sortit finalement du bois et constata qu'une partie de grands champs de culture brûlait, surveillée par des hommes qui portaient des pagnes. L'estomac vide, Rami marcha vers eux en se montrant le moins menaçant possible.

– Pouvez-vous me dire où je suis ? demanda-t-il.

Ne comprenant pas son dialecte madidjin, les paysans se jetèrent des regards interrogateurs, puis le plus jeune d'entre eux prit Rami par le bras et l'entraîna vers ce qui semblait être un village au loin. Les jambes tremblantes, il suivit courageusement l'Itzaman, mais s'effondra juste avant d'atteindre la première maison. La famille qui y vivait, en train de tresser des paniers, abandonna son ouvrage pour se porter à son secours. Il fut transporté à l'ombre et ranimé avec de l'eau froide dans le visage.

– À boire, réclama-t-il.

Constatant que personne ne savait ce qu'il demandait, il se mit à sucer l'éponge qui avait servi à humecter son visage. La mère lui apporta aussitôt une cruche d'eau. Rami n'arrêta de boire que lorsqu'elle fut vide. On lui apporta alors des galettes de maïs, qu'il avala comme un jeune loup affamé.

– Je cherche Onyx, fit-il, une fois rassasié.

Même s'ils ne parlaient pas la même langue que lui, les Itzamans comprirent le nom de l'homme qui les avait libérés des attaques des Tepecoalts, de la férocité des Scorpenas et des sacrifices humains. Ils savaient qu'Hadrian, l'ami d'Onyx, se trouvait toujours au palais et qu'il pourrait sans doute le renseigner. Alors, ils firent signe au jeune homme de les suivre à travers les champs. Rami ne savait pas trop où on l'emmenait, mais il n'avait vraiment rien à perdre. À la tombée de la nuit, ils s'arrêtèrent près d'un regroupement de petites maisons en pierre, là où habitaient les paysans.

– Onyx n'est pas ici, se désola le Madidjin.

Les Itzamans levèrent leurs mains vers le ciel pour lui faire comprendre qu'il allait bientôt faire trop sombre pour continuer, puis pointèrent vers le sud.

– Il est là-bas, donc.

Ne parlant pas leur langue, Rami n'avait aucune façon de savoir que les Scorpenas de la région avaient été expédiés sur l'île des Araignées, alors il jugea plus prudent de passer la nuit avec ses hôtes, qui faisaient de gros efforts pour lui expliquer les choses par des gestes. Il mangea et but avec les paysans et dormit un peu à l'écart. Les hommes le réveillèrent au matin, lui donnèrent une galette et reprirent leur route à travers d'autres cultures. Ils n'atteignirent la piazza de la cité qu'au coucher du soleil. L'un d'eux courut jusqu'au palais pour annoncer l'arrivée de l'étranger, comme le voulait la coutume. Hadrian et Féliss sortirent de l'édifice en même temps.

Même s'il avait les cheveux noirs comme la plupart des Itzamans, la peau d'Hadrian était suffisamment pâle pour qu'on voie tout de suite qu'il n'était pas de leur race. Rami s'adressa d'abord à lui.

— Je cherche Onyx, laissa-t-il tomber.

— Tiens donc, toi aussi, répliqua Hadrian, amusé.

— Enfin quelqu'un qui parle ma langue !

— Ce n'est pas tout à fait exact. J'ai reçu un sort qui traduit dans ma tête les dialectes de tous les gens que je rencontre et qui traduit mes paroles pour que mes interlocuteurs puissent me comprendre.

— Vous ne parlez pas le Madidjin ?

— Pas du tout, mais cela n'a aucune importance. Avant que nous parlions de mon vieil ami, laisse-moi te présenter le Prince Féliss, régent de l'empire d'An-Anshar.

Rami le salua en courbant la tête.

– Lui, par contre, ne saisit pas un seul mot qui sort de ta bouche.

– Je le confirme, fit Féliss, mais prie-le tout de même de partager notre repas.

Hadrian transmit son invitation au jeune homme et le diri-gea vers le palais. Rami prit donc place entre les deux hommes et reçut une grande assiette, qui contenait l'un des plats préfé-rés des Itzamans : de petits chaussons fourrés de morceaux de poulet, de piments et d'oignons.

– Vraiment délicieux ! s'exclama l'étranger.

Nul besoin de traduction : la famille avait très bien compris qu'il se régalait. Rami remarqua alors le regard intéressé de la jeune Itzamane assise de l'autre côté d'Hadrian.

– Est-ce une princesse ? demanda-t-il à Hadrian.

– Pas tout à fait. C'est une femme qui m'a épousé un soir où j'avais trop bu de chicha. Je te présente Meyah.

– Est-ce que le mariage est valide lorsque le marié est ivre mort ?

– Ici, oui. J'ai tout essayé pour m'en sortir, mais il semble que je sois obligé de poursuivre ma quête avec elle. Toutefois, elle fait très bien la cuisine et elle est capable de distinguer les plantes empoisonnées des plantes comestibles, ce qui n'est pas négligeable.

– Alors, si j'ai bien compris, Onyx n'est pas dans ce pays.

– Non, mais il est passé par ici, juste le temps de détruire la pyramide du soleil, de secourir les Mixilzins victimes d'une curieuse inondation et de réunir les Itzamans, les Tepecoalts et les Mixilzins en une seule et même tribu. Il est maintenant en route pour le pays suivant.

– Qui êtes-vous exactement ? demanda Rami, un peu confus.

– Je m'appelle Hadrian d'Argent. Je suis un vieil ami d'Onyx. Et toi ?

– Rami d'Aabit. Je viens d'une région du grand pays des Madidjins.

– Et Onyx te connaît ?

– C'est une longue histoire.

Il devait certainement avoir passé du temps avec son ancien lieutenant, car il venait de lui faire exactement la même réponse que lui.

– Nous ne sommes pas encore couchés, répliqua moqueusement Hadrian.

Rami lui raconta donc comment Cornéliane, privée de sa mémoire, était arrivée chez le Prince Fouad. Grâce à son intérêt pour les armes, elle était devenue l'une des élèves d'Idriss, son maître d'armes.

– En défendant notre raïs contre un rival, elle a reçu un coup sur la tête et ses souvenirs sont revenus, alors elle a pris la fuite vers l'ouest pour rentrer chez elle. Je l'ai suivie et, lorsque je l'ai enfin rattrapée, elle était en compagnie d'un homme habillé tout en noir. J'ai cru qu'il s'en était emparé.

Hadrian se cacha partiellement le visage dans une main, car il pouvait déjà imaginer ce qui s'était passé.

– J'ai voulu la sauver, mais il a fait apparaître une épée double de nulle part. Si Cornéliane ne l'avait pas arrêté, il m'aurait probablement tué.

– Et c'est ainsi que tu as rencontré Onyx...

– Une fois écrasé sur le sol et plutôt mal en point, j'ai vu un cheval ailé en arrière de lui et là, un griffon est tombé du ciel.

– Un griffon...

– Il s'est transformé en une femme qui ressemblait curieusement à la vôtre. Elle s'appelle Napashni. Puis, je me suis retrouvé instantanément dans un lit, dans son grand château.

– Onyx a un nouveau château?

– Je ne savais pas qu'il en avait eu un ancien.

– Il y avait un autre blessé dans la même pièce que moi, un type qui porte le nom d'Azcatchi.

– Quoi?

– Vous savez qui c'est ?

– Pourquoi était-il chez Onyx ?

– Je n'en ai pas la moindre idée, mais il est certain qu'il n'ira nulle part avant longtemps. Il était bien plus sérieusement blessé que moi.

– Il a donc fini par l'avoir ! s'étonna Hadrian.

– Vous croyez que c'est Onyx qui l'a mis dans cet état ?

– J'en suis même certain.

Hadrian avala les dernières gouttes de son cacao chaud et déposa sa tasse sur le sol.

– Si tu es à la recherche de mon ami, c'est qu'il n'est plus chez lui, n'est-ce pas ? devina-t-il.

– Il s'est absenté pour aller mener quelque mission sur Enlilkisar et quelqu'un en a profité pour s'emparer de sa forteresse.

– Connais-tu l'identité de l'envahisseur ?

– Non... J'ai seulement entendu la petite princesse crier qu'elle était prisonnière et me demander d'aller prévenir son père. Alors me voilà. Et vous, pourquoi le cherchez-vous ?

– Il a en sa possession un talisman qui m'appartient et je veux qu'il me le rende.

— Ce doit être un objet très précieux pour que vous affrontiez tous les dangers d'Enlilkisar dans le seul but de le reprendre.

— En effet.

— Quand avez-vous l'intention de poursuivre votre route ?

— Demain matin, en vertu des lois des Itzamans. Lorsqu'un homme se marie ici, volontairement ou non, il doit passer plusieurs jours en compagnie de sa belle-famille, puis il est libre d'aller s'établir où bon lui semble. Le seul problème, c'est que je ne pourrai pas laisser ma tendre moitié chez sa mère jusqu'à ce que j'aie retrouvé Onyx.

— Est-ce qu'elle sait ce qu'elle risque ?

— Probablement pas, mais je suis tombé sur une femme qui a envie de partir à l'aventure.

— Au moins, vous l'aurez avertie. Puis-je aussi me joindre à vous ?

— Pourquoi pas, puisque nous cherchons le même homme.

— Possédez-vous des pouvoirs magiques comme Onyx ?

— Oui, mais pas aussi étendus. Tâche de ne pas boire de chicha, ce soir, car tu risques de te marier sans t'en rendre compte. Pire encore, tu ne serais pas capable de te lever demain.

Hadrian tapota amicalement le dos du jeune homme et se retira dans le coin du palais que Féliss avait mis à sa disposition.

Meyah le suivit aussitôt. On offrit alors au Madidjin une tasse remplie d'une boisson chaude.

— Non merci, refusa Rami.

— C'est du cacao, indiqua Hadrian en continuant de s'éloigner. On ne l'offre qu'aux personnages importants. Mieux encore, il aide à trouver le sommeil.

Rami changea d'idée et accepta le présent avec un sourire. Féliss lui indiqua ensuite un matelas de plumes dans un coin de la pièce commune. C'est là que le Madidjin passa la nuit, bien content d'être à l'abri des terribles prédateurs qui rôdaient autour des villages d'Enlilkisar.

À son réveil, Hadrian était déjà prêt à partir. Il lui donna tout de même le temps de faire sa toilette et d'avaler quelques fruits, puis lui tendit une troisième besace aussi remplie que la sienne et celle de Meyah.

— Où allons-nous ?

— Apparemment, mon vieil ami a des visées sur une contrée habitée par les Hidatsas.

— Idriss m'en a déjà parlé. Il disait que c'étaient de farouches guerriers. Son pays d'origine n'est séparé de celui de ce peuple que par une chaîne de montagnes, mais il arrive que de jeunes téméraires les franchissent et fassent des victimes parmi les pacifique Elladans.

— Tu en sais déjà plus que moi.

Hadrian, Rami et Meyah firent leurs adieux à la famille royale, puis à celle de la jeune femme, avant de se mettre en route sur le sentier qui menait tout droit chez les Tepecoalts. Une fois qu'ils ne furent plus en vue de la cité, l'ancien souverain s'arrêta.

— Tout comme Onyx, je possède le pouvoir de nous déplacer ailleurs à l'aide d'un vortex, expliqua-t-il. La seule limitation de ce mode de transport, c'est qu'il ne peut nous emmener que là où nous sommes déjà allés. Je vais donc nous épargner du temps, mais rien ne nous garantit que nous trouvions Onyx à l'endroit où nous réapparaîtrons.

— En d'autres mots, il nous faudra quand même marcher, saisit Rami. Ne vous inquiétez pas pour moi, je suis jeune et vigoureux.

— Mon intuition me dit que nous serons rapidement repérés par les chasseurs Hidatsas. Espérons qu'ils pourront nous conduire à Onyx. Prenez mes mains.

Rami et Meyah lui obéirent sur-le-champ et disparurent avec lui.

26

PISTES DIVINES

Au sommet d'un des volcans formant le nouvel empire d'An-Anshar, Kira, Lassa et Mahito étaient à la recherche de l'homme qui avait enlevé Marek. Tout ce qu'ils savaient, pour l'instant, c'était que le ravisseur était un puissant magicien. Non seulement il avait arraché l'enfant à ses parents dans la rivière Sérida, mais il avait réussi à l'attirer jusque sur la montagne en une fraction de seconde et l'empêchait de communiquer par télépathie avec le monde extérieur. Kira avait appelé son fils des centaines de fois. Il y avait aussi, bien sûr, la possibilité qu'il ait décidé de ne pas répondre parce qu'il était fâché contre elle, mais elle ne pouvait même pas déceler sa présence où que ce soit à l'aide de ses facultés magiques.

— J'ai déjà flairé cette énergie dans la forêt de Jade, déclara finalement le dieu-tigre, à quatre pattes sur le sol.

— Et tu ne sais pas à qui elle appartient ? s'inquiéta Lassa.

— Je ne prétends pas connaître tous les magiciens et tous les sorciers d'Enkidiev, mais il me semble qu'il s'agit d'une force vitale différente. Ce n'est pas celle d'un être vivant.

– Peux-tu au moins déterminer de quel côté il est allé ? demanda Kira.

– Il est difficile de suivre la trace de quelqu'un qui se déplace au moyen de la magie. Toutefois, mon instinct me dit d'aller vers l'est.

Ils n'eurent cependant pas le temps de prendre une décision : trois nouveaux personnages apparurent sur l'étroite corniche où ils se tenaient. Kira reconnut tout de suite Danalieth, Anyaguara et Theandras. Elle était si surprise de les apercevoir ensemble qu'aucun mot ne voulut sortir de sa gorge.

– Père ? Mère ? s'étonna Mahito.

– Mais qu'est-ce que tu fais ici ? répliqua Danalieth, tout aussi étonné que lui.

– Nous sommes sur les traces d'un ravisseur d'enfant, expliqua Lassa.

– Alors, je crains que nous ayons un grave problème, laissa tomber Theandras. Nous suivons nous-même la piste d'une énergie très négative et elle nous a menés jusqu'ici.

– Vous pensez qu'il s'agit de la même personne ? s'effraya Kira.

– Il y a de fortes chances que ce soit le cas, avoua Danalieth.

– Qui a-t-il pris ? voulut savoir Anyaguara.

– Notre fils Marek, répondit Lassa, et peut-être d'autres enfants. Nous n'avons aucune façon de le savoir.

– De quel côté est-il parti ? s'impatienta Mahito.

– Il y a des choses que vous devez d'abord savoir, l'avertit Danalieth. Nous pensons qu'il s'agit d'un dieu en provenance du monde parallèle.

– Pouvez-vous le leur montrer, Theandras ? fit Anyaguara.

La déesse du feu reproduisit à nouveau l'image en trois dimensions de l'énorme lion en le faisant flotter dans le vide, puisqu'il n'y avait pas suffisamment d'espace sur la saillie pour l'y faire apparaître.

– Kimaati... murmura Kira, sidérée.

– Qui ? firent en chœur tous ses compagnons.

– Ma mère m'a parlé de lui.

– Fan le connaît ? s'étonna Theandras.

– Elle m'a raconté qu'elle l'avait retrouvé dans la neige à Shola, blessé ou épuisé, je ne sais plus très bien. Il s'est installé dans ses quartiers et y est resté suffisamment longtemps pour avoir un bébé avec elle, soit ma petite sœur Myrialuna.

– Elle ne m'a pourtant jamais parlé de lui.

– Apparemment, il est originaire d'un monde parallèle et c'est un félin. C'est pour cette raison que Myrialuna se transforme en eyra.

– J'aurais dû m'en douter, soupira Anyaguara.

– Ce Kimaati est-il bon ou méchant ? s'enquit Lassa.

– Ma mère n'a jamais dit de mal de lui, affirma Kira.

– Pourtant, il vient d'enlever Marek.

– Je crois savoir pourquoi, avança Anyaguara. Étanna n'a pas conçu ses enfants toute seule. Elle nous a déjà avoué qu'un bel étranger était arrivé dans notre monde et était devenu son compagnon. Elle nous a dit que notre frère Ahuratar lui ressemblait, donc c'est un lion. Étanna n'a jamais compris pourquoi il est parti un matin sans lui donner d'explication.

– Quelqu'un du monde parallèle pourrait-il être à sa recherche ? supposa Mahito.

– Si c'est le cas, je ne crois pas que ce soit une bonne nouvelle pour nous, se découragea Lassa.

– Vous n'êtes pas sans savoir que Marek est le fils de Solis, continua Anyaguara. Il est donc le petit-fils de Kimaati.

– Il se serait donc emparé de lui parce que son propre sang coule dans ses veines, comprit Kira.

– Pourquoi se serait-il intéressé à lui, autrement ?

– Maintenant que nous savons à qui nous avons affaire, allons lui demander de vous rendre votre enfant, s'impatienta Mahito.

– Il faudrait d'abord savoir de quel côté il est allé, lui signala Kira.

– Par là, fit Danalieth en pointant le nord-est. Si vous le permettez ?

En une fraction de seconde, ils se retrouvèrent tous sur un autre haut pic, à un kilomètre à peine du plus haut des volcans. Son sommet avait été tronqué et une imposante forteresse y reposait. Elle ne ressemblait en aucune façon aux constructions que l'on retrouvait à Enkidiev.

– J'ignorais qu'un château se trouvait à cet endroit, s'étonna Kira.

– Surtout que les volcans ne se sont éteints qu'il y a peu de temps, leur rappela Lassa. Ce type de fortifications ne se bâtit pas en quelques mois.

– Regardez ! s'exclama Mahito.

Deux oiseaux de proie arrivaient de l'ouest.

– Ce sont des dieux, les informa Danalieth.

Fabian et Shvara se posèrent près des sauveteurs et reprirent leur forme humaine.

— Il ne fait pas tellement plus chaud ici, se plaignit Cornéliane en resserrant sa cape autour d'elle.

— Que faites-vous ici ? s'enquit Kira, abasourdie.

— Nous voulions nous approcher de la forteresse, mais une puissante force nous en a empêchés, expliqua Fabian.

— C'est à ce moment-là que nous vous avons aperçus, ajouta Shvara.

— Êtes-vous responsables de ce phénomène ?

— D'aucune façon, leur assura Anyaguara.

— Des félins et des reptiliens, remarqua le dieu-busard.

— Il ne manquait que des oiseaux et ils sont tombés du ciel, répliqua Mahito.

— Pourquoi vouliez-vous aller là-bas ? les questionna Kira, confuse.

— Parce que c'est An-Anshar, le château de mon père, répondit Cornéliane en libérant ses dragons. Profitez-en pour vous délier les pattes.

Kira reconnut les petites bêtes qui avaient inculqué à Marek plusieurs bonnes manières lorsqu'ils vivaient à Émeraude. « Il sera content de les revoir », songea-t-elle. Puis elle se rappela pourquoi ils étaient là.

— Ton père s'y trouve-t-il ? demanda Lassa.

— Il est possible qu'il soit déjà parti en mission.

— Quelle mission ?

— Il veut devenir l'empereur d'Enlilkisar.

— Onyx a toujours eu de l'ambition, se moqua Kira.

— Si ce n'est pas l'un de vous qui a entouré le château d'un bouclier et que le seigneur des lieux est absent, alors c'est qui ? s'étonna Shvara.

— Kimaati, répondit Kira. C'est un dieu fauve en provenance d'un monde parallèle. À mon avis, il se cherchait une nouvelle tanière et il en a profité pour s'installer dans celle d'Onyx pendant qu'il était absent. Pire encore, il y retient Marek.

— Oh non ! s'exclama Cornéliane. Savez-vous si Ayarcoutec est aussi à l'intérieur ? Et Cherrval ? Et Azcatchi ?

— Azcatchi ? s'écrièrent les autres d'une seule voix.

— Vous n'avez plus rien à craindre de lui. La mort de son père et la raclée qu'il a reçue de Solis lui ont enlevé tout ce qui lui restait de force.

Ses interlocuteurs étaient si stupéfaits qu'ils ne parlaient plus.

– Comment pourrions-nous savoir s'ils ont été expulsés de la forteresse lorsque Kimaati en a pris possession ? demanda Fabian.

Ramalocé se tourna vers son compagnon Urulocé.

– Ça te dirait de jouer les héros encore une fois ? murmura-t-il.

– Les barrières magiques ne nous ont jamais empêchés d'aller où nous voulions, répliqua l'autre sur le même ton.

– Je vous ai entendus, les avertit Cornéliane. Il n'est pas question que vous vous exposiez aux foudres d'un dieu dont on ne sait rien. Est-ce bien clair ?

– Quelqu'un capte-t-il quelque chose à l'intérieur ? interrogea Lassa en secouant sa torpeur.

– C'est impossible, avec ce bouclier.

– Comment allons-nous sortir Marek de là ?

– On pourrait aller chercher mon père, suggéra Cornéliane.

– Ce sera notre dernier recours, décida Kira. Comme je le connais, il préférera détruire sa place forte plutôt que de la céder à un rival et je ne voudrais pas retrouver mon fils dans les débris.

– Dans ce cas, je propose la négociation, fit Danalieth.

– L'un de nous a-t-il envie de rencontrer le gros chat méchant ? s'informa Shvara.

– Pas toi, dit Lassa à Kira.

– Pourquoi pas ? Il n'y a rien de plus touchant qu'une mère qui veut ravoir son enfant.

– Tu manques de tact quand tu as affaire à des gens obtus.

– Je n'arrive pas à croire que tu me dises une chose pareille !

– Ça me rappelle de bons souvenirs, murmura Fabian à son ami busard. On les entendait souvent se disputer comme ça quand on vivait sur le même étage à Émeraude.

– Ce sera moi, décida Danalieth. J'ai l'habitude des dieux grincheux.

Theandras réprima un sourire. Elle savait fort bien qu'il faisait référence à son frère Parandar.

– Attendez-moi ici, ordonna l'Immortel.

Danalieth disparut et se matérialisa à la limite de la bulle géante qui recouvrait le château. Elle était destinée à empêcher quiconque de s'en approcher ou de s'en échapper et elle bloquait certainement toutes les communications télépathiques.

– Je demande à voir le maître de ces lieux ! lança-t-il en amplifiant sa voix.

Kimaati se tenait sur le plus haut balcon et observait l'immensité de son royaume lorsqu'il entendit la requête de l'Immortel. Tayaress apparut instantanément auprès de lui.

— Va voir ce qu'il veut, ordonna le dieu-lion.

— Ne préféreriez-vous pas que je vous en débarrasse ?

— Tayaress, tu ne sais tout simplement pas t'amuser.

Le sombre serviteur se courba devant lui et disparut. Pour ne pas révéler au reptilien l'étendue de ses facultés magiques, Tayaress choisit de sortir par les grandes portes et de s'approcher de lui à pied. Complètement vêtu de noir, son capuchon dissimulant ses traits, il ressemblait davantage à un assassin qu'à un valet. Il s'immobilisa à quelques pas de l'indésirable.

— Qui êtes-vous ? lâcha-t-il, sans façon.

— Danalieth, au service du panthéon reptilien. Êtes-vous le propriétaire de cette forteresse ?

— Non. Mon maître m'envoie vous demander pourquoi vous êtes ici.

— J'ai raison de croire que vous détenez un enfant protégé par Parandar. Il a été pris non loin d'ici, dans les volcans.

— Je transmettrai votre plainte à mon maître.

— Kimaati ?

– Préparez-vous à vous prosterner devant lui, esclave.

Tayaress tourna les talons et repartit comme il était venu. De retour sur le balcon, il répéta les paroles de Danalieth au dieu fauve.

– Il veut Marek, conclut-il.

– Il n'est donc pas le propriétaire du château, se désola Kimaati. Dommage...

– L'Immortel n'est pas venu seul. Je sens la présence de ses complices sur ce volcan là-bas.

– Peuvent-ils me voir de cet endroit ?

– Non, pas à cette distance.

– Dans ce cas, trouve une façon de les faire approcher.

Tayaress revint auprès de Danalieth et l'informa que son maître s'adresserait à lui s'il voulait bien faire avancer tout son groupe jusqu'à la fontaine, puis il réintégra la forteresse.

Danalieth informa ses amis de la requête de l'envahisseur et presque immédiatement, Lassa, Kira, Mahito, Anyaguara, Theandras, Fabian, Shvara, Cornéliane et les dragons apparurent près de l'Immortel.

– Pourquoi tient-il à ce que nous soyons tous là ? s'étonna le dieu-busard.

– Sans doute pour faire une démonstration de sa puissance, devina Mahito.

– Préparez-vous à vous défendre, ordonna Kira.

Un sourire amusé apparut sur le visage de Kimaati. Était-il donc si facile de manipuler les sujets d'Abussos ? Il exigea alors que Tayaress aille chercher Marek, afin de faire comprendre à cette bande de créatures divines qu'elles avaient affaire à un conquérant de taille.

– Quelqu'un approche, lança Cherrval en s'éloignant de la porte.

Marek et Ayarcoutec étaient assis ensemble sur un des deux lits, tandis qu'Azcatchi se reposait sur l'autre.

– Il est bien trop tôt pour le repas, calcula la princesse.

– Que fait-on ?

– Vous n'avez quand même pas l'intention de vous en prendre à Kimaati ou à son pantin ? s'inquiéta le crave.

La porte s'ouvrit et Tayaress fit deux pas à l'intérieur.

– Marek, viens avec moi.

– Non.

– Je te conseille d'obéir.

— Je n'irai nulle part avec vous.

L'immortel marcha vers le garçon, qui recula jusqu'au mur. Lorsque Tayaress tendit la main pour se saisir de lui, Marek glissa du lit et s'écrasa contre le mur. S'il avait pu conserver ses facultés magiques, Azcatchi en aurait profité pour neutraliser ce traître pendant qu'il se concentrait sur l'enfant. Il surveilla tout de même ses gestes, au cas où il lui offrirait une ouverture...

Marek fonça vers l'autre extrémité de la grande chambre. Tayaress se retourna si abruptement vers lui que son capuchon retomba sur ses épaules, révélant son air profondément agacé. Il détacha l'un de ses poignards de sa ceinture.

— Vous ne trouvez pas que c'est un peu excessif ? grommela Azcatchi.

Tayaress fit la sourde oreille et s'approcha à pas lents de sa proie.

— Si vous me tuez, il n'y aura pas un seul endroit dans cet univers ou ailleurs où vous pourrez échapper à ma mère !

— Et si je te crible de coups sans te tuer ?

— Ce sera encore pire !

Marek grimpa sur le rebord de la fenêtre. Ayarcoutec en profita pour s'approcher de Tayaress par derrière. Azcatchi n'eut pas le temps de la saisir au passage pour l'empêcher de faire une bêtise. La princesse asséna un solide coup de pied dans le mollet de son geôlier, mais il n'eut pas l'effet escompté.

Celui-ci fit volte-face et, utilisant sa magie, il projeta durement l'enfant sur le lit. Cherrval se plaça aussitôt entre l'homme et la petite en rugissant.

– La prochaine fois, je ne serai pas aussi clément, l'avertit Tayaress.

Il pivota vers Marek, qui avait maintenant une jambe à l'intérieur de la chambre et l'autre dehors.

– Reculez ou je saute !

Le dernier mot s'étrangla dans sa gorge soudainement oppressée. Une main invisible venait de se saisir de lui et le décrochait inexorablement de son perchoir. Dès qu'il fut près de Tayaress, ce dernier l'agrippa par le collet et le traîna vers la sortie.

– Qu'allez-vous faire de lui ? cria Ayarcoutec, épouvantée.

La porte claqua derrière l'Immortel qui venait de la franchir avec son prisonnier.

– Vont-ils le tuer ? s'étrangla la princesse.

– C'est possible, admit Azcatchi. Je ne serais pas surpris qu'ils aient l'intention de revenir nous chercher un à un pour nous découper en morceaux.

– Nous n'allons pas nous laisser faire !

– Je suis parfaitement d'accord. C'est le moment ou jamais d'aller voir où mène ce trou que ton ami a creusé dans le plancher.

– Mais Marek ?

– Pour le sauver, nous aurons besoin de renforts.

Azcatchi mit prudemment les pieds sur le plancher et demanda à Cherrval de l'aider à pousser le lit. Au même moment, Tayaress remettait le garçon terrorisé à son maître sur le balcon de ses appartements.

– Marek ! s'exclama joyeusement Kimaati. Viens voir qui est là !

Le garçon décocha un regard noir à l'Immortel qui l'avait séparé de ses amis et s'avança jusqu'à la balustrade. Le dieu-lion lui pointait quelque chose tout en bas. Même si les personnes qui s'étaient rassemblées à l'autre bout de l'allée qui menait aux portes ressemblaient à de minuscules poupées, Marek n'eut aucune difficulté à reconnaître sa mère parmi elles. Toutefois, il feignit l'indifférence, car il n'allait certainement pas donner à son ravisseur le plaisir de l'angoisser davantage.

Kimaati agrippa le garçon par la taille et l'assit sur la balustrade, les jambes pendantes au-dessus du vide. Marek poussa un cri de terreur en s'accrochant au rebord de pierre.

– C'est lui que vous voulez ? demanda le dieu-lion d'une voix forte.

Kira sentit son cœur s'arrêter de battre dans sa poitrine.

– Relâchez-le et retournez d'où vous venez ! rétorqua Theandras, ses yeux se changeant en flammes ardentes.

– Vous me faites des menaces ?

– Vous n'avez pas le droit de vous introduire sans permission dans cet univers et encore moins d'en maltraiter ses habitants.

– Si vous ne l'avez pas encore compris, je suis le nouveau maître de cette planète et vous apprendrez à m'obéir ! Cette forteresse est désormais mienne et personne ne m'en chassera ! Mais vous avez raison en ce qui concerne le garçon ! Il est à vous !

En éclatant d'un rire fracassant, Kimaati poussa Marek dans le vide.

– Non ! hurla Kira à s'en déchirer les poumons.

Fabian et Shvara n'eurent pas le temps de réagir que Lassa s'était déjà transformé en un dauphin argenté. Au lieu de retomber sur le sol, entraîné par son poids, il déploya plutôt de larges ailes recouvertes de plumes blanches et prit son envol, oubliant tout à fait le dôme de protection qui s'élevait devant lui. Heureusement, Kimaati venait de le faire disparaître afin d'attaquer les insolentes divinités qui avaient eu la mauvaise idée de venir l'intimider chez lui.

Lassa évita habilement les tirs iridescents du dieu-lion et attrapa Marek entre ses mâchoires quelques secondes avant qu'il ne s'écrase sur le sol. S'empressant de contourner la façade du château, il fonça vers l'est. Les jets d'énergie mortelle dispersèrent le groupe de sauveteurs et éclatèrent là où ils s'étaient trouvés un instant plus tôt.

Les oiseaux de proie prirent leur envol afin de mener leur contre-attaque à partir du ciel. Ils augmentèrent de taille et saisirent de grosses pierres sur le versant du volcan le plus proche, puis foncèrent sur la forteresse afin de bombarder le balcon.

Le sang s'était mis à bouillir dans les veines de Kira, comme du temps où elle affrontait les Tanieths. Elle répliqua aux charges de Kimaati par des rayons enflammés. Ils léchèrent le pourtour de la porte qui donnait sur la chambre royale et firent rire l'envahisseur aux éclats, tandis qu'il les esquivait.

La femme Chevalier songea alors à utiliser ses orbes violets, mais ce faisant, elle aurait éliminé tous ceux qui se trouvaient à l'intérieur, y compris la petite Ayarcoutec.

Danalieth et Theandras s'étaient joints à elle et leurs tirs de barrage arrachèrent des morceaux du balcon. Quant à elle, Anyaguara avait décidé de ne pas participer à l'escarmouche et avertit Kira qu'elle allait plutôt mettre à l'abri Cornéliane et les petits dragons qu'elle serrait contre elle.

— Essayez de retrouver mon mari ! cria la Sholienne. C'est là que nous nous regrouperons !

La déesse-panthère disparut en emportant avec elle non seulement la Princesse d'Émeraude et ses protégés, mais également son propre fils. Voyant qu'ils n'arrivaient à rien, Kira ordonna à l'Immortel et à la déesse du feu de cesser leurs salves.

— Encore une fois, nous sommes en train de faire exactement ce qu'il veut, grommela-t-elle. Ce petit combat l'amuse et grâce à une magie qui m'échappe, il s'est organisé pour qu'aucun de nos faisceaux ne l'atteigne.

— Il joue avec nous comme un chat avec des souris, confirma Theandras.

— Fatigués ? lança Kimaati.

— Surtout, ne répondez pas, les avertit Kira.

— Ce qui m'étonne, c'est qu'il n'ait pas utilisé son serviteur immortel contre nous, avoua Danalieth.

— Moi, je sais pourquoi, laissa tomber Theandras. Il ne ferait pas le poids contre d'autres dieux.

De gros morceaux de roc tombèrent du ciel et manquèrent de peu le balcon où se tenait le dieu-lion, qui prit cette menace beaucoup plus au sérieux. Il rétablit immédiatement le dôme de protection au-dessus de sa forteresse et les pierres suivantes y rebondirent pour finalement dévaler le flanc du volcan.

— Ne restons pas ici, recommanda Danalieth.

Fabian, Shvara, repliez-vous! leur commanda Kira. *Lassa, où es-tu?* Il ne répondit pas, sans doute pour ne pas révéler sa position à Kimaati, mais l'image d'un cours d'eau apparut dans l'esprit de Kira. Danalieth lui fit signe qu'il l'avait captée aussi. Il prit sa main et celle de Theandras et les emmena sur la berge de la rivière Sérida, au Royaume de Rubis, là où s'étaient réfugiés Anyaguara et les jeunes. Mahito était furieux d'avoir été retiré du combat. Il aurait voulu se mesurer au dieu-lion.

— L'innocence de la jeunesse, soupira sa mère.

— Tu es très fort, Mahito, tenta de l'apaiser Danalieth, mais tu n'es pas un dieu de son calibre.

— Le bien ne triomphe-t-il pas toujours du mal? répliqua le jeune homme.

— Oui, mais il laisse d'innombrables victimes dans son sillage avant d'en arriver là.

Ils virent alors le dauphin s'approcher de la rive avec l'enfant dans sa bouche.

— C'est donc là la véritable apparence de Nahélé, observa Theandras.

— Lâche-moi, tu me fais mal! ronchonnait Marek.

Lassa ne libéra son fils que sur la rive, de peur de voir le courant l'emporter.

– Espèce de petit ingrat, gronda Kira en attirant l'enfant sur la terre ferme. Il vient de te sauver la vie et c'est ainsi que tu le remercies ?

Marek releva sa tunique pour lui montrer les rangées de petits trous que les dents du mammifère avaient percés dans sa peau.

– Tu préférais sans doute être réduit en bouillie au pied du balcon de Kimaati ?

– Bien sûr que non...

Kira s'employa à refermer la multitude de plaies pendant que son mari reprenait sa forme humaine.

– Je pensais que tu le ramènerais à la maison, lui dit Kira tout en promenant de la lumière lilas sur le torse de son fils.

– Il me fallait de l'eau, expliqua Lassa. J'ai plongé dans la première rivière que j'ai rencontrée.

– Et il a bien failli me noyer, bougonna Marek.

– Si tu continues de te plaindre, je te renvoie à la forteresse, l'avertit sa mère.

Lorsqu'elle eut terminé le traitement, Kira attira son fils dans ses bras et le serra à lui rompre les os. Marek eut la présence d'esprit de ne pas se lamenter même si elle lui infligeait une réelle douleur.

– Que fait-on maintenant ? s'agita Mahito.

– Il faut avertir Onyx que ce fou lui a volé son château, suggéra Marek, que Kira venait de libérer. Et il faut sortir Ayarcoutec, Cherrval, Azcatchi et les Hokous de là.

– Je crains que seule une armée de dieux y parvienne, fit remarquer Danalieth.

– C'est pour cette raison que je vais aller m'entretenir avec Parandar, annonça Theandras. De grâce, ne provoquez pas davantage Kimaati avant que nous ayons pris une décision.

– Vous pouvez compter sur nous, affirma Lassa.

La déesse de Rubis se dématérialisa.

– Je peux trouver une faille dans le mur qu'il a élevé autour de la forteresse, suggéra Mahito.

– Sans doute, admit Anyaguara, mais Theandras a raison. Attendons de voir ce que décideront de faire les panthéons, sinon les dieux fondateurs eux-mêmes. Kimaati est notre ennemi à tous, pas seulement le tien, mon fils.

Marek aperçut alors Cornéliane assise en tailleur un peu plus loin. Les dragons étaient blottis contre elle, de chaque côté, graves et silencieux.

– Mais qu'est-ce que tu viens faire ici ? s'étonna le garçon.

Au même moment, Fabian et Shvara se posaient près du groupe en redevenant humains.

— Je rentrais à An-Anshar avec eux, indiqua tristement la princesse. Maintenant, je ne sais plus...

— J'allais justement suggérer de partir à la recherche de père, lui dit Fabian.

— Il peut être n'importe où dans le nouveau monde.

— Quelle belle aventure s'offre à nous ! se réjouit Shvara.

Cornéliane baissa misérablement la tête.

— Ce n'est qu'une petite défaite de rien du tout, l'encouragea le busard. Je suis certain que vous finirez par le reprendre, votre château.

— Il a raison, l'appuya Marek. Onyx ne fera qu'une bouchée de Kimaati lorsqu'il apprendra ce qui se passe ici.

— En attendant, nous allons rentrer à Fal pour rassurer nos amis et nous mettre à la recherche de Lazuli, signala Kira. Tu ferais mieux de venir avec nous, Mahito.

— Nous l'y emmènerons, promit Anyaguara.

— Et vous ? s'enquit Marek en s'agenouillant devant Cornéliane.

Les petits dragons vinrent aussitôt lui lécher le visage.

– Vous m'avez manqué, mes amis.

– C'est pareil pour nous, petit maître, assura Ramalocé.

– Tu veux suivre ton frère ou venir te reposer un peu à Fal ?

– J'ai envie de revoir mon père, mais je ne suis pas certaine de vouloir dormir n'importe où et faire face à tout plein de nouveaux dangers.

– Mais c'est ce qui rend la vie si excitante, jeune fille, rétorqua Shvara.

– Il ne faut pas lui en vouloir, les mit en garde Fabian. Il est incapable de prendre quoi que ce soit au sérieux.

– Nous sommes en faveur d'une petite trêve, si cela peut influencer votre décision, princesse, plaida Urulocé.

Fabian s'accroupit devant sa sœur.

– Nous pouvons fort bien retrouver père sans toi, tu sais. Si tu préfères nous attendre dans la douceur d'un palais, c'est tout à fait légitime.

– Non, je veux y aller moi aussi, décida l'adolescente. Mais je dois mettre les dragons en sûreté.

– Je l'appuie, indiqua Ramalocé.

– Alors, partons, les invita Fabian.

Cornéliane étreignit son frère et fit entrer les dragons dans la besace.

– On se revoit bientôt, promit Fabian en saluant Kira et Lassa.

Les dieux rapaces attendirent que tous aient disparu avant de s'élever vers le ciel.

✳ ✳ ✳

À An-Anshar, lorsque ses adversaires eurent battu en retraite, Kimaati réintégra ses appartements. Tayaress se tenait près de la porte, immobile et silencieux.

– Dois-je toujours te dire quoi faire ? tonna le dieu-lion.

– C'est notre entente.

– Pourquoi n'as-tu pas compris que tu devais attaquer cette racaille par-derrière ?

– Même si ça m'avait traversé l'esprit, je n'aurais été d'aucune efficacité contre ces dieux.

– Les petits-enfants et les arrière-petits-enfants de l'hippocampe ?

– Un de ses fils se trouvait parmi eux. J'ai été créé pour servir Abussos, Lessien Idril et leurs enfants, l'avez-vous déjà oublié ? S'ils avaient exigé que je me retourne contre vous, j'aurais été forcé de leur obéir.

Kimaati poussa un cri de rage qui projeta les meubles de la chambre en tous sens.

— Combien d'enfants ont-ils ?

— Huit, dont deux ne s'approcheront jamais de ce monde. Il y en a trois que vous devriez craindre : Nayati, Nashoba et Napashni, bien qu'ils soient tous capables de vous anéantir.

— Et tu ne peux rien faire pour m'en débarrasser ?

— Seuls les chasseurs-hyènes en meute pourraient peut-être y parvenir, mais vous savez contre qui ils se retourneront ensuite si vous faites appel à eux.

— Il n'est pas question que je retourne dans le monde d'Achéron, Tayaress ! tonna Kimaati.

— Je ne vois donc qu'une autre solution : apprenez donc à vivre en paix avec les gens de ce monde au lieu de tenter de vous imposer à eux.

— Hors de ma vue !

Tayaress ne se fit pas prier. Il se dématérialisa sans même saluer son maître, qui s'était mis à arpenter la pièce sans se rendre compte que ses prisonniers étaient en train de lui échapper sous ses pieds.

Si Azcatchi n'avait plus aucun pouvoir, il n'avait toutefois rien perdu de son instinct. Il était persuadé qu'ils seraient tous morts avant le retour d'Onyx s'ils ne fuyaient pas. Alors, au risque d'être surpris, ils devaient tenter de quitter les lieux. Il avait fait d'abord descendre le Pardusse, plus souple que lui, dans le trou creusé par Marek. Cherrval avait ensuite reçu la petite dans ses bras et l'avait même aidée à atterrir sans se blesser. Heureusement, l'homme-lion et l'enfant avaient déjà joué à tous les étages du château et ils savaient fort bien où ils venaient d'aboutir.

En s'efforçant de ne pas faire de bruit, Ayarcoutec évita d'aller vers le grand escalier qui partait du rez-de-chaussée et qui grimpait jusqu'au dernier étage. Elle prit la direction opposée. Azcatchi marchait juste derrière elle et Cherrval fermait la marche. Au bout du couloir, l'enfant tourna à gauche et entra dans ce qui ressemblait à un réduit. Elle poussa la porte tout au fond et arriva devant un escalier étroit.

Lorsqu'ils arrivèrent enfin aux cuisines, Ayarcoutec entrouvrit la porte juste assez pour jeter un œil dans la pièce. Les Hokous s'affairaient le plus naturellement du monde. Ils préparaient sans doute le repas des prisonniers et celui de l'envahisseur, mais ils ne le faisaient pas dans la contrainte. Rien n'affligeait les représentants de ce peuple d'Irianeth, toujours souriants et serviables, pas même un tyran qui semblait prêt à sacrifier tous ceux qui l'entouraient pour assurer sa domination.

Pendant qu'elle découpait les légumes en cubes, Lokelani se sentit observée. Elle tourna la tête vers la porte de l'escalier des serviteurs, entre les nombreuses étagères, et aperçut les yeux sombres de la petite guerrière. Un large sourire apparut sur le visage de la Hokou. Ayarcoutec mit immédiatement l'index sur ses lèvres pour la supplier de ne pas la dénoncer.

Lokelani regarda derrière elle, puis lui fit signe qu'elle pouvait entrer.

Pour permettre aux fugitifs de sortir de leur cachette, la Hokou alla se placer devant une autre table, même si elle n'avait pas terminé son travail, de façon à pouvoir surveiller l'entrée des cuisines, avec l'intention de bloquer au besoin la vue de Tayaress ou de Kimaati, même s'ils ne venaient pas souvent dans cette section du palais. Ayarcoutec utilisa ce paravent humain à son avantage. Elle traversa la pièce en courant et indiqua à ses compagnons la trappe dans le plancher, munie d'un gros anneau de fer. Le Pardusse se chargea tout de suite de l'ouvrir. Lokelani décrocha alors une torche du mur et la tendit à la petite. Celle-ci jeta le flambeau dans le trou et fit signe à Cherrval de sauter le premier. Elle s'y jeta après lui, puis une fois qu'Azcatchi les eut suivis, la Hokou referma tout bonnement l'abattant.

Les évadés pivotèrent pour s'orienter dans le vaste cratère au-dessus duquel Onyx avait déposé le château d'Agénor. De grands tuyaux plongeaient de la forteresse jusque dans le sol et c'est grâce à eux que le Pardusse sut de quel côté se diriger. Ils arrivèrent finalement devant une paroi de la cavité rocheuse perforée de nombreuses grottes, formées lors des dernières éruptions volcaniques. Certaines n'étaient pas très profondes, mais d'autres étaient de véritables galeries souterraines par lesquelles la lave avait coulé. Ayarcoutec et Cherrval les avaient toutes explorées lors de leurs jeux. Ils savaient où menaient les tunnels de lave. L'un d'eux débouchait dans le versant de la montagne, beaucoup plus bas que la forteresse. On pouvait même y apercevoir ce qui restait des anciens territoires mixilzins.

Lorsqu'ils arrivèrent enfin à la corniche, Ayarcoutec jeta le flambeau sur le sol pour que sa flamme n'attire pas l'attention. Azcatchi leva la tête et vit que la forteresse se trouvait à des centaines de mètres au-dessus d'eux.

— Nous serons à découvert, annonça-t-il. Je suggère de procéder très lentement, même si nous sommes pressés d'échapper à Kimaati, de façon à ce que personne ne perçoive le moindre mouvement sur le versant du volcan.

Ils mirent de longues minutes à descendre sur ce terrain dangereux. Lokelani avait certainement prévenu ses compatriotes des intentions de la princesse. Pour qu'ils puissent réussir leur évasion, les Hokous iraient leur porter leur repas comme ils le faisaient tous les jours et feraient semblant que tout se passait normalement.

Une fois au bord du torrent, Ayarcoutec regretta de ne pas avoir des ailes comme celles de sa mère.

— Je ne sais pas nager, avoua alors Azcatchi.

— Ce ne sera pas un problème. Accrochez-vous à moi tous les deux, ordonna Cherrval.

Le crave et l'enfant entrèrent dans l'eau froide et empoignèrent la crinière de l'homme-lion. Sa force musculaire remarquable permit au Pardusse de traverser le fleuve en moins d'une heure. Même s'ils étaient gelés jusqu'aux os, les fugitifs foncèrent vers la forêt pour se mettre à couvert.

— Maintenant, qu'est-ce qu'on fait ? demanda Cherrval.

– Il faut trouver mes parents, décida Ayarcoutec. Malheureusement, je ne possède pas leur faculté de parler par l'esprit... et Azcatchi ne vole plus.

Le crave haussa les épaules pour dire qu'il ne pouvait rien y changer.

– Je peux flairer n'importe quel gibier, mais j'ai besoin d'une odeur de départ.

– Je n'ai rien qui leur appartenait, se désola l'enfant.

– Continuons au moins de nous éloigner de la forteresse, suggéra le crave.

Ayarcoutec suivit Cherrval pendant un moment, puis s'arrêta net.

– Nous avons oublié Lyxus ! s'exclama-t-elle.

– Le vieil homme n'aurait jamais été capable de nous suivre, fit remarquer Azcatchi.

– Et puis, s'il a vécu jusqu'à cet âge avancé, c'est qu'il a plus d'un tour dans son sac, la consola le Pardusse. Je suis certain qu'il survivra.

Ils continuèrent de s'enfoncer dans la forêt.

27

LE CROMLECH MEURTRIER

Moérie aurait préféré que Corindon lui rapporte un cadavre, mais le morceau de chair collé dans le cuir de la botte de Fabian par son sang servirait ses plans de la même façon. Le dieu-caracal prit place entre deux menhirs et observa l'enchanteresse à l'œuvre. Elle fit apparaître un feu au centre du cromlech et plaça le sang dans une vasque de pierre sur un trépied au-dessus des flammes. Elle y versa le liquide d'une petite fiole qu'elle portait attachée à son cou, puis une pincée d'un ingrédient que Corindon ne connaissait pas, avant de commencer à psalmodier des paroles en elfique jusqu'à ce le liquide brunâtre se mette à bouillonner doucement.

— Rends-toi auprès d'Étanna et demande-lui de venir ici dans deux heures précisément, ordonna Moérie en plantant son regard dans celui de son amant.

— Et les oiseaux ?

— Ne t'en fais pas, je les attirerai moi-même. Va.

— Avec plaisir, répondit le caracal.

Il lui souffla un baiser et se dématérialisa. Un sourire cruel se dessina sur le visage tatoué de l'enchanteresse. Bientôt, elle célébrerait sa victoire avec l'homme qui l'avait séduite dès son premier regard. Il lui fallait maintenant être patiente et surtout accepter de ne pas pouvoir se tenir dans le cercle de pierres une fois qu'il serait amorcé. Elle trouverait une autre façon d'observer le massacre. Encore deux heures à attendre...

Pendant que la potion magique mijotait, Moérie se rendit au petit étang juste à l'extérieur du cromlech et passa la main au-dessus de l'eau. Celle-ci lui renvoya aussitôt des images de ce qui se passait dans son pays natal. À son grand déplaisir, elle découvrit que la Reine Danitza était toujours en vie. «Je suis vraiment entourée d'incompétents», grommela intérieurement l'enchanteresse. Elle vit Malika parmi ses anciennes compagnes. Ne se souvenant pas du sortilège qu'elle avait reçu, elle était inconsolable à l'idée d'avoir attaqué quelqu'un. «On ne peut vraiment pas faire confiance aux demi-Elfes.» Dès qu'elle aurait accompli sa très importante mission de purification des panthéons, Moérie se débarrasserait elle-même des humains et des demi-Elfes, qui ne connaissaient pas les véritables besoins de son peuple.

Les siens s'étaient réfugiés dans les ridicules maisons circulaires que Kaliska avait fait installer à la cime des arbres et le mauvais temps sévissait sur le royaume. Dans la Forêt interdite, il pleuvait toutes les nuits, mais cette contrée semblait à l'abri de la saison froide, tout comme le Désert, d'ailleurs.

✳ ✳ ✳

La paix avait depuis longtemps déserté les trois panthéons. Les rapaces continuaient de soigner leurs blessures en entretenant des idées de vengeance contre les félins. Toutefois, les plaies d'Aquilée ne lui avaient pas été infligées par les enfants d'Étanna et elles tardaient à se refermer. Seule l'eau de son bassin préféré apportait à la déesse-aigle un peu de réconfort, alors elle y passait de plus en plus de temps.

Puisqu'elle savait que sa sœur n'aimait pas qu'on l'épie, Orlare s'installait sur une haute branche, quelques arbres plus loin, pour veiller sur elle. Tout comme Azcatchi et Nahualt, la déesse-Harfang avait souvent été brutalisée par Aquilée, mais au fond de son cœur, elle voulait croire que tout le monde pouvait changer et devenir bon. Secrètement, elle espérait que la raclée qu'elle avait reçue aux mains de Nashoba réfrénerait les ardeurs de l'aigle.

— Je sais que tu es là, Orlare, grommela Aquilée.

— Fais comme si tu ne le savais pas.

— Comme si c'était possible... As-tu peur que je me noie ?

— L'eau n'est pas assez profonde.

— Alors qu'est-ce que tu fais là ?

— Rien de particulier.

Aquilée émit un cri agacé.

– Alors viens donc profiter de l'eau magique, toi aussi. Peut-être qu'elle fera disparaître le petit nuage rose qui flotte devant tes yeux.

– Quel nuage ? s'étonna Orlare en se posant sur une des grosses pierres qui divisaient la cascade en plusieurs petites chutes.

– Celui qui t'empêche d'accepter ta véritable nature.

– Je ne suis pas une guerrière comme toi, ma sœur, et malgré tous mes efforts, tuer continue de me répugner. Je pense plutôt avoir été créée pour faire du bien aux gens.

– Si tu étais à ma place, tu penserais autrement.

– Sans doute, mais je ne serai jamais toi.

Le harfang sauta dans un autre petit bassin à la surface des rochers et s'ébroua.

– Je commence à comprendre ta fascination pour ces flaques d'eau. On s'y sent tout de suite très détendue.

– Tais-toi et profites-en.

Pendant que les deux déesses s'abandonnaient à l'énergie curative de l'eau, assise sur le trône de son défunt mari, Séléna écoutait les plaintes amères des survivantes de la dernière bataille contre les chats. Il ne restait plus que la chouette Izana, le faucon Métarassou, l'épervier Ninoushi, ses deux filles et elle dans le monde aviaire. Dès que toutes seraient remises, il lui faudrait trouver une façon d'attirer Albalys, Shvara, Sparwari, Aurélys, Cyndelle et Lazuli au bercail, afin de reconstruire leur dynastie.

* * *

Les reptiliens s'étaient rassemblés dans la rotonde de Parandar pour entendre Theandras raconter ce qu'elle avait vu dans le monde des hommes. La déesse du feu était debout au centre de la pièce circulaire, sa longue robe rouge léchée par les flammes, tandis que son frère Parandar avait du mal à rester tranquille sur son trône d'albâtre. Fan se tenait près de lui, l'air sévère. Elle avait vécu suffisamment longtemps à Enkidiev pour saisir l'ampleur de la menace que constituait Kimaati. Les autres membres du panthéon étaient assis sur des sièges entre les nombreuses colonnes.

Dans un silence d'enterrement, Asséquir, Capéré, Cinn, Clodissia, Dressad, Estola, Hunhan, Ialonus, Ivana, Kunado, Lagentia, Liam, Nadian, Natelia, Rogetia, Sauska, Shushe, Valioce, Vatacoalt, Vinbieth et Vindémia ne comprenaient pas comment la présence de l'étranger pouvait menacer leur tranquillité.

– La dernière fois qu'un dieu du monde parallèle s'est infiltré dans le nôtre, il s'est installé dans celui des humains et il a failli faire disparaître les créatures que Parandar y a installées, leur rappela Theandras.

– Mais Amecareth a été vaincu, leur rappela Shushe.

– Grâce à l'intervention d'Abussos, qui a envoyé son fils Nahélé pour le vaincre.

– Ne pourrait-il pas envoyer un autre de ses enfants pour obliger Kimaati à retourner dans son monde ? s'enquit Cinn.

– Avez-vous une petite idée des tourments que cela causerait encore une fois aux humains ? laissa tomber Parandar.

– Il a raison, l'appuya Fan. J'ai vu de mes yeux la dévastation laissée par les deux invasions d'Amecareth. Nous ne pouvons pas imposer plus de souffrances aux hommes.

– Je reste tout de même d'avis qu'Abussos est le seul à pouvoir nous débarrasser de Kimaati, insista Theandras.

– Alors, ce sera moi qui irai vers lui, décida Parandar. Nous verrons bien ce qu'il décidera, mais que ce soit bien clair : s'il nous demande d'intervenir, nous n'aurons pas le choix d'obéir.

– Ne sait-il pas que nous sommes des dieux pacifiques ? s'étonna Estola.

– Nous ne serons plus rien si l'univers cesse d'exister.

✳ ✳ ✳

Chez les félins, l'atmosphère était plus lugubre. Étanna n'arrêtait pas de ramper dans son terrier en réclamant le sang des rapaces. Allongés sur le sol, le lion Ahuratar, le lynx Enderah, le tigre Napishti, le puma Rogva et le léopard Skaalda

446

la suivaient des yeux sans rien dire. Ils avaient aiguisé leurs griffes et n'attendaient que le signal du départ, mais le dieu-caracal se faisait attendre.

— Il ne doit pas être facile de tendre un piège à autant d'oiseaux, laissa tomber Rogva.

— Surtout que Corindon a décidé d'accorder sa confiance à une humaine, grommela Étanna.

— Qu'avons-nous à perdre ? intervint Ahuratar, de sa voix grave.

— Rien ! s'exclama le dieu-caracal en faisant son entrée dans le palais. Et tout à gagner !

Les yeux des félins étincelèrent.

— Préparez-vous. Nous frappons dans deux heures.

— Pourquoi pas maintenant ? s'impatienta Napishti.

— Parce que le piège n'est pas tout à fait prêt.

— Quel sera notre rôle ? voulut savoir Skaalda.

— Nous nous installerons dans le cromlech, où les oiseaux seront attirés, et nous n'aurons qu'à les faucher, expliqua Corindon.

— C'est trop facile, se méfia Enderah.

– Si vous préférez tout annuler et rester ici à ressasser votre dernière défaite contre Aquilée, j'ai encore le temps d'aller prévenir l'enchanteresse.

– Non, décida Étanna. Finissons-en une fois pour toutes.

Les minutes qui suivirent leur parurent une éternité et, lorsque Corindon donna le signal, tous les fauves bondirent derrière lui. En une fraction de seconde, il les transporta dans la Forêt interdite, au milieu du cercle de pierres.

– Ils arriveront du ciel, expliqua le caracal. Tenez-vous prêts.

L'odeur du sang du morceau de peau de Fabian devint presque insupportable pour ces animaux à l'odorat aiguisé, mais ils demeurèrent accroupis, tous leurs muscles tendus, prêts à tuer. C'est alors qu'une spirale de fumée rouge s'éleva de la vasque au milieu du cromlech. Elle monta et monta et s'infiltra jusque dans le monde des dieux, se frayant un chemin jusqu'à celui des rapaces. Plus que tous les autres, Corindon observait ce qui se passait, prêt à participer pour ne pas attirer les soupçons d'Étanna.

Dans le palais d'Aquilée, Séléna tourna la tête de tous côtés, se demandant pourquoi le sol s'était mis à bouger sous son ventre.

– Le sentez-vous aussi? demanda-t-elle à Métarassou, Izana et Ninoushi couchées devant elle.

Elles le confirmèrent, mais n'eurent pas la présence d'esprit de déguerpir. Le fond du grand nid céda d'un seul coup et les emporta dans un tourbillon implacable. Les quatre oiseaux de proie s'écrasèrent entre les menhirs et n'eurent aucune chance de se défendre. Les félins les mirent en pièces en quelques secondes à peine.

— Mais où est Aquilée ? hurla Étanna, furieuse.

Il n'était pas facile de reconnaître à qui appartenaient tous les morceaux sanglants qui jonchaient le sol, mais il ne s'y trouvait aucune plume d'aigle.

Avant que la déesse-jaguar ne s'en prenne à lui, Corindon fonça entre deux grandes pierres afin de se renseigner auprès de la magicienne. Il se heurta violemment à la paroi invisible qui en bloquait l'accès. Il reprit tout de suite son apparence humaine, persuadé qu'il pourrait ainsi franchir la barrière, mais s'y frappa une seconde fois. Moérie sortit de l'obscurité et s'avança vers lui avec un sourire triomphant sur le visage. Elle s'arrêta à quelques pas de son amant et lui souffla un baiser. Au même moment, une terrible déflagration à l'intérieur du cromlech fit trembler la forêt. Tous les félidés ainsi que les restes des rapaces furent pulvérisés en l'espace de quelques secondes.

— Adieu, mon bel amour, murmura l'enchanteresse.

Elle leva alors les yeux au ciel en se demandant si son complice avait tenu parole. C'est alors qu'elle aperçut la supernova qui éclairait son visage. Elle ferma les yeux, se délectant de cette éclatante victoire. Un cycle venait de s'achever et un autre était sur le point de commencer.

* * *

Les reptiliens avaient commencé à se séparer lorsque survint l'impensable. C'est parce qu'ils suivaient Theandras sur le chemin qui menait à son domaine que Parandar et Fan furent épargnés. La détonation les projeta face contre terre. N'écoutant que son instinct, la déesse du feu s'était jetée à plat ventre sur son frère et sa nièce et les avait enveloppés dans ses flammes. Le feu ne dévorant pas le feu, ils ne furent pas foudroyés par l'explosion. Dès que l'onde de choc fut passée, Theandras se releva et regarda autour d'elle. La dévastation dépassait l'entendement. Parandar et Fan parvinrent aussi à reprendre leur équilibre.

– Qu'est-ce que c'est que ça ? suffoqua le chef du panthéon reptilien.

– Quelqu'un ou quelque chose vient de raser notre univers... murmura Fan, sidérée.

* * *

Aux confins des mondes célestes, le domaine d'Abussos avait également subi une forte secousse. Lessien Idril avait laissé tomber les petites billes colorées qu'elle cousait sur un vêtement et s'était précipitée sur le sentier qui menait jusqu'au grand lac, persuadée qu'un terrible malheur venait de lui enlever son époux. Elle s'arrêta net en sortant de la forêt: Abussos était agenouillé devant le canot qu'il était en train de sculpter. Il avait ressenti la destruction d'un grand nombre de ses descendants. Tout son corps était secoué de spasmes et un torrent de larmes coulait sur ses joues.

– Mais qu'ont-ils fait ? s'étrangla-t-il dans ses sanglots.

À PARAÎTRE
AUTOMNE 2014

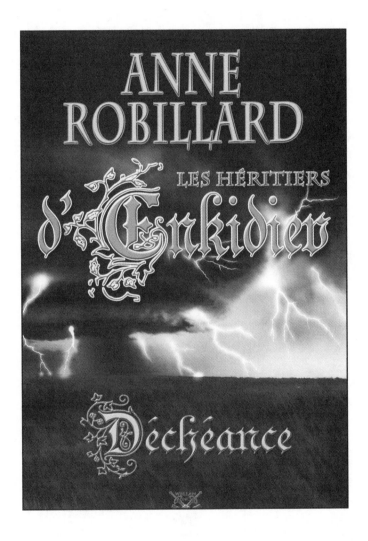

ANNE ROBILLARD

LES HÉRITIERS d'Enkidiev

Déchéance

www.anne-robillard.com
www.parandar.com

MARQUIS

Imprimé au Québec, Canada
Février 2014